D0755713

1 Sonora schlief nicht, als der Anruf kam. Sie lag zusammengerollt auf der Seite, die Bettdecke über dem Kopf, und nahm nur verschwommen wahr, wie der Wind die Telefonkabel im Takt gegen die Rückwand des Hauses peitschte. Beim zweiten Läuten hob sie den Hörer des Telefons auf dem Nachttisch ab und ahnte bereits, daß dieser Anruf nichts Gutes bedeutete. Zu solch früher Morgenstunde mußte es sich um eine dienstliche Sache handeln.

»Mordkommission, Blair.«

»Melden Sie sich immer am Telefon, als ob Sie im Dienst wären?«

»Nur wenn *Sie* anrufen, Sergeant. Aber egal, Sam hat Rufbereitschaft, nicht ich.« Sie strich sich mit den Fingerspitzen über den Nacken. Ihr Kopf schmerzte.

Einen Moment blieb es still am anderen Ende der Leitung. Dann: »Sam und Sie werden die Sache gemeinsam übernehmen. Verdammt häßliche Geschichte, Sonora. Ein Mann ist in seinem Wagen in Brand gesteckt worden.«

Sonora knipste die Nachttischlampe an. Die Birne flackerte kurz und ging aus. »Klingt nach Versicherungsbetrug, der außer Kontrolle geraten ist. Warum übernehmen das nicht die Leute vom Brandstiftungsdezernat?«

»Die haben uns ja angerufen. Das Opfer, Name Daniels, Mark, ist mit Handschellen ans Lenkrad seines Wagens gefesselt und mit einem Brandbeschleuniger übergossen worden.«

Sonora zuckte zusammen. »Klingt eindeutig. Wo?«

»Mount Airy Forest, rund zwei Meilen im Wald. Ein Strei-fenpolizist steht zur Einweisung an der Straße. Delarosa ist eben zum Tatort losgefahren, erwartete Eintreffzeit vier Uhr fünfzig.«

Sonora schaute auf die Uhr. Vier Uhr zwanzig.

»Das Opfer lebt noch, ist bewußtlos, könnte aber wieder zu sich kommen, doch wenn, dann allerdings wohl nicht mehr für lange. Der Mann liegt drüben in der Uni-Klinik, und ich möchte, daß Sie dorthin fahren. Sehen Sie zu, daß Sie noch was aus ihm rausholen können, auch wenn's nur zu einer Aus-sage auf dem Sterbebett reicht. Könnte eine Schwulensache sein, verstehen Sie? Das sind ja die Typen, die sich normaler-weise um diese Jahreszeit dort rumtreiben. Kriegen Sie ihn dazu, daß er noch auspackt, wer' s gewesen ist. Wenn wir ein bißchen Glück haben, können wir den Fall noch morgen früh abschließen.«

»Es ist schon längst ›morgen früh‹.«

»Machen Sie's gut, Blair.«

Sonora zog sich hastig an, schlüpfte in eine schwarze Baum-wollhose, die gerade noch der Polizei-Kleiderordnung ent-sprach, strich durch die wirren Strähnen ihres Haares, schaute in den Spiegel – und gab auf. Zu zerzaust, zu durcheinander vom Schlaf. Das war ganz bestimmt kein Tag für eine schicke Frisur. Sie faßte die Enden zusammen und schlang ein schwar-zes Samtband darum. Unter den Augen hatte sie dunkle Rin-ge, und die Lidränder waren gerötet. Sie wünschte, sie hätte Zeit für ein Wunder wirkendes Make-up, aber wenn dieser Daniels im Sterben lag, hatte sie keine Zeit zu verlieren. Und er würde ganz sicher an ihrem Aussehen keinen Anstoß nehmen.

Sie machte das Licht im Flur an und warf einen Blick in die

Kinderzimmer. Beide Kinder schliefen fest. Sie ging um die Wäschestapel herum, die in einer schwer durchschaubaren, nur ihrem Sohn verständlichen Systematik nach »sauber« und »schmutzig« auf dem Boden aufgeschichtet waren. Er schlief verkehrt herum im Bett, auf dem Kissen lag ein Buch mit dem Titel »*Hochentwickelte Drachen und ihre Höhlensysteme*«.

»Tim?«

Seine Augenlider zuckten, blieben aber zu. Im Schlaf sah er mit dem kurzgeschnittenen weichen schwarzen Haar jünger aus als dreizehn.

»Tim, komm, wach auf.«

Er fuhr hoch und sah sie mit weit aufgerissenen, verwirrten Augen an.

»Tut mir leid, mein Schatz, ich muß wegen einer dringenden dienstlichen Sache weg. Ich schließe hinter mir ab, aber bitte paß auf deine Schwester auf, okay?«

Er nickte und blinzelte gequält ins Licht – zu jung und zu müde, mitten in der Nacht aufgeweckt zu werden.

»Wieviel Uhr ist es?« fragte er.

»Kurz nach vier. Du kannst noch lange schlafen. Aber steh bitte auf, wenn der Wecker klingelt. Du mußt dafür sorgen, daß Heather pünktlich zur Schule kommt.«

»Okay. Paß auf dich auf, Mom. Lad deine Pistole durch.« Er ließ sich zurück aufs Bett fallen und drehte dem hellen Lichtschein, der vom Flur ins Zimmer fiel, den Rücken zu.

Sonora ließ die Tür einen Spalt offen und ging zum Zimmer ihrer Tochter. Ein Gewirr nackter Barbie-Puppen, davon einige ohne Kopf, lag wie nach einer Bombenexplosion verstreut auf dem verschlissenen gelben Teppich. Sonora suchte sich vorsichtig einen Weg zum Bett, registrierte erfreut die korrekten Kleiderstapel, die sorgfältig neben dem aufgepolsterten Hundekorb aufgeschichtet waren, und die ordentlich hingestellten Schuhe. Es war September, erst ein paar Wochen nach Beginn des neuen Schuljahrs, und die Aufgeregtheit der Erstkläßlerin mußte sich noch legen.

Ein rot-weiß gefleckter Hund knurrte leise und hob dann den Kopf vom Kissen im Bett, auf dem er dicht neben dem zarten schwarzhaarigen Mädchen geschlafen hatte. Er war ein recht großer Hund, schon ziemlich alt, hatte ein dichtes Fell und wissende braune Augen.

Sonora tätschelte seinen Kopf. »Brav, Clampett.«

Der Hund wedelte mit dem Schwanz. Sonora sah drei baumwollene Zopfbänder neben den lavendelfarbenen Tennisschuhen ihrer Tochter liegen – Zopfbänder für Zöpfe, nur daß Mommy nicht da sein würde, sie zu flechten.

Sonora verzog das Gesicht. »Vielen Dank, Heather, ich werde *bestimmt* Schuldgefühle bei der Arbeit an meinem Mordfall haben.«

Sie küßte ihre Tochter auf die Pausbäckchen, überprüfte sorgfältig die Türschlösser sowie die Alarmanlage und verließ dann das Haus.

Es regnete wieder, allerdings jetzt nicht mehr so stark, und die Scheibenwischer schafften es in der Intervall-Schaltung. Die Windschutzscheibe war jedoch beschlagen, was die Sicht erschwerte, und Sonora zuckte jedesmal unter dem grellen Glitzern der Scheinwerfer entgegenkommender Autos auf der regennassen Straße zusammen. Ihre Nachtsichtfähigkeit war nicht so, wie sie eigentlich sein sollte.

Das Gebäude der Universitätsklinik versteckte sich mit seinem Schotterhaufen und Bretterstapeln hinter einem Baugerüst. Wenigstens die Gesundheitsfürsorge schien Hochkonjunktur zu haben. Sonora kam an einem großen Schild mit der Aufschrift »Bauausführung Fa. Mesner« vorbei.

Der Eingang zur Notaufnahme war hell erleuchtet; zwei

Krankenwagen standen unter dem Vordach und einige Streifenwagen in der kreisförmig angelegten Zufahrt. Das Parkhaus war nicht beleuchtet. Sonora quetschte sich zwischen den Krankenwagen durch und stellte ihr Auto am Rand der Auffahrt ab. Aus dem Handschuhfach holte sie eine Krawatte mit Blumenmuster, die nicht besonders gut zu ihrem Hemd paßte, sich aber zumindest nicht mit seiner Farbe biß, streifte die Schlinge mit dem lose gebundenen Knoten über den Kopf und zog sie dann unter dem Kragen des maßgeschneiderten Hemdes fest. Der Blazer auf dem Rücksitz war zerknittert, doch Sonora fand, daß es nicht sehr schlimm war. Sie stieg aus und schloß den Wagen ab.

In der Halle hinter dem Eingang hing der Geruch nach Krankenhaus und vom Regen nassen Cops schwer in der Luft; noch stärker aber war der intensive Brandgeruch. Das leise Knistern und Gemurmel aus Polizei-Handfunkgeräten wurde hin und wieder vom Klingeln ankommender, offensichtlich sehr langsamer Aufzüge unterbrochen. Eine Krankenwagenbesatzung schob eine Liege durch die Halle, und Sonora trat zur Seite, einem Sanitäter ausweichend, der eine Blutkonserve hochhielt. Die Gruppe ließ eine Spur aus vereinzelten Blutstropfen hinter sich.

Sonora sah plötzlich alles nur noch verschwommen, und sie blieb stehen und rieb sich die Augen.

»Specialist Blair?«

Der Streifenpolizist vor ihr konnte höchstens zweiundzwanzig oder dreiundzwanzig sein. Seine Uniform war naß und voller Rußflecken.

»Mein Name ist Finch. Captain Burke hat gesagt, ich soll mich bei Ihnen melden. Ich war gleich nach Kyle am Tatort. Er hat schlimme Verbrennungen.«

»Kyle?«

»Kyle Minner, Officer Minner. Er war kurz vor mir da.«
Sonora legte ihm die Hand auf den Arm. »Haben Sie jeman-
den gesehen, gehört, daß ein Wagen weggefahren ist?«
Der Polizist schluckte. »Nein, nichts. Es war ... Der Mann
schrie, und seine Haare brannten. Ich hab nichts gesehen
außer ihm.«
»Okay, das ist in Ordnung. Sind Sie verletzt?«
»Nein, Ma'am.«
»Wie schlimm hat es Minner erwischt?«
Finch schluckte wieder. »Ich weiß es nicht.«
»Ich werde mich nach ihm erkundigen und Ihnen Bescheid
geben. Was können Sie mir über das Opfer sagen? Daniels
heißt der Mann, nicht wahr?«
»Der Wagen ist auf einen Keaton Daniels zugelassen. Das
Opfer ist sein Bruder Mark, College-Student, zweiundzwan-
zig, lebt in Kentucky und ist zu Besuch hier. Er hat sich den
Wagen anscheinend von seinem Bruder ausgeliehen.«
»Und was ist im einzelnen passiert?«
»Unsere Vermittlung erhielt einen anonymen Anruf aus dem
Park. Der Anrufer sagte, es gehe da was Seltsames vor sich.
Ich dachte, es handle sich um Teenager, die dort Unsinn machen oder so was. Als ich hinkam, stand das Auto schon in
hellen Flammen. Der Mann schrie, und es klang ... o Gott ...
irgendwie unwirklich. Minner hat gerade in unserem Büro bei
der Parkverwaltung gearbeitet, einen Bericht getippt, und ist
also nur ungefähr eine Minute von der Stelle entfernt. Er ist
vor mir dort, will die Autotür aufreißen, packt den Türgriff,
zuckt mit der Hand zurück, und die Haut schält sich von der
Handfläche ab. Dann greift er durch das offene Fenster der
Fahrertür nach dem Mann und will ihn rausziehen. Aber es ...
er ... Minner schreit irgendwas von Handschellen. Nachher,
als wir auf den Krankenwagen gewartet haben, hat er mir

gesagt, der Mann sei mit Handschellen ans Lenkrad gefesselt gewesen. Jedenfalls, Officer Minner befreit Daniels aus den Handschellen …«

»*Befreit* Daniels aus den Handschellen?«

Finchs Augen wurden feucht. »Die Hände von dem Mann waren fast ganz verbrannt. Sieht so aus, als ob Minner ein paarmal dran gezogen hätte, und dann sind die Hände durchgerutscht.«

Sonora kniff die Augen zusammen.

»Es war die einzige Möglichkeit, die einzige Chance, ihn aus dem Wagen zu kriegen. Der Mann steht in Flammen, Minner steht in Flammen, sie rollen sich auf dem Boden rum, also werfe ich meine Jacke über sie und ersticke die Flammen.«

»Haben Sie wirklich keine Verletzungen?«

»Nur meine Augenbrauen sind ein bißchen versengt. Minner hat schlimme Brandwunden. Und das Opfer, dieser Daniels, der ist fast ganz verkohlt.«

»Sind Sie mit den beiden im Krankenwagen hergekommen?«

»Ja, Ma'am.«

»Hat Daniels was gesagt?«

»Er war bewußtlos. Aber als ich zu dem brennenden Wagen kam, hat er was geschrien. Klang wie ›key‹ oder so was.«

»Key wie Schlüssel?«

Finch zuckte mit den Schultern.

»War das alles?«

Der Streifenpolizist nickte.

»Gute Arbeit, Officer«, lobte ihn Sonora. »Wollen Sie nach Hause?«

»Ich möcht hierbleiben und hören, wie es Kyle geht. Ach ja, und O'Conner hat den nächsten Verwandten des Opfers hergebracht, Daniels' Bruder.« Finch nickte zu einem Mann hinüber, der im Flur außerhalb des hellen Lichtes stand und zu ihnen herschaute.

Sonora sah in die Richtung und erblickte einen großen, kräftigen Mann mit bleichem, übernächtigtem Gesicht.

»Hat jemand mal mit einem der Ärzte geredet?«

»Ein Doktor kam eben aus der Notaufnahme und hat mit dem Bruder gesprochen.«

»Haben Sie gehört, was er gesagt hat?«

»Nur, daß sie sich große Sorgen um Marks Zustand machen, aber alles tun würden, was sie nur könnten.«

»Scheiße. Dann ist klar, daß Daniels es nicht schaffen wird. Sie haben schon die Segel gestrichen.«

»Ma'am?«

»Egal. Sorgen Sie dafür, daß jemand dem Bruder eine Tasse Kaffee bringt. Sieht aus, als ob er eine brauchen könnte. Und holen Sie sich selbst auch eine.« Sonora ging an den Plastiksofas vorbei zur Schwingtür der Notaufnahme und stieß sie auf.

2 In der Notaufnahme war das Licht hell genug, um neue Energien wachzurufen. Sonora stieß auf eine dunkelhäutige Frau in blauem baumwollenem Hosenanzug und mit Häubchen auf dem Kopf, der Schwesterntracht des Krankenhauses. Ihre Füße steckten in Plastiksandalen.

»Gracie! Genau die Frau, die ich jetzt brauche.«

»Bist du wegen des Mannes mit den Brandverletzungen hier?« Gracie nahm Sonora am Arm und zog sie aus dem Weg eines Krankenpflegers, der ein Infusionsgestell vor sich herschob.

»Wie steht es um ihn?«

Gracie deutete auf eine abgeteilte Kabine, deren weiße Vorhänge sich durch dahinter stattfindende Bewegungen bauschten.

»Sie haben Dr. Farrow, den Verbrennungsspezialisten von der Shriners-Klinik, verständigt. Der müßte jeden Augenblick eintreffen, aber es wird wohl zu spät sein. Der Notarzt hat ihm zur Entgiftung Thiosulfat gegeben, doch sein Blutsauerstoffwert ist miserabel. Er liegt unter dem Beatmungsgerät und kann nicht mit dir sprechen.«

»Ja-/Nein-Fragen?«

Gracie kniff die Augen zusammen. »Er ist bei Bewußtsein. Du kannst es ja mal versuchen.«

Sie führte Sonora an einem Mann vorbei, der einen anscheinend außergewöhnlich schweren Stahlkarren vor sich herschob. Sie gingen an der Seite, wo sich der Vorhang teilte, in die Kabine. Sonora runzelte die Stirn. Der diensthabende Arzt war Dr. Malden, und der mochte sie nicht.

»Okay?« fragte sie.

Er schenkte ihr kaum Beachtung, sagte aber auch nicht nein. Sie schaute über Gracies Schulter.

Mark Daniels war bei Bewußtsein, und das war, wie Sonora dachte, während das Team sich um ihn kümmerte, ihr Glück und sein Pech. In seinen Augen stand der Tod. Sonora nahm nur vage die Ärzte und technischen Assistenten wahr, die mit geschäftigen Händen den Alptraum der medizinischen Technologie auf Daniels losließen. Die Luft war erfüllt von Brandgeruch, Wortfetzen aus dem medizinischen Fachchinesisch flogen hin und her – hypovolämischer Schock, Ringer-Lösung, zentraler venöser Druck … Jemand beurteilte laut die Schwere der Verbrennungen – »anteriore Rumpfseite achtzehn Prozent«. Eine andere Stimme verkündete: »Körpertemperatur auf sechsundzwanzig Grad Celsius abgesunken. Herzarrhythmie. Auskultation der Lunge erforderlich.« Daniels Schädeldecke glänzte weiß unter dem fast vollständig verbrannten Haar; sie schien im Gegensatz zur verkohlten und starren Hautoberfläche der Brust, der Arme und des Halses zu pulsieren. Seine Gesichtszüge waren kaum mehr zu erkennen, die Lippen nur noch ein zerflossener, verwischter Fleischklumpen. Eine Augenhöhle war schwarz verkrustet, und das rechte Ohr sah aus wie ein Stück zerschmolzene dunkle Metallfolie.

Von der rechten Hand war fast nichts mehr übriggeblieben. Sonora starrte auf weiße Knochenstümpfe. Am Ende der linken Hand baumelte ein schwarzer Fleischklumpen, der aussah wie die geballte Faust eines kleinen Kindes.

Sonora schaltete ihren Recorder ein. »Mr. Daniels, ich bin Specialist Sonora Blair, Cincinnati Police Department.«

Er bewegte den Kopf. Sie wiederholte ihre Worte, und plötzlich kam ein Blickkontakt zu seinem weniger verletzten Auge zustande. Er konzentrierte den Blick auf ihr Gesicht, und Sonora hatte das seltsame Gefühl, sie und Daniels seien Welten von den Ärzten, technischen Assistenten und dem grellen, aufdringlichen Licht entfernt.

»Ich werde Ihnen ein paar Fragen zu dem Täter stellen, der diesen Angriff auf Sie verübt hat. Mr. Daniels? Schütteln Sie den Kopf, wenn die Antwort nein ist, und nicken Sie bei ja. Okay? Haben Sie verstanden?«

Er nickte und verschmierte dabei das weiße Laken mit einer zähen Flüssigkeit von seinem Kinn. Der dicke Tubus des Beatmungsgeräts teilte die zerschmolzenen Lippen, und der Sauerstoff ließ die angesengten Lungenflügel anschwellen und wieder in sich zusammenfallen.

»Haben Sie ... kennen Sie den Täter?«

Daniels reagierte nicht, hielt jedoch die Augen weiter fest auf sie gerichtet. Er dachte nach. Schließlich nickte er.

»Kennen Sie ihn schon lange?«

Daniels schüttelte den Kopf.

»Also nicht lange?«

Wieder schüttelte er den Kopf. Mehrmals hintereinander.

»Sie haben ihn heute nacht getroffen?«

Er nickte, drehte dann aber den Kopf hin und her. Sonora fragte sich, ob er bei klarem Verstand war. Ja, er begriff alles, das sah sie in seinen Augen. Er versuchte ihr irgend etwas zu sagen. Sie runzelte die Stirn und überlegte.

Du mußt ganz von vorne anfangen, ganz langsam vorgehen, sagte sie sich. »Mann oder Frau? Mr. Daniels, war der Täter ein Mann?«

Kopfschütteln. Heftig. Kein Mann.

Seine Frau, dachte Sonora. Seine Exfrau. Seine Freundin.

»Der Verbrecher war also eine Frau?«

Sonora trat zur Seite, um dem Arzt Platz zu machen, aber sie sah sein Nicken. »Zeuge erklärt, daß der Täter eine Frau war«, sagte sie in das Mikrofon des Recorders. »Eine Frau, die Sie kennen?«

Nein, lautete die Antwort.

»Ihre Ehefrau?« Nein. »Ihre Freundin?« Nein. »Sie haben sie erst heute nacht kennengelernt und mitgenommen?«

Ja. Das war es also. Eine Fremde.

Er verlor den Blickkontakt, schien immer schwächer zu werden. »Jung?« fragte sie. »Unter dreißig?«

Er sah sie wieder an, wach und aufmerksam, trotz der chaotischen Hektik um ihn herum, trotz der Überlastung seiner Sinne. Sonora spürte plötzlich den dringenden Wunsch, ihn zu berühren.

Aber sie hatte Angst davor, hatte Angst, sie könnte ihm weh tun, eine Infektion auf ihn übertragen, den Zorn der Ärzte erregen.

Sie versuchte den Faden wieder zu finden. Daniels beobachtete sie mit großen, lidlosen Augen. Das Feuer hatte seinen Körper zu einer fast embryonalen Krümmung verzogen.

Sonora legte zwei Finger auf das verkohlte Fleisch seines Arms und meinte, so etwas wie Dank in seinen Augen zu lesen. Vielleicht bildete sie sich das auch nur ein.

Ich muß Fragen stellen, dachte sie, den Mörder dieses Mannes finden.

»Jung?« fragte sie noch einmal. »Unter dreißig?«

Er zögerte, dann nickte er.

»Eine Schwarze?«

Nein.

»Weiße?«

Ja.

»Prostituierte?«

Zögern. Nein.

Jung. Weiß. Keine Prostituierte wahrscheinlich.

»Schwarzes Haar?«

Nein.

»Blond?«

Ja. Deutliches Nicken.

»Augenfarbe?« fragte Sonora. »Blau?«

Er reagierte nicht mehr.

»Braun?«

Eine Veränderung ging mit ihm vor. Ein Alarmton schrillte auf, der Arzt schrie irgend etwas. Sonora trat von der Liege zurück und schlüpfte durch den Spalt in den Vorhängen aus der Kabine. Sie brauchte nicht erst auf den Monitor des EKGs zu schauen, sie wußte auch so, daß die Linie keine Zacken mehr anzeigte.

3 Officer Finch stand in einem Kreis andächtig lauschender Cops, erzählte wieder und wieder seine Story und beantwortete Fragen. Sonora zögerte, ging dann aber doch an der Gruppe vorbei. Für Finch würde es zumindest einen therapeutischen Wert haben, darüber zu reden, und er war zu jungenhaft, als daß er mit seinen Schilderungen bei den anderen Alpträume heraufbeschwor. Darstellungen dieser Art schienen eher aus der Schwesternstation zu ihnen zu dringen.

Bei diesem Fall würde man sich, was die Medien betraf, nicht durchmogeln können. Die Cops würden zwar jedem Zivilisten gegenüber zurückhaltend mit Äußerungen sein, aber die Krankenhausangestellten würden mit Freuden plaudern. Sie waren die schlimmsten Quasselstrippen, noch schlimmer als Rechtsanwälte. Jemanden in eine Krankenhausakte aufzunehmen war gefährlicher, als den Klatschkolumnisten Oprah und Phil alles über ihn zu erzählen – wenn auch nicht ganz so schlimm, wie alle Unterlagen dem Klatschtalkmaster Geraldo zuzufaxen.

»Specialist Blair!«

Sonora zuckte zusammen. Tracy Vandemeer von Kanal 81 kam auf sie zu, gefolgt von einem Kamerateam. Keine anderen Medienvertreter in der Nähe, sie sind alle am Tatort, dachte Sonora. Dort wäre sie jetzt auch gerne. Sie machte eine abwehrende Handbewegung zur Kamera hin.

»Tracy, Sie sind viel zu früh hier. Bitte keine Aufnahmen, bevor ich nicht Make-up aufgelegt habe.«

Tracy Vandemeer blinzelte. Sie hatte ausreichend Zeit, wenn auch weniger Grund gehabt, sich zu schminken. Sie trug eine schicke rote Seidenbluse und einen engen Lycra-Rock, den sich nur eine Frau erlauben konnte, für die Schokolade und Kinderkriegen Fremdwörter waren.

»Specialist Blair, können Sie mir die Identität des …«

»Ach Tracy, Sie kennen doch die Spielregeln. In ein paar Stunden wird unsere Presseverlautbarung rausgehen. Alle Fragen müssen über meinen Sergeant laufen.«

Vandemeer lächelte. »Kommen Sie, Sonora. Ich bin an einen letzten Termin gebunden, zu dem mein Bericht fertig sein muß.«

»Unterbrechung der ›Sendung für die Landwirtschaft‹ durch einen Sonderbericht?«

Vandemeers Lächeln verschwand, und Sonora fiel eine Sekunde zu spät ein, daß Tracy ihre Karriere einmal als Reporterin bei den Sechsuhr-Morgennachrichten begannen und über den Stand der Maisernte berichtet hatte.

»Für diese Bemerkung werde ich Sie von Ihrer häßlichsten Seite filmen lassen, Sonora.«

»Was? Es ist für Sie einen Bericht wert, wenn ich beim Betreten und Verlassen der Notaufnahme gezeigt werde?«

»Wenn Sie mir keine anderen Informationen liefern.«

»Ich höre Sie schon verkünden: ›Angehörige der Mordkommission vergißt, sich die Haare zu kämmen.‹ Denken Sie daran, das an CNN weiterzugeben.«

Tracy Vandemeer ließ das Mikrofon sinken, schaute sich um und musterte die Gruppe der Cops in der Ecke. Sonora nutzte das Nachlassen des Interesses, sich zu verdrücken. Vandemeer würde bei dem Club der jungen Cops da drüben kein Glück haben.

Sonora blickte sich auf der Suche nach einem Angehörigen

des Sicherheitsdienstes des Krankenhauses um und bemerkte den Bruder des Opfers drüben im Flur, die Schulter an die Wand gelehnt. Plötzlich schoß ihr der Gedanke durch den Kopf, daß ihr Gesicht das letzte gewesen war, das Mark Daniels gesehen hatte.

Marks Bruder nahm einen Schluck von seinem Kaffee. Die freie Hand hatte er tief in der Tasche seines Mantels vergraben. Regentropfen glitzerten auf dem marineblauen Regenmantel, den er aufgeknöpft hatte und dessen Gürtel auf den Boden hing. An der offenstehenden Tür hinter seinem Rücken war ein Schild mit den Worten: KRANKENHAUS-SEELSORGE/BESPRECHUNGSRAUM FÜR FAMILIENAN-GEHÖRIGE.

Sonora betrachtete ihn aufmerksam, während sie auf ihn zuging, nach Flecken auf dem weißen Hemd, Ruß auf den Schuhen und der sandfarbenen Hose suchend. Sie atmete tief durch die Nase ein, um herauszufinden, ob er nach Rauch roch. Das war nicht der Fall. Sie wünschte, er hätte den Mantel ausgezogen, denn so war nicht zu erkennen, was darunter steckte.

Sonora lächelte und schaltete die fürsorgliche Mom-Sprache ein. »Ihr Mantel ist naß. Sie sollten ihn ausziehen.«

Die Augen des Mannes wirkten glasig, aber dann sah er sie plötzlich konzentriert an, mit einem gequälten Blick, den Sonora nur zu gut kannte. Es war ein Blick, der um ein Wunder bettelte, um Seelenfrieden, ein Blick, der Sonora bis in die Träume verfolgte.

»Der Mantel?«

Er zog ihn langsam aus und legte ihn über den Arm. Das weiße Hemd war zerknittert, aber sauber und unbeschädigt. Wenn dieser Mann etwas mit dem Mord zu tun hatte, mußte er Zeit gehabt haben, die Kleider zu wechseln.

Man darf keine Möglichkeit ausschließen, dachte Sonora und streckte ihm die Hand hin.

»Specialist Sonora Blair, Cincinnati Police Department.«

Er hielt den Blick auf sie gerichtet, während er ihre Hand mit festem Griff umschloß. Er hatte braune, intelligente Augen, und er war jünger, als sie zunächst angenommen hatte. Sein Haar war schwarz, dicht und lockig.

»Keaton Daniels.«

Aha, Keaton, dachte Sonora. Key? Mark hatte »key« geschrien, als Officer Minner ihn aus dem brennenden Wagen gezogen hatte. Doch wahrscheinlich war es Keat und nicht key wie Schlüssel.

»Wie geht es Mark?« fragte er.

Seine Stimme war tief, von Angst überlagert. Er hielt immer noch ihre Hand, schien sich dieser Tatsache aber nicht bewußt zu sein. Die automatische Tür zischte auf, und Sonora schaute über ihre Schulter.

Ein anderes Fernsehteam lungerte draußen in der Sperrzone herum, und ein Reporter in Jeans und einer alten Army-Jacke debattierte heftig mit einem der Polizisten.

Sonora führte Daniels in den Besprechungsraum.

Das Zimmer war eine Oase, in dem sich ein abgetretener grüner Teppich, ein braunes Vinyl-Sofa und ein gepolsterter Sessel befanden. Sonora ließ Daniels in dem Sessel Platz nehmen – die beste Sitzmöglichkeit im Haus für ein wenig Bequemlichkeit und einen Moment der Ruhe, da war sich Sonora sicher.

»Eine Sekunde, Mr. Daniels, ich bin sofort zurück.«

Sie schlüpfte in den Flur und winkte einem der Polizisten, einen Blick auf sein Namensschild werfend.

»O'Connor? Schaut so aus, als ob es da drüben einige Leute gäbe, um die Sie sich kümmern sollten.« Sie deutete in die

Empfangshalle. »Die hektischen Typen von Kanal 26 sind gerade angekommen, und es ist ja meistens nicht nur eine Ameise, die einen beim Picknick stört. Sehen Sie zu, daß sie im Patienten-Wartezimmer bleiben. Ich möchte nicht, daß einer von denen in der Notaufnahme rumschnüffelt. Gegen Tracy und ihre Leute habe ich nichts, aber behalten Sie den Reporter von Kanal 26 im Auge. Der Mann da drüben in dem schicken Anzug ist Norris Weber vom Sicherheitsdienst des Krankenhauses. Er war mal einer von uns, ehe er pensioniert wurde. Sprechen Sie sich mit ihm ab. Ich bin mit dem Bruder des Opfers im Zimmer der Krankenhausseelsorge und will nicht, daß er belästigt wird. Haben Sie das alles verstanden?«

»Ja, Ma'am.«

»Danke für Ihre Mitarbeit.«

Sonora ging in die Notaufnahme und redete noch einmal mit Gracie. Es wäre peinlich, wenn sie Keaton Daniels die Nachricht vom Tod seines Bruders übermitteln würde und es vielleicht doch gelungen war, ihn noch einmal ins Leben zurückzurufen.

Vor der geschlossenen Tür des Besprechungsraums blieb Sonora stehen und legte eine neue Kassette in den Recorder. Dann ging sie hinein.

Keaton Daniels saß auf der Kante des Sessels. Er hatte den Regenmantel wieder angezogen, obwohl es sehr warm in dem kleinen Zimmer war.

»Mr. Daniels?«

»Ja?« Er sah sie wie gelähmt, zugleich aber auch argwöhnisch an.

»Tut mir leid, ich wollte nicht so lange wegbleiben.«

»Wie geht es Mark? Kann ich zu ihm?«

Das Vinyl-Sofa quietschte, als Sonora sich setzte. Ihre Knie stießen gegen seine, und sie drehte sie schnell zur Seite. Dann schaute sie auf seine linke Hand – Trauring.

»Kann ich jemanden anrufen, den Sie bei sich haben wollen? Ihre Frau vielleicht?«

Keaton Daniels blickte zu Boden. »Nein, vielen Dank.«

»Oder einen Freund?«

Keaton sah sie wieder an. »Meine Frau und ich leben getrennt. Ich rufe später vielleicht einen Freund an.«

Sonora nickte und beugte sich vor.

»Sind Sie Detective?« fragte er plötzlich.

»Ja.«

»Ich dachte, mein Bruder hätte einen Verkehrsunfall gehabt. Als Sie … als Sie sich eben vorgestellt haben, nannten Sie als Dienstgrad Specialist.«

»Specialist ist die allgemein übliche Bezeichnung. Das hat die Polizeigewerkschaft so durchgesetzt. Ich bin Detective bei der Mordkommission, Mr. Daniels. Wir werden bei verdächtigen To … bei verdächtigen Tatumständen hinzugezogen.«

Er schluckte. »Bei verdächtigen …«

»Es tut mir sehr leid, aber ich muß Ihnen sagen, daß Ihr Bruder Mark gestorben ist.«

Er hatte gewußt, daß er nicht überleben würde, wirkte aber dennoch wie gelähmt. Seine Schultern sackten nach unten, er schluckte, räusperte sich und kämpfte dagegen an, aber die Tränen würden aufsteigen. Sonora wußte das. Und er wußte es auch.

»Sagen Sie es mir.« Er brachte die Worte kaum heraus. »Sagen Sie mir, was passiert ist.«

»Wir sind noch dabei, uns ein Bild von der Sache zu machen. Die Polizei und die Feuerwehr wurden zu einem brennenden Fahrzeug gerufen. Ihr Bruder war in dem Wagen. Wir gehen davon aus, daß das Feuer absichtlich gelegt wurde.«

Keaton Daniels sah sie mit einem seltsamen, verwirrten Blick an. Und jetzt kamen die Tränen, liefen über seine stachligen, unrasierten Wangen, und seine Augen wurden rot.

Sonora berührte mit ihren Fingern seine Hand. »Soll ich Sie allein lassen? Soll ich diesen Freund anrufen?«

Er schüttelte langsam den Kopf, und Sonora wurde an Mark Daniels' weißen, einer schleimigen Schnecke ähnlichen Kopf erinnert, der feuchte Spuren auf der Bettdecke hinterlassen hatte. Sie fragte sich, wie Mark vorher ausgesehen hatte, ob er so attraktiv gewesen war wie sein Bruder.

»Ich muß Ihnen ein paar kurze Fragen stellen, je eher, desto besser. Aber wenn Sie …«

»Nein, nein, fragen Sie nur.«

»Sind Sie sicher?«

»Ja.«

Ein paar Sekunden vergingen. Sonora fummelte an ihrem Recorder herum.

»Mr. Daniels, haben Sie heute … gestern mit Mark gesprochen, ihn gesehen?«

Er legte die Hände um seine Knie. »Ja. Er ist zu Besuch bei mir. Wir waren zum Abendessen in einem Restaurant. Dann hat er mich zu Hause abgesetzt und fuhr weiter, da er noch ausgehen wollte.«

»Wissen Sie, wohin er zu fahren beabsichtigte?«

»Zu einer Kneipe mit Namen Cujo's. Cujo's Café-Bar.«

»Oben in der Gegend von Mount Adams?«

»Ja.«

Sonora nickte. »Das ist uns bekannt. Sie hatten keine Lust, ihn zu begleiten?«

»Ich bin Lehrer, und ich mußte noch was für den Unterricht am nächsten Tag zusammenbasteln, so eine Ausschneide- und Klebearbeit, nicht schwierig, aber sehr zeitraubend. Ich hatte

Mark vorgeschlagen, mir dabei zu helfen, doch das war ihm wohl zu ... zu langweilig. Und ich wollte sowieso früh ins Bett gehen. Wir aßen also zusammen, und er entschloß sich, noch zum Cujo's zu fahren und ein Bier zu trinken oder so was.«

»Allein?«

»Ja.«

»Mit Ihrem Wagen?«

»Er ist Student an der Universität von Kentucky, und ein Studienfreund hat ihn hierher mitgenommen. Der Freund setzte ihn bei mir ab, und ich wollte ihn dann am Wochenende wieder zurückbringen. Auf dem Weg beabsichtigten wir unsere Mutter zu besuchen.« Er schaute auf den Boden, dann sah er wieder Sonora an. »Ich muß sie anrufen, oder soll ich damit bis zum Morgen warten und sie nicht aus dem Schlaf reißen?«

»Rufen Sie sie heute nacht noch an. Sie könnte Ihnen sonst Vorwürfe machen. Es sei denn ... Geht es ihr vielleicht gesundheitlich nicht gut?«

»Sie ist nicht wirklich krank.«

Sonora fand das recht interessant und nahm sich vor, dem nachzugehen. »Dieses Cujo's, ist das eher eine Bar oder ein Café?«

»Eher eine Bar.«

»Gehen Sie selbst auch manchmal hin?«

»Ab und zu. Früher war ich oft dort. Dann habe ich das seinlassen.«

»Wie meinen Sie das?«

Daniels verzog das Gesicht. »Meine Frau und ich leben getrennt. Eine Zeitlang ging ich abends oft aus; in Bars und andere Kneipen und auch ins Cujo's. Aber so was hängt einem ja schnell zum Hals raus. Ich mußte mich letztlich wieder auf meine Arbeit besinnen. Es ist nicht gut, wenn man den Kindern jeden Morgen mit einem Kater gegenübersteht. Ganz zu schweigen davon, daß man so einen Lebenswandel mit einem Lehrergehalt nicht lange durchstehen kann.«

»Wie alt sind die Kinder, die Sie unterrichten?«

»Ich unterrichte Schulanfänger. Erste und zweite Klasse.«

»Grundschule?«

Ihre Überraschung schien ihn zu ärgern. »Schulanfänger in den Klassen eins und zwei gibt es nur an Grundschulen.«

Sonora ließ das Thema fallen. »Wo waren Sie mit Mark zum Abendessen?«

»Im LaRosa's. Wir haben uns eine Pizza geteilt.«

»Und Bier dazu getrunken?«

Daniels kniff die Augen zusammen. »Ich hatte ein Sprite, Mark ein Dr. Pepper.«

»Besteht die Möglichkeit, daß Mark sich mit Freunden treffen wollte?«

»Das glaube ich nicht. Er kannte ja hier niemanden.«

»Und was ist mit dem jungen Mann, der ihn bei Ihnen abgesetzt hat?«

»Der war auf dem Weg nach Dayton, soweit ich weiß. Er heißt Caldwell. Carter Caldwell.« Er rieb sich mit den Fingern über das Kinn. »Hören Sie, ich verstehe das alles nicht. Gab es irgendeinen Vorfall in dieser Bar?«

»Das weiß ich bei diesem Stand der Ermittlungen noch nicht, Mr. Daniels. Es klingt abgedroschen, aber ich muß die Frage trotzdem stellen. Hatte Ihr Bruder irgendwelche Feinde? Echte Feinde?«

»Feinde? Mark? Er ist ein Student, fast noch ein Kind, Detective. Und ein unheimlich netter Junge. Keine Drogen, keine Aufputschmittel. Er ging gern zu Partys.«

»Hat er viel getrunken?«

Er hob die Schultern. »Wie es in diesem Entwicklungsstadium üblich ist. Die meisten jungen Leute machen diese Phase durch.«

Sonora nickte, um einen neutralen Gesichtsausdruck bemüht, behielt aber im Hinterkopf, daß vielleicht ein Alkoholproblem vorlag.

»Er war doch noch fast ein Kind.« Die Tränen flossen nun ungehemmt. »Zweiundzwanzig. Er war zu jung und zu nett, um Feinde zu haben.«

»Hatte er viele Freundinnen?«

»Er hat eine feste Freundin in Lexington. Sie sind seit zwei Jahren zusammen.«

»Und sie ist die einzige Freundin?«

»Ich denke schon. Er war mit etlichen anderen Mädchen befreundet, wenn Sie verstehen, was ich meine, aber ohne festere Bindung.«

»Er war also beliebt?« fragte Sonora.

Keaton Daniels nickte.

»Ist Ihnen je zu Ohren gekommen, daß er ein Mädchen in einer Bar aufgegabelt hat?«

»Nein.«

»Bitte, denken Sie noch mal nach.«

»Nein, und auf keinen Fall hier, in einer fremden Stadt. Er war zweiundzwanzig, in seinem Verhalten aber jünger, als es die Jahreszahl aussagt.«

»Hat Ihr Bruder mal darüber gesprochen, daß er bei einer Prostituierten war? Scherze darüber gemacht oder Sie um Rat gefragt?«

Die Tränen versiegten. Daniels rutschte in seinem Sessel nach vorn.

»Was ist eigentlich hier los? Sagen Sie mir endlich …«

Sonora lehnte sich zurück. »Mr. Daniels, Ihr Bruder ist heute nacht ermordet worden. Ich muß jedes Detail ausloten, jede Möglichkeit in Betracht ziehen. Bitte helfen Sie mir dabei.«

»Wie konnte er in dem Wagen verbrennen? Hat irgendwas an dem Auto nicht funktioniert oder so? Hat Mark irgendwie das Bewußtsein verloren?«

»Wie ich schon sagte, Mr. Daniels, wir sind noch …«

»Um Himmels willen, Detective …« Er griff nach ihrem Arm und drückte so fest zu, daß es fast weh tat. Dann stand er auf, beugte sich über sie und krallte die Finger in die Armlehne des Sofas. »Was genau hat man … wer es auch war … was hat man ihm angetan?«

»Mr. Daniels …«

»*Bitte*. Sagen Sie es mir.«

Sie erhob sich und zwang ihn damit ein Stück zurückzutreten. Aber er blieb dicht vor ihr stehen, sein Gesicht nur Zentimeter von ihrem entfernt.

»Mr. Daniels, setzen Sie sich wieder hin, okay?«

Sie roch den Duft seiner Seife, den Kaffee in seinem Atem. Lange Sekunden standen sie sich so Auge in Auge gegenüber.

»Bitte setzen Sie sich wieder hin, Mr. Daniels. Ich werde Ihnen alles sagen, was ich weiß. Ich habe auch einen Bruder, okay?«

Er setzte sich, und der Regenmantel spannte über seinen breiten Schultern.

Sonora ließ sich ihm gegenüber nieder. Als sie eine Hand auf seinen Arm legte, spürte sie, daß er zitterte. »Ich kenne nicht alle Einzelheiten, ich war noch nicht am Tatort. Mark ist in Ihrem Wagen oben im Mount Airy Forest aufgefunden worden. Seine Hände waren mit Handschellen ans Lenkrad gefesselt. Man hat ihn mit einem Brandbeschleuniger übergossen und angezündet.«

»O mein Gott …«

»Legen Sie ruhig den Kopf auf Ihren Arm, Mr. Daniels.«

»Ich verstehe nicht …«

»Bitte tun Sie, was ich sage.«

Er wollte sich wehren, nur für einen kurzen Moment, ließ es dann aber zu, daß sie seinen Kopf nach unten drückte.

Gut gemacht, Blair, dachte sie. Du mußt unbedingt dem Sergeant berichten, wie es dir gelungen ist, den Bruder des Opfers ruhigzustellen.

»Okay?«

»Ja, okay.«

Er setzte sich langsam wieder auf und lehnte sich in seinem Sessel zurück. Sein Gesicht war kreidebleich.

»Ich brauche Zeit.«

»Natürlich.«

»Kann ich … Kann ich nach Hause gehen, zum Haus meiner Frau? Für ein paar Stunden?«

»Ich werde Sie hinfahren lassen.«

»Danke.«

»Bleiben Sie sitzen. Ich hole …«

Daniels stand langsam auf, sich mit einer Hand an der Wand abstützend.

»Vorsichtig«, sagte Sonora und hielt ihn am Arm.

4 Als Sonora das Krankenhaus verließ, war es draußen bereits hell. Der Himmel war noch düster, aber es hatte aufgehört zu regnen. Sie fuhr zu schnell, und die Reifen ihres Nissan spritzten Wasser nach beiden Seiten. Als es den steilen Berg hinunterging und der Wagen immer schneller wurde, trat sie auf die Bremse. Nur nebenbei registrierte sie, daß sie gerade eine Ampel bei Gelb überfahren hatte.

Im Geist sah sie Mark Daniels unter dem grellen Licht und den Torturen der Notaufnahme vor sich.

Es war neblig, und Sonora schaltete die Scheinwerfer ein. Ihr Radio gab im Hintergrund das übliche beruhigende Knistern statischer Elektrizität von sich. Man war nie ganz allein. Sie schaute auf die Uhr und dachte daran, daß die Kinder jetzt aufstehen und sich für die Schule fertigmachen würden.

Sie bog nach rechts in die Colerain Road ein. Ein dunkler Wall aus Bäumen zog sich links von der Straße dahin – Mount Airy Forest. Sonora kam an Eingängen für Besucher in den Park vorbei, an der Statue des heiligen Antonius, und sie sah nur den Schein der Straßenlaternen entlang der Colerain Road, keinerlei Lichter im Wald. Die Haupteinfahrt in den Park war von Polizeiwagen blockiert. Sonora zeigte ihren Ausweis, woraufhin sie durchgewunken wurde. Der schmale, zweispurige Weg war stellenweise abgetrocknet, was dem Asphalt ein scheckiges Aussehen verlieh.

Drei hölzerne Hinweisschilder, das unterste verbogen, sagten ihr, daß eine Geschwindigkeitsbegrenzung von fünfundzwanzig Stundenmeilen einzuhalten war, Kraftfahrzeuge die asphaltierten Wege nicht verlassen durften und der Park von sechs Uhr bis zweiundzwanzig Uhr geöffnet war. Darüber hinaus wurde sie darauf hingewiesen, daß auf Radfahrer geachtet werden mußte, daß man den Wagen nicht abseits der offiziellen Parkplätze abstellen durfte und daß Hunde an der Leine zu führen seien.

Habt euren Spaß in diesem Park, Kinder, dachte Sonora.

Sie kam an einem arg mitgenommenen Wohnwagen mit der Aufschrift GERÄTELAGER vorbei. Die meisten Bäume hier waren Eichen, Birken und Buchen. Als sie das Schild Oak Ridge Lodge sah, wußte sie, daß sie bald am Ziel war.

Das Fahrzeug der Spurensicherung stand halb auf dem Rasen, halb auf dem Weg. Die Angehörigen des Teams – sie trugen blaue Overalls mit der Aufschrift POLIZEI auf dem Rücken und schwere Brandschutzstiefel an den Füßen – waren noch mit ihren Routinearbeiten beschäftigt. Sonora stellte ihren Wagen hinter einem bronzefarbenen Ford Taurus ab – dem Dienstwagen, der ihr und ihrem Partner zur Verfügung stand – und nahm eine neue Kassette, ihr Notizbuch und ein Formular »Tatort-Untersuchungsbericht« aus dem Handschuhfach.

Sie zog es stets vor, sich dem Tatort aus einiger Entfernung zu Fuß zu nähern – langsam hingehen und dabei jedes Detail sorgfältig ins Auge fassen. Sie kam am Kombi des Feuerwehrchefs und an Streifenwagen vorbei. Wieder dachte sie an Mark Daniels. Warum war er hierhergefahren? So weit weg vom Cujo's und dem Mount Adams. Und noch weiter weg von Kentucky.

Sie legte im Gehen eine neue Kassette in den Recorder, knüllte die Zellophanhülle zusammen und steckte sie in die Jackentasche.

Wie hatte die Mörderin den Tatort verlassen? Zu Fuß? Hatte sie es von langer Hand geplant und einen Wagen vorher hier abgestellt? Hatte sie einen Komplizen? Was war das für eine Frau, die einen zweiundzwanzigjährigen Jungen ans Lenkrad seines Wagens fesselt, ihn mit brennbarer Flüssigkeit übergießt und dann ein Streichholz dranhält?

Die Leute von der Spurensicherung waren in ihrer Arbeit schon weit fortgeschritten, und Sonora, die sonst immer mindestens eine Stunde vor ihnen am Tatort war, hatte das Gefühl, etwas verpaßt zu haben.

Sie zählte die Leute. Der Sergeant, der Coroner, eine Menge Uniformierter.

»Sonora?«

Sie stieg vorschriftswidrig über ein gelbes Absperrband und ging auf einen breitschultrigen, kräftigen Mann zu, dem sein dunkles, weiches Haar in die Stirn fiel. Er hatte blaue Augen und Krähenfüße in den Augenwinkeln, die zu gleichen Teilen auf häufiges Lachen und häufige Sorgen zurückzuführen waren. Seine Gesichtsfarbe war dunkelbraun, und er wirkte sehr jungenhaft. Man schätzte ihn regelmäßig jünger, als er war, und bei Frauen löste er stets mütterliche Hätschelgefühle aus.

Er war der Typ Mann, der sich Footballspiele anschaute, der Typ Mann, den man anrufen würde, wenn man nachts bedrohliche Geräusche hörte – atemberaubend normal in einer Welt voller Spinner. Er und Sonora waren seit fünf Jahren dienstliche Partner.

»He, Sam.«

»Wurde langsam Zeit, daß du hier erscheinst, Mädchen.«

»Du riechst nach Rauch.«

»Und du siehst scheußlich aus. Wie steht's um das Opfer?«

Sonora verzog das Gesicht.

»Tot, nicht wahr?«

Sie nickte. »Zweiundzwanzigjähriger College-Student aus Kentucky. Könnte dein Lieblingsvetter vom Lande sein. Ihr seid doch alle miteinander verwandt in dieser Gegend, nicht wahr?«

»Hat er noch eine Aussage machen können?«

»Er war ans Beatmungsgerät angeschlossen. Nur Ja-/Nein-Fragen.«

Sam nickte und schaute grimmig drein.

»Der Killer war eine Frau«, sagte Sonora.

»*Was? Ehrlich?*«

»Blondine, braune Augen, glaube ich, aber er ist mir über der präzisen Beantwortung dieser Frage weggestorben. Ich bin da also nicht sicher. Und jung, zwischen fünfundzwanzig und dreißig.«

»Prostituierte?«

»Er sagte nein. Wenn ich es richtig verstanden habe, hat er sie gestern abend zum erstenmal getroffen. Wahrscheinlich in einer Bar. Der Bruder sagt aus, er habe noch ins Cujo's fahren wollen, als sie sich getrennt haben.«

Sam runzelte die Stirn. »Warum haben sie sich getrennt?«

»Der Bruder mußte heute ziemlich früh zur Arbeit.«

»Cujo's, hm?«

»Liegt drüben in Mount Adams.«

»Piekfeiner Laden.«

»He, nicht in jeder Bar verkehren nur Cowboys.«

»Laß das nicht deinen Bruder hören.«

Sonora lächelte flüchtig.

»He, Mickey, berichte ihr von deinen wichtigsten Erkenntnissen.«

Ein kleiner Mann mit kräftigen Armmuskeln tauchte unter der rußgeschwärzten Motorhaube des Wagens auf. Sonora schaute durch das Seitenfenster in das ausgebrannte Innere des Wracks, das einmal ein Cutlass gewesen war.

»Rollende Feuerfalle, ansonsten bekannt als Automobil.« Mickey trug eine blaue Jacke mit der Aufschrift DEZERNAT BRANDSTIFTUNG auf dem Rücken und schwere Brandschutzstiefel.

Sonora sog prüfend die Luft durch die Nase ein. »Weiß man schon, was für ein Brandbeschleuniger benutzt wurde?«

»Benzin. Wir werden das im Labor noch mal untersuchen. Ich habe eine Probe.« Er zeigte auf ein verkohltes Stück Gummi unter dem Gaspedal, das sich abgeschält und die Metallrillen im Pedal freigelegt hatte. »In diesen Rillen da haben sich Spuren der Flüssigkeit erhalten, genug, um sie als Beweismittel dem Gericht präsentieren zu können. Das Feuer war höllisch, und die Explosion hat die Windschutzscheibe und das Rückfenster zersplittern lassen.«

»Explosion?«

»Natürlich. Benzin – klar? Das Feuer hat das Glas zum Schmelzen gebracht. Aber alles im Inneren des Wagens ist aus Plastik, und das bedeutet Mineralöl, und das wiederum bedeutet Inferno. Ganz schöner Grill, das kann man wohl sagen.«

»O Gott! Ist es das, was ich rieche?«

»Verbranntes Fleisch«, sagte Sam. »Ganz charakteristisch.«

Sonora dachte an die Rinderlende in der Tiefkühltruhe zu Hause. Wahrscheinlich würde sie dort noch eine Weile liegenbleiben.

Mickey ging wieder zur Motorhaube des Wagens, und jeder einzelne Schritt schien ihm weh zu tun. Er war schlichter Feuerwehrmann gewesen, bis er bei einem Nachteinsatz einmal in ein tiefes Loch gestürzt war und sich einen Band-

scheibenschaden zugezogen hatte. Die meisten Feuerwehr-
männer, die Sonora kannte, verletzten sich nicht bei der
direkten Feuerbekämpfung, sondern zogen sich Rückenzer-
rungen bei der Pflege ihrer Ausrüstung zu oder stürzten eben
im Dunkeln in irgendwelche Löcher.

Mickey zeigte unter die Haube. Seine dicken Handschuhe
waren voll Ruß.

»Ich habe die Benzinpumpe, den Vergaser und die Verkabe-
lung mehrfach überprüft. Alles klar.«

Sonora fragte sich, was klar war.

»Der Keilriemen ist verbrannt, und vom Lüfter sind nur noch
geschmolzene Spuren zu finden.« Er schaute zu ihr hoch.
»Wie ich sehe, fasziniert Sie der Blick unter die Motorhaube
nicht besonders.«

»O doch, alles fasziniert mich«, entgegnete Sonora schnell.

»Nehmen Sie es nicht persönlich, Mickey«, sagte Sam. »Sie
schaut mißmutig drein, weil ihr Bäuchlein ihr weh tut.«

Mickey rieb sich mit dem Unterarm über die Augen. »Da ist
noch 'ne Menge Benzin im Tank.«

»Es ist nicht in Brand geraten?« fragte Sonora.

Sam grinste. »Das hab ich ihn auch gefragt.«

»Benzin ist nicht *so* brennbar, wie man immer denkt«, antwortete Mickey. »Es ist eigentlich dumm, damit Feuer zu legen,
denn es ist sehr flüchtig, verdampft schnell. Wenn das Ben-
zin-Sauerstoff-Gemisch stimmt, knallt dir die Flamme ins Gesicht. Nach meiner Erkenntnis haben sich die meisten Brand-
stifter, die Benzin eingesetzt haben, selbst schwer verletzt.
Und doch kann man ein brennendes Streichholz in eine Ben-
zinpfütze werfen, und es passiert gar nichts. Es gibt da viel
bessere Sachen.«

»Danke für den Tip«, sagte Sonora.

»Das Feuer ist nicht richtig an den Tank rangekommen. Und

anders, als man das im Fernsehen immer sieht, explodiert der Tank nicht notwendigerweise. Es sei denn, man fährt einen Pinto oder wird gerade von NBC gefilmt.«

»Sie gehen davon aus, daß der Killer Benzin aus dem Tank benutzt hat, um das Feuer zu entfachen?«

»Ich halte das für möglich. Er hat verdammt viel Sprit eingesetzt. Tatsache ist, daß wir auf dem Boden direkt neben dem Einfüllstutzen des Tanks geschmolzene Plastikmasse gefunden haben. Ich nehme an, er hat einen Plastikschlauch zum Absaugen benutzt.«

Sonora sah Sam an.

Mickey hob die Hand. »Noch was. Wir haben im Wagen den Rückstand von einem dünnen Seil oder einer Wäscheleine oder so was gefunden und Asche von demselben Material außerhalb des Wagens.«

»Auch Reste von einem Knoten?«

Sam schüttelte den Kopf. »Da war kein Knoten.«

»Sieht so aus, als ob der Killer das Seil als eine Art Docht, sozusagen als Zündschnur, benutzt hätte. Er hat es draußen angezündet und vorher irgendwo am Fahrersitz festgebunden …«

»An Daniels festgebunden«, fiel Sam ihm ins Wort.

Mickey nickte. »Durchaus möglich.« Er deutete auf das zerschmolzene Lenkrad. »Dort hat das Feuer angefangen. Sehen Sie die Birne der Innenbeleuchtung da oben?«

Sonora schaute hin. Die Birne war seltsamerweise noch ganz. Die Fassung, die zur Fahrerseite zeigte, war jedoch geschmolzen. Sie starrte die Birne an, aber Mickey war ungeduldig und lenkte ihre Aufmerksamkeit auf den verheerenden Ursprung des Feuers auf der Fahrerseite des Wagens.

»Hier ist der Ausgangspunkt des Feuers. Da hat's am längsten und intensivsten gebrannt. Sehn Sie das?«

Zwei gekrümmte, geschmolzene Metallbögen hingen an dem Klumpen, der einmal das Lenkrad gewesen war.

»Handschellen, jetzt fast verflüssigt.«

Sonora biß sich auf die Lippe. Sie mußte an Mark Daniels denken, an seine verkohlten Hände, die geballte Kinderfaust, das Weiße der Handknochen.

»Sind Sie sicher, das auch einer Jury beweisen zu können?«

»Kein Problem. Man kommt zum Tatort und sieht, was passiert ist. Ich erkenne, was hier abgelaufen ist.«

»Ist alles auf Video?«

»Ja, alles.«

Sonora schaute auf den Dreck aus Asche und Löschschaum im vorderen Teil des Wagens. »Zu schade, daß ihr Kerle immer den Tatort verhunzt.«

»Ja, Feuerwehrleute sind solche rücksichtslosen Bastarde. Die meinen immer, es wäre ihr Job, Brände zu löschen.«

Sam steckte eine Zigarette in den Mund und schaute mit dem ruhigen, konzentrierten Blick, der bei Vernehmungen – und ganz allgemein bei Frauen – Wunder bewirkte, ins Innere des Wagens.

Sonora kreuzte die Arme vor der Brust und sah Mickey an. »Übrigens, Sie sprachen immer von einem Mann als Täter. Es war aber eine Frau.«

Mickey schaute sie verblüfft an. »Eine *Frau* hat das gemacht?«

»Überrascht, was?«

Er zuckte mit den Schultern. »Wenn ich so richtig darüber nachdenke, eigentlich nicht. Ich bin lange genug verheiratet.«

Sam nahm die nicht angesteckte Zigarette aus dem Mund und rollte sie zwischen den kräftigen, schwieligen Fingern.

»Rauch ja nicht an meinem Tatort«, sagte Sonora.

»*Deinem* Tatort? Ich hab sie ja gar nicht angesteckt, ich will nur den Tabak riechen. Da ist der Sergeant. Sieht aus, als ob er dich sucht, Mädchen.«

»Einen Moment noch. Terry?«

Eine Frau im Overall kam aus dem Gebüsch etwa hundert Meter vom Wagen entfernt. Sie hatte langes, schwarzes, nachlässig zurückgebundenes Haar und breite, vorstehende Wangenknochen, die von ihrer indianischen Herkunft zeugten, trug eine Brille mit schwarzem Rand und bewegte sich mit der gedankenverlorenen, verwirrten Abwesenheit, die Sonora stets mit College-Professoren in Verbindung brachte, welche sich auf hohe Forschungszuschüsse abstützen konnten.

Sie sah Sonora an und blinzelte. »Fußabdruck.«

Eine Welle der Erregung stieg in Sonora auf. »Sie haben einen Fußabdruck gefunden?«

Terry schob ihre Brille höher auf die Nase und hinterließ dabei eine Schmutzspur auf der Stirn. »Ja, einen kleinen, eine Frau in hochhackigen Schuhen. Und das ist doch komisch, hier draußen im Wald. Hatte der tote Mann jemanden dabei?«

»Seine Mörderin«, sagte Sonora.

5 Im Department nannte man Sergeant Crick »die Bull-dogge«.

Er winkte Sonora mit gekrümmtem Zeigefinger zu sich und verschränkte dann die Schinken ähnelnden Arme vor der tonnenweiten Brust – ein Buddha in Warteposition. Gegen einen dunkelblauen Dodge Aries, seinen Dienstwagen, gelehnt, machte er keinen besonders glücklichen Eindruck. Sein Körper sah wie der eines zu fett gewordenen Boxers aus, sein Gesicht war stets rot und so verbiestert, daß darüber spekuliert wurde, ob er am Anfang seiner Polizeikarriere einmal mit einem Schaufelblatt voll im Gesicht getroffen worden sei. Gerüchten zufolge arbeitete er an freien Sonntagen in der Kindertagesstätte seiner Kirchengemeinde. Die Leute fragten sich, ob er den Kindern wegen seines Aussehens nicht Angst einjagte.

Lockere deinen Schlips, dachte Sonora, dann wird auch deine Stimmung besser.

»Ich höre jetzt hoffentlich von Ihnen, daß Sie noch eine Aussage des Opfers auf dem Totenbett bekommen haben, Blair.«

Cricks Stimme war tief, wie man es bei seinem Körperbau nicht anders erwartete, darüber hinaus aber auch angenehm sonor, wenn er sich darum bemühte. An freien Abenden sang er in einem Freizeitquartett.

Sonora lehnte sich leicht gegen Sam. »Bei dem Killer handelt es sich um eine Frau, Weiße, blondes Haar, wahrscheinlich braune Augen und jung, zwischen fünfundzwanzig und dreißig. Daniels hat sie erst gestern abend kennengelernt. Er wurde nach Aussage seines Bruders letztmals gesehen, als er sich auf den Weg zu einer Bar namens Cujo's machte. Der Bruder ist übrigens der Besitzer des Wagens.«

»Er hat den Wagen des Bruders, aber der Bruder fährt nicht mit ihm? Das gefällt mir irgendwie nicht.«

Sam trat mit gespielter Überraschung einen Schritt zurück. »Na, jetzt aber, Sergeant. Ich hab ja Typen getroffen, die ohne weiteres ihren Bruder umbringen würden, allerdings nicht, wenn dabei ihr eigener Wagen zu Schrott geht.«

Sonora fuhr fort: »Terry hat einen Fußabdruck gefunden. Sie macht gerade einen Gipsabdruck.«

»Gut.« Crick kratzte sich an der Nasenspitze. »Cujo's, hm? Blöder Name für eine Bar.«

»Ja, Sir.«

»Delarosa?«

Sam richtete sich auf. »Das Opfer war nackt und mit Handschellen ans Lenkrad des Wagens gefesselt.«

»Sind Sie sicher, daß der Mann nackt war?«

»Die Leute, die ihn rausgeholt haben, sagen das. Und ich habe Mickey gefragt. Keine Anzeichen von verbranntem Stoff auf dem Fahrersitz, kein Gürtelschloß, keine Metallösen, kein verbrannter Gummi von Schuhen. Ich weiß nicht, wo die Kleider des Mannes sind, aber es sieht nicht so aus, als ob sie im Wagen gewesen wären.«

»Interessant. Weiter.«

»Teile eines Seils oder einer Wäscheleine wurden außerhalb des Wagens gefunden. Mickey meint, sie hat den Mann ans Lenkrad gefesselt, das Seil – oder was auch immer es war – durch das Lenkrad gezogen, um Daniels geschlungen, dann aus dem Fenster raushängen lassen und draußen angezündet. Der Brandbeschleuniger war anscheinend Benzin. Sieht so aus, als ob sie es aus dem Tank des Wagens geholt hätte. Mickey hat auch einen kleinen geschmolzenen Metallklumpen gefunden, von dem er annimmt, es sei mal ein Schlüssel gewesen. Ein kleiner Schlüssel.«

»Von einem Schließfach? Einem Schrank oder Spind?«

Sam zuckte mit den Schultern. »Könnte zu allem möglichen passen.«

»Sind Wagenschlüssel gefunden worden?« fragte Crick.

»Bisher noch nicht. Aber der Wagen ist an vielen Stellen noch verdammt heiß und voll mit Löschschaum. Die Schlüssel könnten irgendwo im Auto liegen, nur nicht an einer ins Auge fallenden Stelle.«

Sonora sah Sam an. »Sie hat die Schlüssel – mit Daniels auf dem Fahrersitz – bestimmt nicht in der Zündung steckenlassen. Selbst in Handschellen hätte er vielleicht den Motor starten können.«

Sam nickte. »Jedenfalls, sie fesselt ihn ans Lenkrad, schlingt das Seil um ihn und übergießt ihn mit Benzin. Das Seil hängt ungefähr zwei Meter aus dem Wagen, und sie steht an seinem Ende, denn sonst würde sie sich selbst mit in die Luft jagen. Die Fenster sind offen, es kommt also genug Sauerstoff in den Wagen. Sie steckt das Ende des Seils an, und Daniels sitzt da und muß zusehen, wie sich ihm das Feuer nähert. Dann macht's *wumm*, und der Wagen steht in hellen Flammen.«

Sonora kratzte sich am Kinn. »Der Fußabdruck ist klein, von einer Frau in hochhackigen Schuhen. Wo ist sie in solchen Schuhen hingegangen? Wie schnell konnte sie gehen?«

»Vielleicht hat sie später die Schuhe gewechselt«, meinte Sam.

Sonora nickte. »Ich frage mich, ob sie ihren Wagen hier in der Gegend abgestellt hatte? Wir müssen den Park absuchen und die Nachbarn ringsherum befragen.«

Jetzt nickte Crick zustimmend. »Ich kümmere mich darum, daß wir die Leute dafür kriegen.«

»Gibt es irgendwelche Zeugen?« fragte Sam.

»Keinen einzigen. Der Anruf, der bei uns einging, war anonym und kam von der Telefonzelle am Haupteingang des Parks.«

»Mann oder Frau?« fragte Sonora.

»Mann.« Crick sah erst sie, dann Sam an und zupfte an seinem Ohrläppchen. »Also, ich sorge für ein Suchkommando und kümmere mich um die Befragung der Anlieger. Sie beide fahren zu dieser Bar. Wahrscheinlich hat Daniels die Frau dort aufgegabelt.«

Sonora preßte die Lippen aufeinander. »So ist's recht! Gleich sagen Sie auch noch, Daniels hätte zu enge Jeans getragen und sein Hemd bis zur Hüfte aufgeknöpft gehabt.«

»Was soll das denn heißen?«

»Wer hat wen ›aufgegabelt‹, Sergeant? Sie hatte Handschellen und ein Seil dabei, und sie hatte, darauf möchte ich wetten, einen Fluchtwagen hier in der Gegend abgestellt. Wir reden ja wohl nicht von Vergewaltigung einer zufällig ›aufgegabelten‹ Frau und deren anschließender Rache, oder doch? Diese Frau war auf Mord aus. Diese Frau war hinter *ihm* her.«

Sonora zuckte zusammen. Ihr Magengeschwür meldete sich mit einem Stechen, das ein wenig an nagenden Hunger erinnerte, dann aber nur noch aus Schmerz bestand.

Sie sah Sam an. »Ich lasse meinen Wagen hier, du fährst, okay?«

Sam langte in seine Jackentasche, zog ein Päckchen Red-Man-Kautabak heraus und stopfte sich etwas davon in den Mund. »Du siehst irgendwie deformiert aus. Als ob du einen Tumor unter deiner Wange hättest.«

Sam neigte sich auf dem Fahrersitz zur Seite, griff in die andere Jackentasche und holte ein zerdrücktes, zylinderförmiges, in Papier und Zellophan gewickeltes Päckchen heraus, auf dessen Vorderseite kleine Erdbeeren abgebildet waren. Er warf das Päckchen in Sonoras Schoß.

»Fütter dein Magengeschwür.«

»Je weniger ich esse, um so schlechter fühle ich mich, aber je schlechter ich mich fühle, um so weniger mag ich essen.«

»Das war zu kompliziert für mich.« Sam startete den Wagen, wendete und fuhr aus dem Park.

Sonora wickelte das Päckchen auf, löste die getrocknete Frucht von der Folie und rollte diese zu einem Röhrchen zusammen. »Seit wann ißt du die denn?«

»Ich kaufe sie für Annie, die ist ganz wild darauf. Sie will damit versuchen, ein bißchen zuzunehmen.«

»Ich dachte, sie hätte ein oder zwei Pfund zugenommen, als ich sie zum letztenmal gesehen habe. Wann war das – vor zwei Wochen?«

Sam lächelte nicht, aber in seinen Augen war ein warmer Ausdruck, als ob er Sonora für ihre Worte dankbar wäre. Annie war sieben, klein für ihr Alter und so dünn, daß ihrem Vater fast das Herz brach. Als sie einen Monat im Kindergarten hinter sich hatte, war bei ihr Leukämie diagnostiziert worden, und Sam hatte sich damals kopfüber und unbesonnen auf einen wichtigen Fall gestürzt, von dem er Sonora nur bei langweiligen Überwachungsaufgaben oder nach ein paar Drinks erzählte. Er hatte dabei keinen Partner gehabt und die Sache gründlich vermasselt, was dazu geführt hatte, daß er sich mit seinem jetzigen Dienstgrad zufriedengeben mußte. Er würde nicht mehr befördert werden. Wenn Crick sich nicht für ihn eingesetzt hätte, wäre er sogar gefeuert worden.

»Wie geht es Annie denn nun?«

»Sie wird zu schnell müde. Shel und ich machen uns Sorgen, denn sie verliert außerdem Gewicht, was nicht sein dürfte, und die Zahl der weißen Blutkörperchen geht wieder hoch.« Sam spuckte eine Ladung Tabak aus dem Wagenfenster. »Kein kleines Mädchen sollte Ringe unter den Augen haben, wie das bei Annie der Fall ist.«

Sonora schaute ihren Partner prüfend an und entdeckte neue Falten in dem müden Gesicht. Die beiden letzten Jahre waren schwer für ihn gewesen – den Job durchzustehen und sein kleines krankes Mädchen am Leben zu erhalten.

»Sie ist schrecklich geschwächt.«

»Annie oder Shel?«

»Im Grunde beide. Nun iß endlich deine Erdbeerrolle.«

Sonora knetete die Rolle aus getrockneten Erdbeeren, Maissirup und rätselhaften Chemikalien zu einem kleinen Ball. Sam hielt vor einer roten Ampel an und schaute trübsinnig durch die Windschutzscheibe.

»Bei dem Killer handelt es sich also um eine Frau, hm?«

»Ja, und sie hat das nicht zum erstenmal gemacht«, antwortete Sonora.

Sam spuckte wieder einen Klumpen Tabak zusammen mit schmutzigbraunem Saft aus dem Seitenfenster. »Der Streifenwagen muß sie ganz knapp verpaßt haben. Vielleicht haben die Cops noch was von der Tat mitgekriegt.«

»Ich habe mit dem Streifenpolizist, der als zweiter ankam, im Krankenhaus gesprochen. Er hat nichts als das Feuer gesehen. Der erste am Tatort – sein Name ist Minner – hat versucht, Daniels noch aus dem Wagen zu ziehen. Aber du hast recht, wir sollten das überprüfen. Minner war noch bewußtlos, als ich das Krankenhaus verließ.«

Sam sah sie an. »Was hast du eben gemeint, als du gesagt hast, sie hätte das nicht zum erstenmal gemacht? Die Mörderin?«

»Es war gut geplant und perfekt ausgeführt.«

»Wir haben bis jetzt aber doch kaum mehr getan, als ein bißchen in der Sache rumgestochert.«

»So weit, so gut, okay? Wir haben es nicht mit einer Anfängerin zu tun, sondern mit einem professionellen weiblichen Killer.«

»Der kurzentschlossen zuschlägt?«

»Nein, nicht so. Mit geradezu liebevoller Vorbereitung und Planung. Wie jemand, der Spaß an der Sache hat.«

»Also so was wie ein psychopathischer Serienmörder.«

»Nein, Mann, nicht psychopathisch – ich glaube, daß ein ganz normaler Mensch Daniels in Brand gesteckt und so getötet hat.«

»Eine Frau, hast du gesagt.«

»Auch Frauen können Serienmörder sein.«

»Ja natürlich, Sonora. Ich wette, deine Mama hat dir in ihrer Erziehung freie Hand gelassen, was du einmal werden willst. Es gibt, denke ich, ebenso viele weibliche Serienkiller, wie es weibliche Kriminalbeamte gibt.«

»Meinst du, es würde so eine Art Grenze für Mörder existieren? Ich setze auf unser bewährtes System, Sam – nachprüfen, ob es ähnliche Fälle auch schon in den Zuständigkeitsbereichen anderer Mordkommissionen gegeben hat.«

»Und ich setze auf den Bruder oder die Ehefrau.«

»Es gibt keine Ehefrau, nur eine Freundin. Der Bruder – nein, Sam. Das glaube ich nicht.«

»Okay, Sonora, dann schauen wir uns doch mal die Freundin an. Oder fassen eine Prostituierte ins Auge. Denke an Sadomasochismus, der aus dem Ruder gelaufen ist.«

»Okay. Weißt du, was mir Sorgen macht?«

»Ich kenne drei Dinge, die dir Sorgen machen – Autoreparaturen, Collegegebühren und Zahnärzte.«

»Die rufen Entsetzen bei mir hervor. Ich rede aber von Sorgen, die diesen Fall betreffen. Ich wäre sehr beruhigt, wenn Mickey einen geschmolzenen Klumpen finden und sagen würde, es seien die Wagenschlüssel.«

»Was ja noch kommen kann.«

»Sie hat die Kleider mitgenommen und möglicherweise auch die Schlüssel. Das heißt Keaton Daniels' Schlüssel – Autoschlüssel und vielleicht auch Haustürschlüssel.«

»Was könnte sie mit den Schlüsseln anfangen?«

»Sie könnte die Zulassung des Wagens mit allen Angaben über den Besitzer an sich genommen haben.«

»Man sollte den Bruder warnen.«

»Das werde ich tun. Und bei der Gelegenheit werde ich ihm sagen, er soll seine engen Jeans zu Hause lassen und sein Hemd bis obenhin zuknöpfen.«

»Ich versuche mich zu erinnern, ob du vor deinem Magengeschwür auch schon so giftig warst.«

6 Sie waren auf halbem Weg nach Mount Adams, als Sonoras Mobiltelefon piepste.

»Ich wette, Heather hat den Schulbus verpaßt«, murmelte sie.

»Hallo? Hi, Shelly. Für dich, Sam, deine Frau.«

Er nahm das Telefon.

Sonora schaute aus dem Fenster und fragte sich, warum zwei Teenager da draußen gerade dicht hinter einem Mann mit einer Aktentasche herliefen, statt in der Schule zu sein. Der Mann drehte sich plötzlich zu den beiden um und sagte zu ihnen, sie sollten nicht so trödeln.

Sam ging ruckartig vom Gas, stieg auf die Bremse und brachte den Wagen gerade noch vor einem Stopzeichen zum Stehen.

»Nein, Shelly, es geht nicht, so gern ich auch möchte. Wir sind mit einem schwierigen neuen Fall beschäftigt. Kannst du sie mir mal geben?« Seine Schultern waren angespannt, seine Stimme müde. Jemand hupte; er schien es nicht zu hören.

»Verstehe. Tut mir leid. Sag ihr, daß ich sie liebe, und versuch sie zu beruhigen. Sie wird das schon schaffen.«

Sam gab Sonora den Hörer zurück, und sie drückte den Knopf für das Gesprächsende, was Sam stets vergaß.

»Was ist los?« fragte sie dann.

»Der Arzt möchte, daß Annie noch mal ins Krankenhaus eingeliefert wird, um ein paar Tests zu machen, und sie hatte deshalb einen hysterischen Anfall. Sie hat irre Angst vor dem Blutabzapfen, den Nadeln und so weiter.«

»Tut mir leid, Sam.«

»Weißt du, was vorige Woche passiert ist, als wir mit ihr zum Kino fuhren und am Krankenhaus vorbeikamen? Sie hat sich doch tatsächlich im Wagen übergeben müssen – nur wegen der für sie so schlimmen gedanklichen Assoziationen.«

Sonora sah aus dem Fenster. »Du solltest zu ihr fahren.«

»Nein, das geht jetzt nun wirklich nicht.«

»Ich kümmere mich allein um die Sache.«

»Du hast dich schon zu oft allein um Sachen gekümmert. Wenn wir nicht aufpassen, Mädchen, sind wir beide unseren Job los.«

Sonora kaute an ihrer Unterlippe. Sie hatten in den vergangenen achtzehn Monaten bestens zusammen gearbeitet.

»Hör zu, Sam, ich will sowieso zunächst mal mit dem Bruder sprechen, ehe ich zu der Bar fahre, mir ein Foto von Mark und die Adresse seiner Freundin geben lassen. Du bringst Annie zum Krankenhaus und bleibst bei ihr, bis die Aufnahmeformalitäten erledigt sind. Du weißt, daß sie sich schon beruhigt, wenn du nur ins Zimmer kommst. Selbst wenn du sie danach wieder allein lassen mußt, du bringst sie jedenfalls hin.«

»Ich weiß nicht …«

Er wußte, daß es so am besten war, und Sonora ärgerte sich – allerdings nur ein wenig –, daß sie den altbekannten Beruhigungsspruch von sich geben mußte.

»Komm, Sam, Mark Daniels ist tot, er läuft uns nicht weg. Ich setze dich bei eurem Haus ab, und wir treffen uns dann wieder im Cujo's.«

»Danke, Sonora.«

»Okay, okay.«

Keaton Daniels war nicht daheim, als Sonora es bei der angegebenen Adresse in Mount Adams versuchte, und erst dann fiel ihr ein, daß er gesagt hatte, er fahre zum Haus seiner Frau. Sie schaute in ihren Notizen nach. Natürlich – am entgegengesetzten Ende der Stadt.

Während der Fahrt wählte sie ihre dienstliche Telefonnummer und hörte den Nachrichtenspeicher des Anrufbeantworters ab. Der brave Tim hatte die Meldung hinterlassen, daß Heather pünktlich mit dem Schulbus weggekommen sei und er sich ebenfalls zur Schule aufgemacht habe. Sie war besorgt, weil er so früh am Morgen losmarschieren mußte. Teil des alltäglichen Rituals, diese Sorgen. Am Nachmittag würde sie sich Sorgen machen, ob die beiden auch heil wieder zu Hause eingetroffen waren.

Auf dem Briefkasten stand »Mr. & Mrs. K. Daniels«, und auf dem Rasen verkündete ein Schild: »ZU VERKAUFEN«. Wenn ihr Haus unter den Hammer kommt, dachte Sonora, dann scheint es mit der Scheidung ernst zu werden. Im Garten stand keine Schaukel, auf der Veranda lag kein Spielzeug herum, in den Fenstern gab es keine Halloween-Dekoration. Keine Kinder. Besser so, wenn die Ehe auseinanderging.

Es war ein kleines Haus auf einem briefmarkengroßen Grundstück, jedoch nicht ohne Charme – wie ihr eigenes Haus. Ein üppiger Farn ließ seine Arme aus einem Korb neben der Eingangstür hängen, und ein weißer Korbschaukelstuhl stand auf der winzigen Betonveranda. Sonora war überzeugt, daß der Farn und der Schaukelstuhl eine Lebensdauer von höchstens sechs Wochen hatten, wenn man die ständig drohende Gefahr des Diebstahls und des Vandalismus in Betracht zog.

Die Wohnzimmervorhänge bestanden aus einem Gespinst feiner weißer Spitze – sehr hübsch, schirmten aber nicht gegen die Blicke Neugieriger ab. Die Rolläden vor den Schlafzimmerfenstern waren heruntergelassen, das Verandalicht brannte.

Sonora drückte auf die Klingel.

Einen langen Moment tat sich nichts. Sie überlegte schon, ob sie noch einmal klingeln sollte, hörte dann aber, daß innen ein Riegel zurückgeschoben wurde. Knarrend schwang die Tür auf.

Sonora war oft überrascht, wie wenig man bekümmerten Menschen ihre Qualen ansah. Man mußte manchmal genau hinschauen, um Anzeichen dafür zu erkennen. Keaton Daniels aber zeigte diese Anzeichen.

Ein Hemdzipfel hing aus der sandfarbenen Hose, die er immer noch trug – sie war inzwischen zerknittert, als ob er darin geschlafen hätte. Dicke weiße Socken hingen in Falten um seine Knöchel. Er hatte sich nicht rasiert. Die ein wenig rundlichen, kindlich wirkenden Wangen, die Sonora recht niedlich gefunden hatte, waren irgendwie eingesunken, was ihn älter erscheinen ließ. Ende Dreißig vermutlich.

Er fuhr mit den Fingern durch sein dichtes schwarzes Haar – diese Art von Haar, das selbst ungekämmt gut aussieht. Männer waren oft damit gesegnet.

»Ich habe Sie anscheinend aufgeweckt«, sagte Sonora.

»Nein, nein.« Er rieb sich den Nacken.

Sonora beneidete ihn nicht um die bevorstehenden Monate. Sie hatte das auch durchgemacht, als Zack gestorben war und sie mit dem Kummer ihrer Kinder fertig werden mußte. Heather war noch sehr klein gewesen, aber Tim war ganz still geworden, und er hatte sie hin und wieder gefragt, warum sie nicht weine, ob sie denn seinen Daddy gar nicht vermisse.

Sonora legte Keaton Daniels ganz kurz die Hand auf die Schulter. »Es tut mir leid, Schlaf ist im Moment das Beste für Sie, und ich störe Sie nur sehr ungern. Aber ich muß Sie dringend sprechen.«

»Kommen Sie bitte rein. Nehmen Sie Platz.«

Er schob eine zerkrumpelte Wolldecke in die Ecke des Sofas und setzte sich, während sie sich in einen Rattan-Schaukelstuhl sinken ließ. Er wirkte irgendwie teilnahmslos.

»Mr. Daniels, der Tod Ihres Bruders tut mir sehr leid.« Sie sagte immer diese Worte, und sie schienen immer unangemessen zu sein. Aber meistens taten sie den Betroffenen gut. Daniels nickte, und seine Augen wurden rot. Sonora fragte sich, was für ein Mensch er im normalen Leben war, und sie bedauerte, daß sie ihn unter diesen tragischen Umständen kennenlernte. Aber es war für sie schon fast normal, Menschen unter solchen Umständen kennenzulernen.

Manchmal blieb der eine oder andere mit ihr in Verbindung, schickte ihr Postkarten oder Briefe – meistens Eltern ermordeter Kinder, die dankbar waren, daß man ihnen taktvoll begegnet war, und noch dankbarer, wenn man den Mörder gefaßt hatte.

Daniels rieb sich über das Gesicht. »Sie könnten sicher eine Tasse Kaffee gut gebrauchen, oder?«

Er stammt wohl nicht aus Ohio, dachte Sonora, wahrscheinlich von irgendwo weiter südlich, obwohl sich das aus seiner Sprechweise nicht ableiten ließ. Sonst hätte er gesagt, *ich* könnte eine Tasse Kaffee gut gebrauchen. Sie hatte das Gefühl, Zeit zu vergeuden, aber ihre Erfahrung hatte sie gelehrt, daß es besser war, bei solchen Befragungen nichts zu überstürzen.

Daniels schob einen Schuh aus dem Weg, einen Tennisschuh mit hohem Schaft, weiß mit einem grauen Streifen. Er landete bei einem Haufen anderer Schuhe – einem zweiten mit grauem Streifen, einem Paar mit roten Streifen und einem Paar, das aus der Reihe tanzte, weil es weiß ohne jegliche Streifen war. Sonora wurde daran erinnert, daß Heathers Schuhe ihr bald zu klein sein würden und daß Tim weiter um Nikes kämpfen, sie dann aber beim ersten Schmuddelwetter prompt ruinieren würde. Sie merkte, daß Daniels sie beobachtete.

»Sie spielen wohl oft Tennis?« fragte sie.

Er streckte die Beine aus. »Haben Sie Kinder?«

»Zwei.«

»Dann wissen Sie ja, daß sie schon in der Grundschule großen Wert auf die Marke legen. Wenn Mr. Daniels Reeboks trägt, wollen alle Reeboks haben, und das Kind mit Nikes fühlt sich zurückgesetzt. Im vergangenen Jahr war ich an einer anderen Schule, einer in der Stadt. Viele der Kinder dort aßen nichts zum Frühstück, wenn ihre Mütter ihnen nicht Produkte bestimmter Marken vorsetzten. Einem der Kinder in der Klasse machten die anderen besonders die Hölle heiß, weil es Kmart-Schuhe trug. Also kaufte ich mir auch Kmart-Schuhe, und prompt trug kurz darauf die halbe Klasse diese Marke. Seitdem ziehe ich im Wechsel Schuhe aller gängigen Marken an. Aber ich beginne die Serie immer wieder mit Kmart-Schuhen.«

»Ich finde das sehr nett von Ihnen. Und ich wollte, mein Sohn wäre in Ihrer Klasse.«

Daniels lächelte. »Jetzt mache ich Ihnen aber den Kaffee.«

Sonora lehnte sich in dem Schaukelstuhl zurück und schloß die Augen. Aus der Küche drang das behagliche Blubbern einer Kaffeemaschine zu ihr herüber, dann stieg der wohltuende Geruch heißen Kaffees in ihre Nase. Sonora ließ den Kopf zur Seite sinken und überlegte, wie friedlich es in diesem Haus war – keine klingelnden Telefone, keine streitenden Kinder, keine haarsträubenden Leitmelodien von Videospielen, die wieder und wieder die Ohren peinigten.

Sie fragte sich, ob Tim seiner Schwester beim Frisieren geholfen hatte und ob Heather sehr traurig gewesen war, daß ihre Mom nicht dagewesen war, um ihr Zöpfe zu flechten.

Sie drohte einzunicken, riß sich zusammen und saß korrekt und mit wachen Augen da, als Keaton Daniels zurück ins Zimmer kam.

»Sie sehen müde aus, Detective.«

»Bin ich aber nicht«, entgegnete sie. Seine Bemerkung überraschte sie. Angehörige von Verbrechensopfern nahmen kaum einmal etwas anderes wahr als ihre eigene Qual. Sie trank einen Schluck von ihrem Kaffee und sah dann Keaton Daniels an.

Er hatte sich in der Küche neu gesammelt. Sie bemerkte an ihm ein physisches Selbstbewußtsein, eine Männlichkeit, die sie wünschen ließ, attraktiv auf ihn zu wirken. Und er erwiderte ihren Blick mit einer ruhigen Beharrlichkeit, die sie nervös machte. Plötzlich verspürte sie den Drang, sich neben ihn auf das Sofa zu setzen. Sie wußte, daß gewisse männliche Cops genau das tun würden, wenn es sich bei einem zu befragenden Zeugen um ein attraktives weibliches Wesen handelte. Sonora schob sich auf die Kante des Schaukelstuhls. »Mr. Daniels …«

»Keaton, bitte.«

»Lassen Sie uns die Sache hinter uns bringen, Keaton.«

Seine Stimme wurde bedrückt. »Was wollen Sie von mir wissen?«

»Wann Sie Ihren Bruder zum letztenmal gesehen haben. Er hat Sie bei Ihrem Apartment abgesetzt und fuhr dann weiter zu diesem Cujo's, richtig?«

»Richtig.«

»Um welche Zeit war das?«

»Etwa halb neun, Viertel vor neun.«

»Und Sie haben Mark nicht mehr gesehen, nachdem er zum Cujo's losgefahren war? Und er hat danach auch nicht mehr angerufen oder sonstwie von sich hören lassen?«

61

»Nein. Das Telefon hat mal geläutet, aber wer auch immer der Anrufer war, er legte auf, als ich mich gemeldet habe.«

Sonora hob die Augenbrauen. »Haben Sie irgendwelche Hintergrundgeräusche gehört?«

»Ja, da waren ein paar Geräusche. Gesprächsfetzen wie auf einer belebten Einkaufsstraße oder …«

»Oder in einer Bar?«

Er runzelte die Stirn. »Könnte sein. Doch wenn es Mark gewesen wäre, hätte er bestimmt was gesagt. Er hätte nicht bei mir angerufen, nur um zu hören, ob ich mich melde.«

»Meinen Sie, er könnte unterbrochen worden sein? Denken Sie scharf nach, sagen Sie mir alles. Was machten Sie gerade, als der Anruf kam?«

»Ich saß auf dem Boden im Wohnzimmer, war mit dieser Ausschneidearbeit für den Unterricht beschäftigt und schaute mir nebenher das Ende einer Komödie im Fernsehen an.« Er kniff die Augen zusammen und blickte zur Decke. »Dann läutete das Telefon, ich ging ran, sagte ›hallo‹, erhielt jedoch keine Antwort. Aber da waren diese Hintergrundgeräusche, und ich dachte, ich hätte vielleicht überhört, daß der Anrufer sich gemeldet hat. Ich stellte den Fernseher leiser und sagte nochmal ›hallo‹. Da wurde am anderen Ende aufgelegt. Es war nicht Mark, er hätte mich nicht nur seinen Atem hören lassen. Außerdem kriege ich schon seit einiger Zeit immer wieder solche Anrufe, bei denen aufgelegt wird, sobald ich mich gemeldet habe.«

»Wie oft?«

»Alle paar Tage, zwei- oder dreimal im Monat, das ist ganz unterschiedlich.«

»Und seit wann geht das so?«

Er schaute zum Flur, zur Tür des Schlafzimmers, wo seine

Frau wahrscheinlich noch schlief. »Seit ein paar Monaten, meistens in meiner Wohnung in der Stadt. Ich habe sie von einem Freund gemietet, der für längere Zeit geschäftlich in Deutschland ist. Doch ich hielt das für Kinderstreiche.«

»Gibt es Ihrer Meinung nach Grund zu der Annahme, Ihr Bruder könnte nach dem Cujo's noch woanders hingefahren sein, so was wie eine Kneipentour gemacht haben?«

»Das wäre möglich. Mark war ziemlich ruhelos und kontaktfreudig. Er kam schnell mit Leuten ins Gespräch, schloß leicht Freundschaften.«

»Mit Mädchen?«

Daniels kniff erneut die Augen zusammen. »Jetzt fragen Sie das schon wieder. Meinen Sie wirklich, er hätte sich irgendein Mädchen aufgegabelt?«

»Sein Mörder war eine Frau, Mr. Daniels. Sie muß schließlich irgendwoher gekommen sein.«

»Deshalb haben Sie mich nach Prostituierten gefragt? Hören Sie, Specialist Blair, Mark war kein Rumtreiber. Er hatte eine feste Freundin in Lexington, und die beiden wollten zusammenziehen, sprachen von Heirat.«

»Waren sie verlobt?«

»Nicht offiziell. Mark redete davon, aber er war ja erst zweiundzwanzig. Und ihre Eltern wünschten, daß sie damit wartete, bis sie das Studium abgeschlossen hatte.«

»Sehr weise«, sagte Sonora zerstreut und fuhr dann fort: »Okay, hören Sie, ich werde Ihnen jetzt eine Frage stellen, die Sie als anstößig und beleidigend empfinden könnten. Denken Sie bei der Beantwortung genau nach, seien Sie ehrlich, und machen Sie es kurz.«

Daniels zupfte an seiner Unterlippe und runzelte die Stirn.

»Neigte Ihr Bruder zu irgendwelchen ungewöhnlichen sexuellen Praktiken? Hatte er zum Beispiel häufiger Blutergüsse am Körper, verstehen Sie, öfter, als man das im Durchschnitt erwarten kann?«

»Sie haben eine sehr schmutzige Phantasie, wie?«

»Berufsrisiko. Mein Job erfordert es, daß ich diese Frage stelle. Im übrigen habe ich nicht vergessen, daß Ihr Bruder das Opfer in diesem Mordfall ist.«

Er lehnte sich zurück. »Ich weiß natürlich nicht alles über Marks Sexualleben. Wenn Sie einen Bruder haben, wie Sie gesagt haben, dann verstehen Sie, was ich meine. Aber ich habe nie irgendein Anzeichen dieser … dieser Art bei ihm festgestellt. Er ist nie in zweifelhafte Kneipen gegangen. Er hat keine Verabredungen mit grell geschminkten Mädchen in schwarzer Lederkluft und einem Halsband um den Hals gehabt. Er las *Gentlemen's Quarterly* und den *Playboy*.«

»Wegen der Artikel?«

»Wegen der Faltblätter. Und er kaufte sich auch immer die Ausgabe von *Sports Illustrated*, in der die neueste Damen-Bademode vorgestellt wurde. Ich würde sagen, das Leseverhalten meines Bruders war total normal, es entsprach dem des gesunden amerikanischen Mannes.«

»Amerikanisch wie Apfelkuchen.«

Daniels lächelte sie an, aber nur flüchtig.

»Was ist wie amerikanischer Apfelkuchen?«

Sonora hatte die Frau nicht kommen hören – der Teppich hatte das Geräusch ihrer hohen, spitzen Absätze verschluckt. Sie gehörte zu dem Frauentyp, den Sonora stets beneidet hatte – schlank, braune Augen, dichtes, glänzendes kastanienbraunes Haar. Dieser Typ, für den Make-up nicht zu den Pflichtübungen gehörte, der bei Theateraufführungen an der Schule wie selbstverständlich die Hauptrolle bekam.

Daniels stand auf. »Ashley, das ist Police Specialist Sonora Blair. Sie untersucht Marks … Marks Tod.«

Sonora erhob sich ebenfalls und streckte ihr die Hand hin. Ashley Daniels war vollständig angezogen, trug einen hellrosa Hosenanzug, weiße Strümpfe und hochhackige Schuhe, in denen Sonora es höchstens eine Stunde ausgehalten hätte.

Sie schüttelte Sonora fest die Hand, trat dann, umhüllt von einer Parfumwolke, zu Keaton und küßte ihn auf die Wange.

»Alles in Ordnung mit dir, Keat?«

Er tätschelte ihre Schulter. »Ja.«

»Ich muß mal kurz rüber ins Büro, ein paar Akten holen, ein oder zwei Anrufe machen. Bin bald zurück. Du kommst doch zurecht, oder?«

»Ich fahre sowieso gleich nach Hause.«

»Wirklich?«

Er nickte.

Sonora spürte die Verlegenheit der beiden – irgendwie noch verheiratet und irgendwie nicht mehr.

Ashley Daniels' Stimme wurde geschäftig. »Da ist schon wieder dieser Wagen. Ich hoffe nur, daß es jemand ist, der sich für den Kauf des Hauses interessiert.« Sie trat zum Fenster und schob die Vorhänge auseinander.

Sonora stellte die Kaffeetasse auf den Couchtisch und ging zu ihr.

»Was für ein Wagen?«

Ashley Daniels blickte sie über die Schulter an. »Er ist weg. Warum fragen Sie?«

Sonora schaute auf die Straße. Geteert, keine Bürgersteige, dünn aufkeimende Grassprossen auf frisch eingesäten Rasenflächen. Keine Autos.

Ashley sah Keaton an. »Möchtest du, daß der Leihwagen hierher oder zu deiner Wohnung gebracht wird?«

»Hierher, denke ich. Kannst du das noch heute morgen für mich erledigen?«

»Mach ich. Und ich kriege den Gutschein für den Wagen von der Versicherung innerhalb der nächsten drei Tage. Es hat schon Vorteile, wenn man einen Allstate-Versicherungsagenten in der Familie hat.« Sie lächelte Sonora an und zog eine Geschäftskarte aus der Jackentasche. »Ich habe ein kleines Büro in der Tri-County-Mall. Wenn Sie mal die Prämien für ihre Versicherungen überprüft haben wollen, rufen Sie mich an. Ich beschäftige mich hauptsächlich mit Immobilien- und Unfallversicherungen, aber auch mit Haftpflichtversicherungen für Kraftfahrzeuge und Häuser sowie Lebensversicherungen, wenn ich Glück habe. Die bringen am meisten ein.«

Sonora nickte, steckte die Karte ein und schaute Ashley Daniels nach, die mit klickenden Absätzen in die Küche ging. Dann hörte man ein Garagentor aufschwingen.

»Wo waren wir stehengeblieben?« fragte Keaton.

»Sie erzählten mir gerade, welche Art von Magazinen Ihr Bruder las.«

»Jedenfalls viel interessanter als die, die ich regelmäßig lese – *Weekly Reader. Highlights For Children.*«

»Wegen der Faltblätter?«

»Es gibt da großartige, bei denen man Pünktchen durch eine Linie miteinander verbinden muß und dann hübsche Bildchen rauskommen.«

Sonora neigte den Kopf zur Seite. »Eine Sache muß ich noch ansprechen, Mr. Daniels. Unser Fachmann für Brandstiftung konnte keine Schlüssel finden.«

»Die Wagenschlüssel?«

»Ja. Welche Schlüssel waren sonst noch am Schlüsselring?«

»Schlüssel für dieses Haus, Schlüssel zu meinem Apartment, für meinen und Ashleys Wagen, meinen Schreibtisch in der Schule. Sie sind wahrscheinlich im brennenden Auto geschmolzen.«

»Selbst dann müßte unser Spezialist sie beziehungsweise Überreste von ihnen gefunden haben.«

»Und er würde sie als Überreste der Schlüssel erkennen?«

»Brandorte sind für ihn ein offenes Buch – wie *Highlights For Children* für Sie. Es ist möglich, daß die Mörderin sie behalten hat.«

»Sie meinen, das könnte gefährlich sein?«

Sie hob die Hände. »Um ehrlich zu sein, es gefällt mir nicht, daß die Mörderin die Schlüssel zu diesem Haus und zu Ihrem Apartment haben könnte. Sie sollten sicherheitshalber die Türschlösser auswechseln lassen.«

»Sie weiß doch gar nicht, wo ich wohne.«

»War die Zulassung in Ihrem Wagen?«

»Ja, natürlich.«

»Also kennt sie Ihre Adresse.«

»Sie meinen wirklich …«

»Ich halte es für eine gute Vorsichtsmaßnahme. Machen Sie es. Ausgeraubt zu werden ist nicht gerade eine lustige Sache.«

»Sie meinen, sie würde vielleicht mein Apartment ausrauben?«

Sonora meinte, Einbruch und Raub wären sicher die geringsten Sorgen, aber sie unterließ es, darauf hinzuweisen. »Sie sollten diese Vorsichtsmaßnahme treffen. Lassen Sie die Türschlösser auswechseln, Mr. Daniels.«

7 Das einzige Foto von Mark, das Keaton Daniels zur Hand hatte, war ein Hochzeitsfoto in einem goldenen Rahmen. Sonora hatte nur widerwillig zugestimmt, daß er es aus dem Rahmen genommen und ihr gegeben hatte. Es zeigte Keaton, kraftvoll und ernst, mit Mark an der einen Seite und Ashley, strahlend und schön, an der anderen. Mark, den Ellbogen auf Keatons Schulter gelegt, schaute jung und selbstbewußt aus. Die beiden Brüder sahen sich nicht sehr ähnlich. Mark hatte feines, glattes hellbraunes Haar. Sein Gesicht war schmal, das Kinn ausgeprägt. Im Gegensatz zur kräftigen Gestalt seines Bruders wirkte seine eher drahtig. Seine Augen waren blau. Eine Verwechslung konnte nicht stattgefunden haben.

Ein Schild »Geschlossen« hing im Fenster vom Cujo's, doch die Eingangstür war offen. Von Sam war nichts zu sehen, aber sie wollte nicht vor der Tür auf ihn warten. Sie dachte an Annie, winzig in einem großen Krankenhausbett. Sie würde sie mit Heather besuchen.

Im Café war es warm. Es war in zwei Haupträume unterteilt – die Bar und einen kleinen Speiseraum, über dessen Eingangstür ein Nichtraucherzeichen angebracht war.

Die Bartheke selbst war recht schön, aber auch ziemlich abgenutzt. Das dicke Teakholz war an vielen Stellen abgestoßen und voller Risse. Die Messingplatte entlang dem unteren Teil hätte dringend einmal poliert werden müssen. Die Barhocker waren hoch, hatten Rücken- und Armlehnen. Sehr bequem, dachte Sonora, als sie sich auf einen der Hocker geschwungen hatte. Sie sah sich das Arrangement der Flaschen unter dem Spiegel an der Wand gegenüber dem Tresen an.

Der Anblick von so viel Alkohol so früh am Morgen reizte ihr Magengeschwür, und sie tastete in ihrer Jackentasche nach den Mylanta-Tabletten. Als sie noch stirnrunzelnd auf die leere Plastikkrippe starrte, hörte sie Schritte, schaute auf und sah eine Frau auf sich zugehen. Sie kam aus dem Speiseraum und war klein und stämmig wie ein Hydrant.

»Tut mir leid, Ma'am, aber wir machen erst mittags auf.«

»Ja, ich habe mir schon gedacht, daß es einen Grund dafür geben muß, daß die Stühle auf den Tischen stehen. Und auch das ›Geschlossen‹-Schild draußen ist ja eigentlich ein eindeutiger Hinweis.« Sonora nahm ihren Polizeiausweis aus der Handtasche und wartete geduldig, bis die Frau ihn sich eingehend angeschaut hatte. Die Tage, als man den Leuten den Ausweis nur blitzartig vor die Nase halten konnte und sie sich damit zufriedengaben, waren längst vorbei.

»Detective Bear?«

»Blair«, korrigierte Sonora.

»Entschuldigung, ich konnte das ohne Brille nicht richtig erkennen. Womit kann ich Ihnen dienen?« Die Frau ging hinter die Theke und auf eine Kaffeemaschine zu. Wenn sie einen Gast an der Theke hätte bedienen wollen, hätte sie sich auf einen Hocker stellen müssen. »Mögen Sie auch 'ne Tasse?«

Das Magengeschwür hatte sich entschlossen, von Schmerzerzeugung auf Erregung von Übelkeit umzuschalten, und Sonora verzog das Gesicht. »Nein danke.« Sie hörte den Motor eines Wagens und sah einen Pickup draußen vorfahren. Sam. Sie nahm ihren Recorder aus der Handtasche und legte ihn auf die Theke.

»Sie arbeiten hier, Mrs. …?«

»Anders. Celia Anders. Ich mache den Tagesdienst.«

Die Glocke über der Eingangstür schlug an, und Sam betrat die Bar. Sonora winkte ihm zu.

»Mrs. Anders, das ist mein Partner, Detective Delarosa.«

Sam nickte Mrs. Celia Anders zu. Sie lächelte ihn strahlend an. Sie mochte ihn, das sah Sonora sofort, obwohl er bisher nichts getan hatte, als durch die Tür hereinzukommen. Sonora blickte Sam leicht gereizt an.

»Waren Sie am vergangenen Abend hier, Mrs. Anders?«

Celia Anders schaute auf den Recorder. »Nein, ich mache nur Tagesdienst. Um sieben gehe ich nach Hause.«

»Und wer war da?«

»Nun, normalerweise kümmert sich Ronnie um die Platzzuweisung der Gäste im Speiseraum, und Chita macht die Bar. Sie sind die Besitzer. Ronnie Knapp und Chita Childers.«

»Ist einer von ihnen zur Zeit hier?« fragte Sam.

»Sie sind in der Küche. Chita war jedenfalls eben noch dort.«

»Wir möchten die beiden gern sprechen«, sagte Sonora.

»Worum geht es denn überhaupt?«

Sonora lächelte nur.

»Na ja dann«, meinte Celia Anders. »Ich hole sie.«

Sonora schaute auf die Uhr. Sowohl Tim als auch Heather müßten inzwischen wohlbehalten in der Schule angekommen sein – vorausgesetzt, der Bus war nicht verunglückt oder von Terroristen gekapert worden und kein Mann im Regenmantel in mittleren Jahren hatte Tim gezwungen, in seinen unauffälligen braunen Wagen einzusteigen. Sonora seufzte, und Sam sah sie an. Er wirkte geistesabwesend, was Sonora zeigte, daß er innerlich aufgewühlt war. Annie mußte zweifellos einen harten Morgen durchstehen.

»Okay?«

Er legte die Hand auf ihre Schulter und drückte sie leicht. »Wir haben es geschafft.«

Sonora hörte gedämpfte weibliche Stimmen, dann erschien eine große Frau mit untadeligem Vanille-Teint und gekräuseltem rotgoldenem Haar, gefolgt von Celia Anders. Es war ein erstaunliches Bild, die beiden nebeneinander hereinkommen zu sehen, die eine groß, schlank und selbstsicher, die andere klein und geduckt, die Schultern eingezogen, als ob sie Schläge erwarten würde.

»Hi, ich bin Chita Childers.«

Ihre Stimme war dünn und hoch, in einem Chor würde man sie den Sopranstimmen zuordnen. Sie hatte blaue Augen und langes Haar, das sie an den Seiten mit silber- und türkisfarbenen Spangen hochgesteckt hatte, und trug Jeans und ein T-Shirt, dessen Aufschrift sie als Fan der Cincinnati-Bengals-Footballmannschaft auswies.

»Ich bin Sonora Blair, das ist Sam Delarosa – Cincinnati Police Department.«

»Aus welchem Grund wollen Sie mich sprechen?« Sie schaute über die Schulter. »Ronnie!«

»Ich bin auf der Toilette.« Die Stimme war männlich und klang gedämpft und gereizt.

Sonora legte das Hochzeitsfoto auf die Theke.

»Kennen Sie diesen Mann?«

Chita Childers warf einen Blick auf das Foto. »Ja, den da. Er ist oft hier.«

Sie zeigte mit einem langen, dünnen Finger auf Keaton Daniels. Ihre Nägel waren ebenfalls lang und kastanienbraun lackiert. In den Winkel jedes rechteckig geformten Nagelbettes hatte sie kleine Zirkonsteine geklebt, die wie Brillanten funkelten.

»*Diesen* Mann?«

»Ja.«

»War er gestern abend hier?«

Chita Childers kniff die Augen zusammen und legte den Kopf in den Nacken, um ihrem Gedächtnis nachzuhelfen. So können alle Gedanken unter ihrem Schädel ins Gehirn fließen, dachte Sonora.

»Nein, ich glaube nicht. In letzter Zeit war er nicht mehr oft hier. Eine Weile kam er an zwei bis drei Abenden in der Woche her. Aber ...« Sie machte die Augen wieder auf. »Aber gestern abend war er nicht hier.«

»Und was ist mit den anderen auf dem Foto?«

»Die Frau?«

»Beide.«

»Die Frau kenne ich nicht. Toller Typ. Ronnie würde sich sicher an sie erinnern.«

»Und der Mann?« Sonora zeigte auf Mark Daniels.

Irgendwo in der Nähe erklang das Rauschen einer Toilettenspülung, man hörte das Geräusch von fließendem Wasser und dann das Knarren einer Tür, die aufgestoßen und wieder geschlossen wurde. Ein Mann Ende Dreißig, schlank, mit dünnem braunem Haar und einem Schnurrbart, kam aus dem Speiseraum. Er blieb in der Tür stehen.

»Oh ...«

»Specialists Blair und Delarosa«, sagte Sonora. »Wir wollten Sie eigentlich nicht zu einer unangemessenen Zeit stören.«

Ronnie Knapp errötete. Sam hüstelte und räusperte sich.

Knapp streckte Sonora die Hand hin, und sie bekam einen festen, feuchten Händedruck. Dann sah er Celia an. »In der Toilette sind keine Papierhandtücher mehr, nur zu deiner Information.«

Sonora wischte unauffällig ihre Hand an ihrer Jacke trocken und lehnte sich dann wieder auf dem Barhocker zurück. Sie schob Knapp das Foto über die Bartheke zu. »War einer dieser Leute gestern abend hier?«

Knapp nahm das Foto und sah es sich an. »Gestern abend, hm. Der da war nicht hier.«

Sonora rieb über ihren Magen. »Welcher?«

Knapp drehte ihr das Foto zu und zeigte auf Keaton Daniels. »Der da. Er kam früher oft her, doch in letzter Zeit habe ich ihn nicht mehr gesehen. Aber der andere Mann war gestern abend hier.«

»Sind Sie sicher?«

»Ja. Er redete mit der Blonden.«

Sonora spürte mehr, als sie es sah, daß Sam sich straffte. Sie bemühte sich, ihre Stimme weiterhin ungezwungen klingen zu lassen. »Was für einer Blonden?«

»Irgend so ein Mädchen.«

»Kommt sie regelmäßig her?«

»War ein paarmal hier.«

»Was für eine Blonde meinst du?« fragte Chita Childers.

»Du hast sie bestimmt auch gesehen, ziemlich klein, irgendwie zerbrechlich. Und sie lächelt nie.«

»Wie lange hat sie mit diesem Mann gesprochen?« Sonora tippte mit dem Zeigefinger auf Mark.

»Eine ganze Weile.«

»Erinnern Sie sich genauer. Wie lange?«

»Kann ich nicht sagen.«

»Eine Stunde?«

»Vielleicht nicht so lange.«

»Nur ein paar Minuten? Eine halbe Stunde?«

»Länger als eine halbe Stunde. Können fünfundvierzig Minuten gewesen sein. Sie hatten einen Drink zusammen. Das Mädchen trank Budweiser aus der Flasche.«

»Und er?«

»Bier vom Faß. Bourbon Chaser.«

»Sind sie zusammen weggegangen?«

»Nein.«

»Wer von den beiden ging zuerst?«

»Weiß ich nicht.«

»Um welche Zeit ungefähr?«

»Mein Gott, ich weiß es wirklich nicht. Muß aber vor elf gewesen sein.«

Chita Childers drängte sich vor, und Celia Anders mußte einen Schritt zurücktreten. »Dann ist sie vor ihm gegangen, denn der junge Mann saß noch lange rum.«

»Wie lange?« fragte Sam.

»Fast bis Mitternacht. Ich dachte schon, der bleibt, bis wir zumachen.«

Sam lächelte Celia Anders an und wandte dann seine Aufmerksamkeit Chita Childers zu. Sonora lehnte sich zurück.

»Und die Blonde war zu dieser Zeit schon gegangen?« fragte Sam.

»Ja.«

»Hat er sich noch mit anderen unterhalten?«

Chita zuckte mit den Schultern. »Er hat mit vielen Leuten geredet. Auch mit mir. Was ist eigentlich los? Ist der junge Mann in Schwierigkeiten?«

»Er ist tot.«

»Tot? Ermordet?«

»In seinem Wagen in Brand gesteckt worden und verbrannt.«

»*Der* ist das? Ich habe von der Sache heute morgen in den Nachrichten gehört.« Sie klammerte sich an den Rand der Theke und hatte die Augen weit aufgerissen. »O Gott, und ich habe noch mit ihm geredet. Er war doch noch so jung. Ich habe mir sogar seinen Ausweis zeigen lassen, ob ich ihm überhaupt Alkohol geben darf. In den Nachrichten haben sie gesagt, jemand habe ihn *bei lebendigem Leib* in Brand gesteckt.«

Ronnie Knapp setzte sich auf einen Barhocker und drehte ihn so, daß er Sonora anschaute. »Glauben Sie, diese Blonde hat den Mörder vielleicht gesehen?«

Sonora hielt ihre Stimme unter Kontrolle. »Das ist möglich. Im Moment sind wir dabei, Daniels' letzte Stunden zu rekonstruieren. Diese blonde Frau … Sie haben nicht zufällig ihren Namen mitgekriegt?«

Ronnie und Chita überlegten, kniffen die Augen zusammen, und Chita steckte zur besseren Konzentration sogar die Zunge zwischen die Lippen. Dann schüttelte sie den Kopf.

Sonora sah Ronnie an. »Und Sie?«

»Nein.«

»Wie hat sie gezahlt? Bar? Mit Kreditkarte?«

Er schüttelte den Kopf. »Ich kann mich nicht erinnern.«

»Hat sie ein Trinkgeld gegeben?«

»Ja, das hat sie.«

»Knauserig oder großzügig?«

»Irgendwo dazwischen.«

»In bar oder über eine Kreditkarte?«

»In bar.«

»Okay. Bitte machen Sie von allen Kreditkartenquittungen des vergangenen Abends Fotokopien für uns. Nein, wir brauchen sie sogar von den letzten, sagen wir mal, sechs Wochen.«

Ronnie nickte mißmutig.

Sonora lächelte. »Wir sind Ihnen äußerst dankbar für Ihre Kooperation, Mr. Knapp. Sie würden uns sehr helfen, wenn Sie die Kopien heute noch zu uns ins Büro bringen würden. Wir nehmen dann Ihre Aussage auf und holen unseren Zeichner dazu, um ein Phantombild von dieser Blonden zu erstellen. Unser Büro ist im fünften Stock des Board of Elections Building, 825 Broadway. Einen Block weiter gibt es einen öffentlichen Parkplatz. Sagen Sie dem Mann am Empfang im

Gebäude, weshalb Sie gekommen sind, er erklärt Ihnen dann, wo Sie hinmüssen.«

In Ronnies und Chitas Augen war jetzt der ein wenig starre, wachsame Blick von Leuten, die sich plötzlich mitten in einer Morduntersuchung wiederfinden.

»Bitte so bald wie möglich«, sagte Sonora.

»Was ist, wenn sie wieder herkommt?« Celia Anders war bisher vom Gespräch ausgeschlossen gewesen, und das schien ihr nicht zu gefallen.

Sonora nahm eine ihrer dienstlichen Visitenkarten aus der Jackentasche. »Wenn sie wieder auftauchen sollte, rufen Sie mich an, egal um welche Uhrzeit. Wenn ich nicht im Büro bin, dann erklären Sie dem Detective, den Sie an der Strippe haben, worum es geht, hinterlassen Sie nicht nur eine Nachricht. Hier, das ist meine private Telefonnummer.« Sonora schrieb sie auf die Rückseite der Karte. »Wenn einer von Ihnen diese Frau wieder sieht, sprechen Sie sie nicht von sich aus an, verständigen Sie einfach nur uns.«

»Und zwar so, daß sie's nicht mithören kann«, sagte Celia. Sam grinste sie an.

»Haben Sie eine öffentliche Telefonzelle?« fragte Sonora.

Celia zeigte in den dunklen Flur links von der Theke. »Zwischen den Toiletten.«

»Funktioniert der Apparat?«

Ronnie nickte.

»War es gestern abend laut hier drin? Waren viele Leute da?«

»Nicht schlecht für einen Tag unter der Woche. Wir machen von vier bis sieben Happy-Hour, zwei Drinks zum Preis von einem, und die Leute nutzen das auf dem Weg von der Arbeit nach Hause.«

Sonora sah Ronnie an. »Erzählen Sie mir doch mal alles, woran Sie sich bei der Blonden erinnern.«

Ronnie schloß die Augen, und seine Brauen verzogen sich.

»Sie war hellblond.«

»Hellblond? Wie ich?«

Er machte die Augen auf. »Heller.«

Sonora seufzte. »Sah das Haar gefärbt aus?«

»Nicht unbedingt, aber das ist ja manchmal schwer zu erkennen. Es hatte nicht diesen nachgemachten Zuckerwattenglanz, war sehr fein und hell, etwa schulterlang und unten eingerollt. Sehr … irgendwie … ätherisch.«

Chita Childers stieß verächtlich die Luft aus. »Ätherisch? Es war gefärbt, wenn wir von derselben Frau sprechen.«

»Augenfarbe?« fragte Sonora.

»Braun. Große braune Augen. Irgendwie … komisch.«

»Wieso komisch? Wie sieht so was denn aus?« knurrte Chita.

Sonora ballte die Fäuste, schaltete sich jedoch nicht ein, sondern schenkte Chita ein Lächeln und sah dann wieder Ronnie an.

»Ja, braune Augen«, sagte Ronnie.

»Blaue«, meinte Chita. Die beiden warfen sich feindselige Blicke zu.

»Vielleicht hat sie die Farbe gewechselt. Mit Kontaktlinsen.« Celia Anders schaute sehr selbstzufrieden drein.

Sonora sah Sam an. Der altbekannte Hickhack bei Zeugenaussagen.

Ronnie kratzte sich am Kinn. »Sie ist sehr klein. Sogar noch kleiner als Sie.«

»Wow!« stieß Sam aus. »Dann ist sie wirklich verdammt klein, hm?«

Ronnie grinste. »Sie machte, wie soll ich sagen, einen irgendwie zerbrechlichen Eindruck. Aber sie hat nie gelächelt. Oh, und sie hatte kleine Narben auf den Lippen. Als ob sie sich oft draufbeißen würde.«

»Hat sie mit vielen Männern geredet? Rumgeflirtet?«

»Jedenfalls nicht mit mir. Ich hielt sie eher für irgendwie schüchtern. Ja, ich erinnere mich, daß ich mich gewundert habe, als sie mit diesem Mann geredet hat. Mit dem auf dem Foto.«

»Sie war wie für einen Mord sehr praktisch angezogen«, sagte Chita. »Kurzer schwarzer Jeansrock, Cowboystiefel, Bodysuit. Außerdem hatte sie dickes Make-up und lange Ohrringe.«

Ronnie nickte. »Ja, sie trug einen kurzen Rock. Das hab ich auch gesehen.«

Chitas Stimme klang jetzt trügerisch süß. »So ähnlich war sie auch bei ihren früheren Besuchen hier angezogen. Und ich hab mitgekriegt, wie sie auch mal mit dem anderen Mann geredet hat.«

Sonora drehte das Foto um und zeigte mit der Fingerspitze auf Keaton Daniels. »Mit dem anderen Mann? Dem da?«

»Ja, mit dem.«

»Die Frau auf dem Foto, die Braut, war die schon mal hier?« Chita runzelte die Stirn und schüttelte dann den Kopf. »Nein, ist mir nie aufgefallen.«

Sonora schob Ronnie das Foto zu.

»Nein«, sagte der. »An sie würde ich mich erinnern.«

»Das kann ich mir denken«, murmelte Chita, aber die anderen taten so, als hätten sie ihre Bemerkung nicht gehört. Ronnie wollte Sonora das Foto zurückgeben, aber Celia griff noch mal danach und betrachtete es eingehend. Sonora dachte an die fettigen Fingerabdrücke, die sie hinterließ. Höchste Zeit, Kopien von dem Foto machen zu lassen.

Sam zupfte sich am Ohr. »Hat Mark Daniels mal von hier aus telefoniert? Oder diese Blonde? Hat einer von beiden sich vielleicht Münzgeld geben lassen?«

Als Antwort erhielt er nur leere Blicke. Die gute Fee der verwertbaren Zeugenaussage mischte sich leider nicht ein.

Sonora kletterte vom Barhocker, schnappte sich ihre Handtasche, fand eine Quarter-Münze, rief bei sich zu Hause an und hörte den Anrufbeantworter ab. Nichts. Also auch keine Notfälle. Und das Telefon hier funktionierte, daran konnte es nicht liegen. Sie holte ihr Notizbuch aus der Handtasche und schrieb sich die Nummer des Apparats auf. Sie würden sich die Unterlagen über die gestern von hier aus geführten Gespräche von der Telefongesellschaft geben lassen, um zu erfahren, ob Keaton Daniels vom Cujo's aus angerufen worden war.

8 Sonora ging in das Board of Elections Building und fuhr mit dem Aufzug in den fünften Stock zur Mordkommission. Vor der Eingangstür waren an drei Stellen Nichtraucherzeichen angebracht, eines direkt über einem Metallaschenbecher. Auf einem Nachrichtenbrett waren sauber nebeneinander Steckbriefe aufgereiht. Am Kleiderständer hingen keine Mäntel, das war nie der Fall.

Eine Frau saß in einer Glaskabine, intensiv mit einem Kreuzworträtsel beschäftigt, und Sonora winkte ihr zu. Die linke Tür führte zur Spurensicherung, die rechte zur Mordkommission. An beiden wiesen Schilder darauf hin, daß das Betreten für Besucher nur in polizeilicher Begleitung erlaubt war.

Sonora ging durch die rechte Tür, kam an den schäbigen Vernehmungszimmern vorbei und roch frischen Kaffee. Ein Karton voll mit leeren Getränkebüchsen stand vor der Eingangstür zum Großbüro. Die Mordkommission war umweltbewußt, sie nahm am Recycling teil. Wie immer schaute Sonora auf das Anschlagbrett, auf dem die Mordfälle des laufenden Jahres, getrennt nach »aufgeklärt« und »ungelöst«, aufgelistet waren. Die meisten ungelösten Fälle gab es bei der Drogenkriminalität. Da war es verdammt schwer, Spuren aufzunehmen und Beweise zu erbringen. Die einzige Befriedigung bestand in dem Wissen, daß der jeweilige Mörder gute Chancen hatte, in den nächsten Monaten als Opfer eines Mordes auf der Liste zu erscheinen.

Mark Daniels war der neueste Eintrag auf besagter Liste.

Alle waren da, und der Raum vibrierte vor Aktivität. Viele Detectives waren mit Telefonanrufen beschäftigt, und Sonora spürte, daß ihr so mancher forschende Blick zugeworfen wurde. Daniels war keine Routinesache, sondern ein echter Wer-ist-der-Mörder-Fall, und die anderen Detectives wurden von ihren eigenen Fällen abgezogen, um in dieser Angelegenheit bestimmten Spuren nachzugehen.

Dieser Fall würde Schlagzeilen machen.

Das Lämpchen ihres Anrufbeantworters blinkte. Ihr Schreibtisch, beladen mit Vordrucken, Akten, einer Kamera, einem Beutel mit Beweismitteln und einer halbleeren Coladose, stand in der Mitte des Raumes, frontal an Sams herangeschoben. Auf jedem der Schreibtische befand sich ein in Plastikfolie verpackter Teddybär – Gegenstand eines neuen Programms, eine Gabe an jeden Cop, um dieses Tier Kindern in die Hand zu drücken, die in das Kreuzfeuer streitender Erwachsener geraten waren. Sonora schob ihre Handtasche unter den Schreibtisch und gab ihr noch einen Tritt, damit sie außerhalb der Reichweite der Rollen ihres Stuhls stand.

Ihr Telefon läutete, kaum daß sie sich richtig auf den Stuhl gesetzt hatte. »Mordkommission, Sonora Blair.«

»Kann ich bitte mit einem der Detectives sprechen?«

»Sie sprechen mit einem Detective.«

»Sie sind keine Sekretärin?«

»Nein, ich bin keine Sekretärin.«

Hinter ihr wurde gelacht, und sie schaute Gruber über die Schulter wütend an.

Er grinste. »Der Anrufer will mit einem echten Cop sprechen. Ich stehe zur Verfügung.«

Sonora legte die Hand über die Sprechmuschel. »Mach dich nützlich, Schätzchen, und hol mir eine Tasse Kaffee.«

Gruber sah sie von oben bis unten auf eine Art an, die seine

Verachtung deutlich zum Ausdruck brachte. Er hatte Schlafzimmeraugen, ständig herabhängende Schultern, eine dunkle Gesichtshaut und New-Jersey-Manieren, die manche Leute als kränkend empfanden, auf junge Frauen jedoch anziehend wirkten.

Sonora konzentrierte sich wieder auf die Stimme am Telefon. »Entschuldigung.«

»Es geht um den Fall von dem Mann, der verbrannt ist.«

Sonora runzelte die Stirn und griff nach einem Kugelschreiber. »Von welchem Mann sprechen Sie?«

»Von dem in den Nachrichten. Sie haben seinen Namen nicht genannt. Aber ich sollte Ihnen am besten mal die Sache mit meinem Schwager erzählen.«

Da steckt nichts dahinter, dachte Sonora, machte sich aber dennoch Notizen auf ihrem Block. Man durfte keine Möglichkeit außer acht lassen.

Schließlich legte sie auf. »Wieder mal so ein Spinner.«

»Du wirkst anziehend auf diese Typen«, sagte Gruber. »Erinnerst du dich, als wir damals im Rotlichtmilieu gearbeitet haben? Du hast es mit den beknacktesten Fällen zu tun gekriegt, und beim Nuttenkommando gab es ja nun wirklich beknackte Fälle genug.«

Sonora nickte. Sie hatte die Arbeit beim Dezernat Prostitution gehaßt, war über die Zustände in diesem Milieu zutiefst empört gewesen und hatte es nicht seinlassen können, jede verdächtige öffentliche Toilette, die ihr in die Quere kam, nach mißbräuchlicher Benutzung durch Prostituierte zu durchsuchen. Nur ganz selten war sie auf Prostituierte gestoßen, die unerfahren oder verzweifelt oder überrascht genug waren, um mit der Polizei zusammenzuarbeiten. Man hatte Sonora nach zwei Wochen schleunigst wieder von dieser Tätigkeit entbunden.

»Ich hab mich immer wieder gefragt, ob du dich damals absichtlich so dämlich angestellt hast, um vom Nuttenkommando wegzukommen.«

Sonora lächelte. »Frag dich weiter, Gruber.«

»Molliter meinte, es sei nicht so, aber ich denke, es war Absicht.«

»Wo ist Molliter überhaupt? Ist er ausgeschieden und Prediger beim Fernsehen geworden?«

»Der ist seit Weihnachten ans Dezernat Körperverletzung ausgeliehen.«

»*Molliter?*«

Gruber kreuzte die Arme vor der Brust und legte den Kopf schief. »Kannst du ihn nicht auch schon hören, wie er Vergewaltigungsopfern tadelnde Vorträge über provozierende Kleidung und aufreizendes Hüftewackeln hält?«

Sonora biß sich auf die Lippe. Ja, das konnte sie sich vorstellen.

Gruber hob die Schultern. »Na ja. Schlechte Personalauswahl. Sie mußten ihn aus dem Sittendezernat rausnehmen, weil er zu oft versucht hat, Seelen zu retten. Der paßte da wirklich nicht rein, wenn du verstehst, was ich meine.«

Sonora hängte ihre Jacke über die Stuhllehne, dachte an Kaffee, dachte an ihr Magengeschwür und entschied sich gegen den Kaffee, weil eine Entscheidung gegen das Magengeschwür wohl nichts gebracht hätte. Das Lämpchen am Anrufbeantworter blinkte immer noch. Sie lehnte sich zurück und drückte auf den Wiedergabeknopf.

Ein Informant bat um eine kleine Gabe; eine knappe Nachricht von Chas, der sich vernachlässigt fühlte; die Rückfrage eines Mitarbeiters des Coroners zu dem Selbstmordfall, der Sonora nicht geheuer vorgekommen war. Und dann war da der Anruf einer der Mütter aus dem Elternbeirat von Heathers Klasse, die Sonora daran erinnerte, daß sie für das Treffen übermorgen ein paar Törtchen beisteuern wollte. Scheiße, dachte Sonora. Zuletzt war die Nachricht von Tim auf dem Anrufbeantworter, daß Heather rechtzeitig zum Schulbus gekommen sei, daß er sich jetzt auf den Weg machte, und *ja*, er habe die Schlüssel eingesteckt.

Sonora legte einen Notizblock vor sich hin und begann die Anfrage zu skizzieren, die sie an die staatenübergreifende Nationale Fahndungsbehörde geben würde. Sie waren noch in einem frühen Stadium des Falls, aber er roch nach Wiederholungstat, und sie brauchte für die Anfrage keine Erlaubnis ihrer Vorgesetzten. Unter »wichtigste Tatumstände« schrieb sie: Mord, Täter weiblich, Rasse weiß; Opfer männlich, Rasse weiß, in seinem Wagen ans Lenkrad gefesselt, mit Benzin übergossen, in Brand gesteckt, verbrannt. Sie kaute an ihrem Bleistift.

Dann spürte sie eine große Hand auf ihrer Schulter und die Gegenwart eines wohlbekannten Mannes an ihrer Seite – Sam. »Sonora, Mädchen, schmeckt der Bleistift so gut oder hast du kein Frühstück gehabt?« fragte er.

Gruber hob die Hand. »Das ist eine orale Sache. Was sie braucht, ist …« Er sah Sonoras Gesichtsausdruck und brach mitten im Satz ab.

»Sehr klug, daß du nicht weiterredest«, fauchte sie ihn an.

Sie drehte den Stuhl, sah zu ihrem Partner hoch, und ihre Gedanken flogen zurück zu einer Nacht vor vier Jahren, noch bevor sie Sams Frau Shelly näher kennengelernt hatte. Und zum Teufel, sie hatte sich entschlossen, deswegen keine Schuldgefühle mehr zu haben. Manchmal, wenn sie Sam anschaute, fühlte sie sich immer noch zu ihm hingezogen. Irgend etwas an Grubers Bemerkung hatte diese Gedanken heraufbeschworen.

»Crick will uns sprechen«, sagte Sam.

Die Leitung der Abteilung hatte ein eigenes Büro – auch dort zusammengeschobene Schreibtische, Telefone, Akten. Crick saß am Computer, als Sonora und Sam hereinkamen, und er sah gereizt aus. Er war mit den Geräten des Departments nicht zufrieden, da sie weniger leistungsfähig als sein Computersystem zu Hause waren. Man hörte ihn oft wüste Schimpfworte über die veraltete Software ausstoßen.

Lockere deinen Schlips, dachte Sonora wieder einmal, dann wird auch deine Stimmung besser. Eines Tages würde sie das wirklich mal laut sagen.

»Setzen Sie sich, Blair, Delarosa.« Crick rollte seinen Stuhl zurück. Sam zog zwei Stühle hinter unbesetzten Schreibtischen hervor, zögerte, welchen er Sonora geben sollte, und schob ihr dann einen mit so viel Schwung zu, daß sie ihn mit dem Fuß stoppen mußte. »Mein Gott, wann sitzen Sie beide endlich?«

Sonora sah Sam an und fragte sich, ob er dasselbe dachte wie sie. War man ihnen auf die Sprünge gekommen? Würde man sie feuern?

»Wie läuft es bei diesem Selbstmordfall?« fragte Crick.

Ganz ruhig bleiben, sagte sich Sonora. Er will was völlig anderes von uns. Sie räusperte sich. »Die Familie ist wegen der Autopsie äußerst beunruhigt, Sergeant. Wir gehen vorsichtig an die Sache ran, versuchen ein Überkochen zu verhindern.«

Crick schob einen Finger unter den Hemdkragen und kratzte sich im Nacken. »Lassen Sie diese beschissene Sache fallen, Blair.«

Sie legte einen Fuß auf das Knie des anderen Beines. »Das Ganze gefällt mir nicht. Es ist eine große Versicherungssumme im Spiel, kurz über den zwei Jahren Sperrfrist bei Selbstmord. Der Coroner kann nichts Eindeutiges finden, aber wir warten noch auf ein paar Testergebnisse. Eine Grand Jury könnten wir sicher überzeugen, doch wenn es zu einem Gerichtsverfahren kommt, werden uns die Hurenböcke von gerichtsmedizinischen Sachverständigen der Verteidigung auseinandernehmen.«

»Wie wird der Coroner letztlich darüber befinden?«

»Ich mache Druck, doch er wird wahrscheinlich auf Selbstmord erkennen.«

»Dann lassen Sie die Sache fallen.«

»Aber es ist eine Menge Geld im Spiel.«

»Darum soll sich die Versicherungsgesellschaft kümmern. Ich kann Ihnen *jetzt* sagen, die Finger davon zu lassen, oder der Staatsanwalt sagt es Ihnen später.«

»Ja, Sir.«

»Was haben Sie sonst noch in Arbeit?«

»Den Tod des Crenshaw-Babys, den Erstochenen in der Ryker Street – sieht nach Drogensache aus – und den Meredith-Fall, das ist der Mann, der in seinem Bett verbrannt ist.«

»Sind Sie sicher, daß es die Frau war?«

»Ich zweifle nicht daran«, antwortete Sam.

»Kein Zweifel, daß der Mann es verdient hat«, warf Sonora ein.

Sam hob den Zeigefinger und fuhr abwehrend mit ihm hin und her. »Du mußt endlich mal dieses Ich-hasse-Männer-Trauma loswerden, Sonora. Nicht alle sind wie dein verstorbener Mann.«

Sie diskutierten zwei- bis dreimal im Monat über dieses Thema, und Sonora blieb bei ihrer harten Linie. »Sicher, es *gibt* Unterschiede. Aber warum ist es so, daß einer Frau, wenn sie das Kind beim Namen und einen Mistkerl einen Mistkerl nennt, gleich das Schild ›Männerhasserin‹ umgehängt wird?«

Crick hob die Hand. »Genug! Ihr seid ja schlimmer als meine Kinder! Geben Sie die Akten des Falls an Nelson weiter, und jetzt hören Sie mir gut zu. Kaffee?«

»Gern«, sagte Sam. Sonora nickte und sah Sam an. Dieser blinzelte ihr zu, aber er war besorgt. Es hatte in diesem Jahr wieder Kürzungen im Polizei-Etat gegeben. Ein paar gute Leute aus ihrem Umkreis waren entlassen worden.

Vielleicht versetzte man sie auch auf irgendwelche beschissenen Dienstposten.

Crick goß ihnen aus der Glaskanne einer Kaffeemaschine, die zwischen Stapeln von Computerausdrucken auf dem Schreibtisch stand, Kaffee ein. Sonora hörte das leise, aber lästige Surren des Zeitschalters, der die Maschine jeden Morgen um sieben Uhr fünfzig in Gang setzte. Er war jedoch zu schwach konstruiert und hatte schon zweimal Kurzschluß ausgelöst. Feuergefahr, schoß es Sonora durch den Kopf. Sie sah plötzlich überall solche Gefahren lauern.

Sie trank einen großen Schluck, ohne etwas zu schmecken. Crick setzte sich wieder hin. Sein Stuhl quietschte. Er kniff die Augen zusammen.

»Alles in Ordnung mit Ihnen, Blair? Sie sehen nicht besonders gut aus.«

»Was bin ich eigentlich, Miss Amerika? Ich bin seit den frühen Morgenstunden auf den Beinen und hinter einer Mörderin her, die einen zweiundzwanzigjährigen Jungen in Brand gesteckt hat. Wie würden Sie da aussehen?«

»Meine Frau sagt, ich würde immer gleich aussehen, egal, was gerade los ist.«

Keine Argumente gegen so was, dachte Sonora.

Crick lehnte sich zurück. »Diese Daniels-Sache wird ein riesiges Spektakel. Scheußliches Verbrechen, unschuldiger Junge – das macht in allen Nachrichten Schlagzeilen, und wir kriegen unglaublich viele Anrufe. Es sind massenhaft Spuren zu verfolgen, und wir müssen uns laufend mit den Leuten von der Brandstiftung abstimmen.« Er deutete mit einem dicken Zeigefinger auf Sam und Sonora. »Sie beide übernehmen den Fall, Sie sind die verantwortlichen Detectives. Sie müssen alles im Auge behalten, was sich in der Angelegenheit ergibt, jede Zeugenaussage, jedes kleinste Beweisstück, Sie kennen ja die Prozedur. Wir werden für den Fall eine Sonderkommission bilden, setzen dafür neben unseren eigenen Leuten zusätzlich zwölf Detectives von der Distriktpolizei ein. Sie kriegen sogar Ihren eigenen Computer.«

Sam stieß einen Pfiff aus.

»Wir treffen uns jeden Morgen und verteilen die Aufträge für die Spurenverfolgung. Am Ende des Tages kommen wir wieder zusammen und besprechen die Ergebnisse. Ein paar Leute von der Brandstiftung werden ebenfalls auf die Sache angesetzt. Lieutenant Abalone und ich werden uns um die Medien kümmern. Jede Information, die wir rausgeben, wird vorher innerhalb der Sonderkommission abgesprochen und sorgfältig geprüft. Wir können die Medien bei diesem Schlagzeilen-Fall einsetzen, vielleicht dabei auf ein paar Knöpfe drücken und was erreichen. Geben Sie eine Täterbeschreibung raus, sobald wir eine verläßliche haben.

Die Verantwortung aber liegt voll bei Ihnen, das muß klar sein. Ich stelle Ihnen nur eine Hilfstruppe zusammen, organisiere alles im Umfeld der Sache, so daß ihr beiden Supercops mir möglichst bald den Kopf dieses Miststücks auf einer Stange präsentieren könnt.«

Sonora atmete tief durch. Man würde sie nicht feuern. Sie würde weiterhin die Hypothekenzinsen bezahlen können. Ihre Kinder würden nicht zu leiden haben.

Cricks Telefon klingelte. »Ja, sie ist hier.« Er sah Sonora an.

»Da ist ein Anruf für Sie. Keaton Daniels. Er will speziell Sie sprechen.«

»Ich gehe zu meinem Apparat.«

Das rote Licht auf Leitung vier blinkte, als Sonora sich hinsetzte. Sie schob den Teddybär auf Sams Schreibtisch.

»Specialist Blair«, meldete sie sich und klemmte den Hörer unters Kinn. »Mr. Daniels?«

»Ja, hallo. Ich fand, ich sollte Sie das wissen lassen. Ich hatte einen ziemlich seltsamen Anruf.«

Er klang selbstsicher. Eine Frau würde sich in dieser Lage erst einmal rechtfertigen, dachte Sonora, würde sich entschuldigen, daß sie störe, würde mindestens fünfmal betonen, daß an der Sache wahrscheinlich nichts dran sei. Es stimmte schon, Männern brauchte man zumindest nicht gut zuzureden und ihnen dauernd zu beteuern, wie richtig sie handelten.

»Dann erzählen Sie mir mal davon.«

Sam war von Cricks Büro zurückgekommen und schaute sich den Teddybär auf seinem Schreibtisch an. Aus dem Augenwinkel beobachtete er Sonora.

»Sie sagte …«

»Sie?« unterbrach Sonora.

»Es war eine Frau. Sie redete von Mark.«

Sonora beugte sich auf ihrem Stuhl vor und griff nach einem Bleistift. »Fangen Sie ganz vorne an, Keaton, und geben Sie den genauen Wortlaut wieder, soweit Sie sich erinnern können.«

Er sagte zunächst nichts. Sonora sah ihn vor sich, wie er sich konzentrierte, seine Gedanken sammelte.

»Sie rief mich … ungefähr vor einer Stunde an.«

Sonora schaute auf ihre Uhr und machte sich dann eine Notiz auf ihrem Block.

»Ich meldete mich. Danach kam erst mal nichts als ein langes

Schweigen. Ich war schon im Begriff aufzulegen, da sagte sie, sie wolle sich nach mir erkundigen, fragen, wie es mir gehe. Im ersten Moment dachte ich, es wäre Ashley, meine Frau, dann glaubte ich für eine Sekunde, Sie wären es. Ich sagte also, ich sei noch ziemlich wacklig, wie betäubt. Und da gab sie einen Laut von sich, verstehen Sie, irgendwie mitfühlend.«

»Sarkastisch?« fragte Sonora.

»Ich habe es nicht so empfunden.«

»Okay, fahren Sie fort.«

Sonora merkte, daß Sam sie beobachtete, erpicht auf das Ergebnis ihres Telefongesprächs war, jedoch mit einer Geduld, die sie immer wieder aufs neue erstaunte, darauf wartete.

Daniels räusperte sich. »Sie sagte … Wie hat sie sich ausgedrückt? Sie sagte, es sei eine schreckliche Sache, einen Bruder zu verlieren, und dann: ›Haben Sie sich …‹ Nein, sie sagte ›euereins‹ … ›Hat euereins sich nahegestanden?‹«

»Euereins«, murmelte Sonora.

»Und ich sagte … Ich habe auf diese Frage nicht geantwortet. Es dämmerte mir, daß ich ja gar nicht wußte, wer sie war. Aber ich meinte immer noch, es müsse sich um eine Freundin oder Bekannte handeln, weil sie über Marks Tod informiert war. Ich sagte also: ›Entschuldigung, mit wem spreche ich denn eigentlich?‹ Sie antwortete: ›Mit jemandem, der an der Sache interessiert ist.‹ Dann fragte sie mich, ob ich viel darüber nachdenken müsse, wie Mark ums Leben kam. ›Ist das schlimm für Sie? Vermissen Sie ihn sehr? Haben Sie sich schon Gedanken wegen der Beerdigung gemacht?‹ Jetzt kam mir die Idee, daß sie vielleicht eine Reporterin oder so was wäre. Zuerst wollte ich auflegen, aber ich war wütend, war der Meinung, das gehe zu weit, ich müsse sie zur Rede stellen, ihren Namen und ihre Zeitung rausfinden, also fragte ich noch mal, wer sie sei.«

Sonora ließ ihm Zeit. »Was hat sie geantwortet?«

»Sie sagte … Sie sagte, Mark sei sehr tapfer gewesen.«

Die Spitze von Sonoras Bleistift bohrte sich durch das oberste Blatt auf dem Notizblock. Sie hörte Keaton Daniels' schweren Atem am anderen Ende der Leitung, drehte das Blatt um und schrieb auf einem frischen weiter.

Was ist los? schienen Sams Lippen unhörbar zu formen. Auch Gruber spürte offenbar die aufkommende Spannung. Sonora merkte, wie er hinter ihr näher rückte.

»Ich nehme an, Mr. Daniels, Sie konnten die Schlösser an ihren Türen noch nicht auswechseln?«

»Nein.«

»Dann machen Sie das möglichst bald.«

»Es war also *sie*, nicht wahr?«

Ihre Worte sorgfältig abwägend, sagte Sonora: »Kann sein. Es ist aber genausogut möglich, daß es eine Geisteskranke war, irgendeine perverse Irre, die sich damit einen häßlichen kleinen Nervenkitzel verschaffen will.«

Sam sah sie an und hob die Augenbrauen.

»Wir haben den Namen ihres Bruders noch nicht an die Presse gegeben«, fuhr Sonora fort. »Aber in Fällen wie diesem … na ja, da laufen die Klatschmäuler besonders schnell heiß. Die Leute vom Krankenhaus haben vielleicht geredet. Die Reporter haben Sie wahrscheinlich als Halter des Wagens identifizieren können. Und, verzeihen Sie, Ihre Frau könnte im Büro den falschen Leuten von der Sache erzählt haben.« Wie gut kommt ihr beide eigentlich noch miteinander aus, fragte sich Sonora.

»Ich glaube nicht, daß es eine Reporterin war. Und meine Frau war es auch nicht. Das hätte ich gemerkt, selbst wenn sie ihre Stimme verstellt hätte.«

Glaub du das nur, dachte Sonora. Sie war auf in Scheidung

lebende Ehepaare gestoßen, die sich gegenseitig mit schlimmeren Sachen gequält hatten.

Keatons Stimme wurde heiser. »Da war noch was.«

»Was?«

»Nachdem sie das über Mark gesagt hatte. Daß er tapfer gewesen sei. Da sagte sie noch: ›Werden Sie es auch sein?‹«

9 Mark Daniels' Mitbewohner hatte am Telefon gesagt, das Apartment liege im Stadtteil Chevy Chase, ganz in der Nähe vom Campus der Universität von Kentucky. Der Taurus rollte langsam durch die Rose Street, und Sam kniff die Augen zusammen, während er sich bemühte, den Gruppen von Studenten auszuweichen, die dem Autoverkehr gegenüber blind zu sein schienen. Sonora blickte auf Sams Wegeskizze.

»An der nächsten Kreuzung rechts. Und jetzt kann ich deine Schrift mal wieder nicht lesen, Sam. Eunice?« Sie hielt nach dem Straßenschild Ausschau. »Aha, Euclid. Einbiegen!« Sie kamen an zwei Imbißständen vorbei, einem Hardee's und einem Baskin-Robbins, und sie merkte, daß sie Hunger hatte. »Hier muß es sein. Nein, da drüben. Casa Galvan, das ist das mexikanische Restaurant, das er erwähnt hat. Dreh um, wir sind schon zu weit.«

In diesem Stadtviertel stießen Universitätsgebäude, alte Wohnstraßen und Geschäftszentren zusammen. Marks Apartment lag in einem rosaroten Backsteingebäude mit einer schwarzen, schmiedeeisernen Feuerleiter an der Seite. Sam stellte den Wagen einen langen Block entfernt ab, bugsierte ihn zwischen einen Pickup und einen uralten Kharman-Ghia.

»Also, Sam, Lexington ist eine Stadt, in die dein Pickup prima passen würde.«

Sam sah sie an. »Ja, wen sollte man auch anrufen, wenn man eine Ladung Feuerholz braucht?«

Sonora grinste ihn an, und Sam, stets Gentleman, ließ sie

vorausgehen. Der mit Kies bestreute Gehweg vor Mark Daniels' Apartmenthaus war rissig und bucklig. Die ausgedünnte Grünfläche bestand zu gleichen Teilen aus Wicken, Löwenzahn und Blauschwengel.

Sonora blieb vor dem Haus stehen und schaute zu den Fenstern hoch. Niemand beobachtete sie. Die Mischung aus durchhängenden Jalousien, billigen vergilbten Vorhängen und gewebten Sonnenblenden – einige geöffnet, andere geschlossen – gab dem Gebäude ein bedrückendes Aussehen der Vernachlässigung. Die Bewohner betrachteten es offensichtlich nur als Übernachtungsstätte. Man hielt es bestimmt nicht sehr lange hier aus.

Sonora schaute auf die Uhr. Kurz nach sieben. Sam bemerkte ihren Blick.

»Ja, um diese Tageszeit kann man sicher sein, die Leute zu Hause anzutreffen. Und dieser Knabe hat um acht eine Vorlesung.«

Sonora erinnerte sich an ihre eigene Uni-Zeit. »Was nicht heißt, daß er tatsächlich auch hingeht. Im übrigen glaube ich nicht, daß du mich um fünf heute morgen aus den Federn gekriegt hättest, um hierherzufahren.«

Sie fragte sich, ob die Mörderin Mark Daniels längere Zeit beobachtet hatte und ob sie ihn aus Mount Adams oder von hier kannte. Handelte es sich um einen wahllosen, zufälligen Mord oder um ein gut geplantes Verbrechen mit einem wahllos ausgesuchten, zufälligen Opfer? Warum kam ihr immer Keaton Daniels in den Sinn, wenn sie sich auf Mark Daniels' Spuren machte?

Das Linoleum im Flur des Gebäudes hatte sich in den Ecken vom Boden gelöst und war mit schlammigen Fußspuren bedeckt. Der Schlamm war rötlichbraun, und die meisten Spuren zeigten Muster von Gummisohlen – Sohlen sehr großer

Schuhe. Alles Männer, stellte Sonora fest. Offensichtlich hatte Lexington den üblichen Anteil an Regentagen. Ihre und Sams Schritte wurden von einem scheußlichen rosinenfarbenen Läufer gedämpft.

Sam, welche Farbe hatte der Schlamm im Park?

»Grauschwarz, Sherlock.«

Sonora war außer Atem, als sie am zweiten Stockwerk vorbeikamen. »Wie ist der Name des Jungen?«

»Brian Winthrop. Alter dreiundzwanzig.«

»Ist dir schon mal aufgefallen, daß wir es nie mit Leuten zu tun haben, die im ersten Stock wohnen?«

»Ein bekanntes Phänomen. Es sind immer die Leute im dritten Stock, die in Schwierigkeiten geraten.«

»Ob er auch ›euereins‹ sagt?«

Sam sah sie mürrisch an.

»He, ich wollte ja nur mal ein bißchen frotzeln.«

Sonora ging schnell an Sam vorbei und klopfte an die Tür vor ihnen. Sie dachte daran, wieviel Zeit sie wartend vor verschlossenen Türen vergeudete, und wünschte sich, sie könnte sie statt dessen mit ihren Kindern verbringen oder, besser noch, zum Schlafen nutzen. Sie gab Sam ein Zeichen mit dem Zeigefinger, und er senkte den Kopf, um besser hören zu können, was sie sagte.

»Der Typ, mit dem *ich* am liebsten sprechen möchte, ist der, der als erster angerufen und das brennende Auto gemeldet hat. Glaubst du, er rührt sich noch mal bei uns?«

»Bestimmt nicht! Er geht an einem Abend mitten in der Woche in den Mount Airy Forest, es ist dunkel, es regnet. Was meinst du wohl, wer unter solchen Umständen in den Park geht?«

»Ein Schwuler.«

»Ein heimlicher Schwuler, richtig. Er hat seine staatsbürgerliche Pflicht erfüllt und die Notrufnummer 911 angerufen. Ich glaube nicht, daß er bereit ist, noch weiteren Ärger auf sich zu nehmen.«

Ein Riegel klickte, dann wurde die Tür ein kleines Stück aufgezogen. Das dünne Sperrholz bog sich knirschend nach innen, und Sonora hörte ein gedämpftes Murmeln.

»Ja?«

Marks Mitbewohner war ein großer, dünner junger Mann mit hängenden Schultern, vorstehenden Hüftknochen und einem riesigen Adamsapfel. Sein Kopf schien im Verhältnis zum Körper überproportional groß zu sein. Er hatte dunkelbraunes, gewelltes Haar, und ein schlechter Friseur hatte ihm vor viel zu langer Zeit einen miserablen Haarschnitt verpaßt. Seine Gesichtshaut zeigte hier und da Pickel, wenn auch keine besonders schlimmen, und er hatte das Alter erreicht, in dem man sich täglich rasieren muß, was er jedoch nicht getan hatte. Sonora überlegte, ob er sich dem Dreitagebart-Look verschrieben hatte oder im Versuchsstadium zu einem Bart befand.

Sam zeigte ihm seinen Ausweis. »Specialists Delarosa und Blair, Cincinnati Police Department. Wir haben gestern abend miteinander telefoniert, nicht wahr?«

Sonora unterdrückte ein Gähnen. »Dürfen wir reinkommen?«

»Reinkommen ... Das würde ... Ach so, ja, ins Zimmer, meinen Sie. Wäre wohl am besten.« Winthrop nickte energisch und trat einen Schritt zurück.

Sonora kratzte sich an der Wange und warf Sam einen Blick zu. Er hob eine Augenbraue, ihr den Vortritt lassend.

Im Zimmer roch es nach Bratfisch und Tartarsoße. Der senffarbene Teppich war abgetreten und hatte unter dem Fenster einen großen rostroten Fleck.

Blutfleck? fragte sich Sonora, in jeder Situation ein Cop.

Ein Spieltisch bog sich unter der Last von Büchern, Papier-stapeln und Pizzaschachteln. Ein Satz Hanteln und Gewichte lag in einer Ecke. Auf einem Regalbrett an der Wand hinter dem Sofa standen ein IBM-PS/2-Computer, ein Hewlett-Packard-Laserdrucker und, neben dem Telefon, ein Modem. Der Bildschirm des Computers war eingeschaltet und zeigte ein intensives Blau. Ein Zeichentrick-Männchen in grünem Anzug mit orangefarbener Weste machte ununterbrochen Flickflacks, untermalt von einer schrillen elektronischen Melodie, bei der sich Sonoras Kopfhaut zusammenzog.

Winthrop machte mit der Hand eine deutende Bewegung durch das Zimmer. »Genug Platz zum Sitzen. Hier, wenn Sie wollen. Natürlich, wenn Sie nicht wollen ... Aber wahrschein-lich wollen Sie ja.«

Sam setzte sich mitten aufs Sofa und holte den Recorder aus der Manteltasche. Sonora entschied sich für einen abgewetz-ten Sessel, der nach Spende der Heilsarmee aussah. Das Pol-ster sackte unter ihr zusammen, und nur eine unberechenbare Sprungfeder trennte sie noch vom Fußboden. Sie schob sich schnell nach vorne, balancierte das Gesäß auf der Kante der Sitzfläche aus und schaute dann Winthrop an.

»Brian, wie lange haben Mark und Sie hier zusammen ge-wohnt?«

»Man war ... wir waren schon, na ja, lange Zeit Freunde. Ich könnt's Ihnen sagen, aber man muß sich ja erst mal wieder dran erinnern. Jedenfalls jahrelang.«

Sonora fragte sich, ob Winthrop tatsächlich unfähig zur Kom-munikation war oder einfach nur Angst vor der Polizei hatte. Sam erwiderte ihren Blick, hob jedoch nur leicht die rechte Schulter. Großartige Hilfe.

Warum war nur immer alles so schwierig?

Sonora versuchte es noch einmal. »Sie kannten Mark also seit mehreren Jahren?«

Winthrop bemühte sich jetzt offensichtlich, eine klarere Antwort zu geben. »Drei. Als meinen Mitbewohner. Zehn als Freund. Eigentlich sogar noch länger.«

Zum erstenmal in ihrem Leben vermißte Sonora die höhnisch feixenden Punks, die einen manchmal zur Weißglut reizen konnten, manchmal auch eiskalt waren, aber wenigstens die Fähigkeit zur zwischenmenschlichen Kommunikation besaßen und oft, vor allem, wenn es um obszöne Dinge ging, über einen geradezu lyrischen Sprachschatz verfügten.

»Sie haben also in den letzten drei Jahren mit Mark hier gewohnt?«

Winthrop nickte heftig.

Er schien letztlich doch ganz hell zu sein.

Sein Blick zeugte von Intelligenz, und dahinter steckte offenbar ein aktiver Geist. In seinem Blick lag aber auch Panik, was der glitzernde Schweiß auf seiner Stirn bestätigte. Es konnte sein, daß er mit dem Mord an Mark Daniels etwas zu tun hatte, aber Sonora glaubte das eigentlich nicht. Ihr Instinkt sagte ihr, daß seine Panik auf pure kommunikative Unsicherheit zurückzuführen war, und sie nahm an, sie selbst würde ebenso unsicher sein, wenn sie von Winthrops Ausdrucksschwäche geplagt wäre.

Sie dachte an ihren Bruder, der die Schulzeit mit einer Sprachbehinderung hatte durchstehen müssen, gehänselt, höhnisch imitiert von den Mitschülern, und sie erinnerte sich, wie der arme Kerl sich jeden Nachmittag in sein Zimmer zurückgezogen hatte.

Winthrop räusperte sich vernehmlich. Es war fast unmöglich, ihm bei der enormen Anstrengung, seine Gedanken in Worte zu fassen, nicht hilfreich zur Seite zu stehen. Und das ist sein

Problem, erkannte Sonora. Er leidet an einer Art mentalem Stottern.

Sie verzog das Gesicht, brachte aber schnell ein Lächeln zustande. »Hat Mark viele Verabredungen mit Mädchen gehabt? Waren die Mädchen hinter ihm her?«

»Nein, aber sie alle, sozusagen, weil sie, wissen Sie, wegen Sandra … Aber sie wollten, auch wenn er nicht wollte.«

»Sandra ist seine Freundin, nicht wahr?«

Winthrop nickte.

»Hat er sich auch mit anderen Mädchen getroffen?«

»Nun, ich weiß … Nicht nach meinem … nach meinem Wissen, ich könnt nicht sagen, ich hätt's … je überhaupt mal gemerkt. Aber er könnt … soweit ich wüßt … Und ich hab nie so was gesehn.«

»Er hat sich also, soweit Sie das mitgekriegt haben, nicht mit anderen Mädchen getroffen?«

Sie hatte langsam die Schnauze voll davon, noch länger mit diesem Typ zu reden. Es war wie die Kommunikation mit einem Zweijährigen. Greif dir den Kern der Sache raus, hake bei den Ergebnissen doppelt und dreifach nach, und widerstehe dem Drang, dich auf die Knie zu werfen und ihn anzuflehen, es doch ganz einfach nur *auszusprechen*.

Sie ging geduldig die üblichen Routinefragen mit ihm durch und bekam heraus, welche Bars und Kneipen Mark bevorzugt hatte (drei oder vier, besonders Lynagh's), welche seine Lieblingsrestaurants waren (das mexikanische Restaurant nebenan, Casa Galvan, und Jozo's Cajun), was er studierte (Sozialpädagogik) und worüber er sich Sorgen machte (Arbeitslosigkeit, AIDS, das Staatsexamen). Es war nichts dabei, was sie überrascht hätte – ein durchschnittlicher College-Student Anfang Zwanzig.

Er liebte Sandra, ging freitags und samstags aus, meist zu

Partys, spielte am Sonntagnachmittag Pickup-Basketball und arbeitete unter der Woche spätabends für sein Studium. Normalerweise jobbte er am Abend, war aber vor kurzem vom neuen Management der Firma »freigesetzt« worden – nicht aufgrund irgendwelcher dramatischer Umstände, er hatte nur eine Auseinandersetzung mit dem neuen Boß gehabt. Winthrop vermutete, Mark sei gefeuert worden, weil die neuen Besitzer nicht bereit waren, mehr als einen Mindestlohn zu zahlen. Sie hatten die meisten alten Mitarbeiter rausgeschmissen und durch neue ersetzt. Mark war nicht der einzige gewesen, der plötzlich keinen Job mehr hatte.

Sonora rutschte auf dem unbequemen Rand des Sessels hin und her und wünschte, sie wäre schneller als Sam gewesen und hätte sich auf die Couch gesetzt.

»Okay, Brian, da ist noch was, über das ich Sie bitte nachzudenken. Hat Mark irgendwelche seltsamen Telefonanrufe bekommen, irgendwas Außergewöhnliches, zum Beispiel, daß jemand anrief, dann aber gleich wieder aufgelegt hat?«

»Das Telefon, nun, das ist eine … es ist … ich wüßte nicht … Weil man nie weiß, ob er speziell dazu was sagen würd, versteh'n Sie … Könnte aber sein.« Speicheltröpfchen spritzten von seinen dicken, trockenen, rissigen Lippen. Sonora rückte ein Stück zur Seite, so daß Sam jetzt in die direkte Schußlinie geriet.

»Haben Sie mal irgendwelche Anrufe dieser Art angenommen, hat Mark mal so was erwähnt?« fragte Sam.

»Ich nicht. Nein. Normalerweise ist Mark …«

»Ans Telefon gegangen?«

Winthrop nickte. Sonora nickte auch. Endlich einmal eine klare Reaktion.

»Hat er sich über irgendwas aufgeregt? Hat er mal erwähnt, daß er das Gefühl habe, jemand beobachtet ihn?«

Winthrops leerer Blick beantwortete auch diese Frage eindeutig.

Sonora tat der Rücken weh, und das elektronische Jaulen des Computerspiels ließ ihre Kaumuskeln verkrampfen. Sie fragte sich, welche Sünden sie begangen hatte, daß man sie mit einem solchen Zeugen konfrontierte.

»Brian, Specialist Delarosa und ich müssen einen Blick in Marks Zimmer werfen und seine Sachen durchsuchen. Was dagegen? Gut. Während wir das machen, schreiben Sie uns bitte alles auf, was an Marks letztem Tag hier passiert ist, soweit Sie sich erinnern können. Wir sind an allem interessiert, an jeder kleinsten Routinehandlung, aber natürlich vor allem an irgendwelchen ungewöhnlichen Vorkommnissen.«

Winthrop nickte.

Sonora erhob sich. Sie hatte noch Fragen, aber in einem Sessel mit einer rausstehenden Sprungfeder und unter dem nervenzerfetzenden Gejaule eines Computerspiels im Hintergrund stellte sie sie lieber nicht.

10 Sonora warf einen ersten Blick auf Mark Daniels' Zimmer, und sie war sich sicher, daß sie es keinesfalls ordentlich nennen würde.

Vielleicht war er in großer Eile nach Cincinnati aufgebrochen, aber die Anzeichen sprachen dafür, daß hier stets jemand in Eile irgendwohin aufbrach. Bei einem großen Kleiderhaufen in der Ecke war zu vermuten, daß ein Stuhl darunter zum Vorschein kommen würde. Weitere Kleidungsstücke lagen verstreut auf dem Boden herum, und das Bett sah so ungemacht aus, wie Sonora es von ihren Kindern kannte. Wahrscheinlich wurde das Bettzeug nur bei besonderen Gelegenheiten einmal kurz zurechtgezupft.

Ein Gameboy lag auf der Ecke eines billigen Metallschreibtisches. Sam nahm ihn an sich, aber Sonora riß ihn ihm wieder aus der Hand.

»Ach Mom, laß mich doch ein bißchen spielen!«

Sie nahmen sich ihre jeweils »eigenen« Teile des Zimmers vor, ein Vorgehensmuster, das sich bei zahllosen gemeinsamen Morduntersuchungen herauskristallisiert und bewährt hatte. Sonora stieß auf einen Stapel CDs.

»New-Age-Scheiß und Rap.« Sonora schob die CDs in eine völlig verstaubte Ecke der Schreibtischplatte. Die Schubladen waren bis obenhin vollgestopft, und sie hatte Mühe, sie überhaupt aufzukriegen. »Wenn wir doch nur ein einziges Mal auf ein Mordopfer stoßen würden, das ein ordentlicher Mensch war. So wie das immer bei den Opfern in Fernsehkrimis ist – sauber geordnete Bankauszüge, eine Zeitschrift mit …«

Sam schaute hoch. »Du hast eine Zeitschrift gefunden?«

»Nein, ich rede doch von Fernsehkrimis.«

Er hustete. »Im Fernsehen sind wenigstens die Betten frisch bezogen.«

»Ich hoffe, ich werde nicht ermordet. Wenn ich mir vorstelle, daß du und Gruber mein Haus durchstöbert …«

»Halt es sicherheitshalber immer in Ordnung, Sonora, du bist nämlich genau der Typ Frau, der durch Mord endet. Was mich daran erinnert, daß Chas gestern abend bei mir angerufen hat.«

»Chas hat bei *dir* angerufen?« Sonora ging sorgfältig den Inhalt der obersten Schublade in der mittleren Reihe durch und war irgendwie gerührt, wie ähnlich er dem Krimskrams in den Schubladen ihres Sohnes war. Eine Menge Kronenkorken – warum sammelten Jungen solche Flaschenverschlüsse? –, mehrere Baseball-Bälle in verschiedenen Farben, Baseball-Karten, einen angenagten Butterfinger-Riegel, der in den Ecken bereits Schimmel ansetzte. »Dieser Schokoriegel wirkt sehr verführerisch auf mich, Sam. Es muß schlimmer um mich stehen, als ich dachte.«

»Ich habe dich schon M&Ms von dreckigen Fußböden aufheben sehen.«

Sie nahm sich die nächste Schublade vor und ging eine eklektische Sammlung kleiner Schraubenzieher, Schraubenschlüssel, diverser Schrauben samt der dazugehörenden Muttern durch. »Was wollte Chas von dir? Ah, ein Bankauszug. Sieht auf deprimierende Weise meinem ähnlich.«

»Kein Guthaben?«

»Sobald er Geld kriegt, gibt er es aus.«

»Streifzüge durch Bars sind eben teuer.«

»Ich erinnere mich dunkel daran – an die Zeiten, als mein Leben noch Spaß machte.«

Sam sah sie an und lächelte. »Und das war vor der Zeit, als du Kinder hattest?«

»Als alles noch unbeschwert war.« Sie schaute heimlich zu ihm hinüber, sah den plötzlichen Schatten auf seinem Gesicht, und ihr wurde klar, daß er sich fragte, ob seine kleine Tochter eine Chance hatte, einmal eine erwachsene Frau zu werden. Höchste Zeit, mit dümmlichen Elternspäßchen aufzuhören.

Sam warf zum Schluß der Untersuchung des Bettes einen Blick unter die Matratze, unter das Bett selbst, und ging dann methodisch die Taschen von Daniels' abgetragener Kleidung durch.

»Irgendwas Interessantes?« fragte Sonora.

»Trojans sind seine bevorzugte Kondommarke. Mindestens zwei in jeder Tasche.«

»Ich ziehe Ramses vor. Es wäre nicht schlecht zu wissen, ob Sandra die Pille nimmt.«

Sam nickte zustimmend. »Es würde uns verraten, ob er die Kondome bei ihr benutzt oder sie für andere Mädchen bereithält.«

»Oder ob er ganz einfach verantwortungsbewußt ist und, eben weil er mit anderen rummacht, es als Verpflichtung ansieht …«

»Psst, Winthrop könnte uns hören.« Sam ging zur Tür und drückte sie ins Schloß. Dann hob er ein Hemd vom Boden auf.

»Gehst du auch seine Unterwäsche durch?«

»So engagiert bin ich nun auch wieder nicht.«

Sonora zog die nächste Schublade auf. »Mein Gott, der junge Mann hat noch Comics gelesen! Was für ein Baby!«

»Ich alter Mann lese auch noch Comics. Zum Beispiel *X-Men*.

Und übrigens, Chas wollte wissen, warum du auf seine Anrufe nicht reagierst. Spielst du das Ich-bin-nicht-so-leicht-zu-kriegen-Spielchen mit ihm?«

Sonora stieß auf einen Umschlag mit Fotos. Die Negative rutschten aus der Hülle und fielen auf den Boden. Sie bückte sich und hob sie auf.

»Ich werde wohl nie kapieren, wozu man diese blöden Negativ-Streifen braucht. Kein Mensch hat eine Verwendung dafür, sie sind nur dazu da, runterzufallen und einen zu ärgern.«

»Ich habe manchmal eine Verwendung dafür.«

»Das glaube ich dir nicht.« Sie sah sich die Fotos an. Diese waren auf der Grundlage eines Sonderangebots – zwei Abzüge zum Preis von einem – entwickelt, so daß sie jedes Bild zweimal vor sich hatte.

»Ich dachte, du magst Chas«, sagte Sam.

»Für den Freitagabend ist er okay, aber jetzt fängt er an, von Heirat zu reden.«

»Dann möchte ich der erste Gratulant sein, Mädchen.«

Sonora setzte sich auf ihrem Stuhl zurück. »Heirat, Sam, ist was für Männer und süße junge Dinger in den Zwanzigern. Ich bin mit meinem derzeitigen Zustand durchaus zufrieden.«

»Du hast ein Magengeschwür.«

»Ich bin auch mit allem rund um mein Magengeschwür glücklich.«

»Dann lebe weiterhin glücklich mit ihm.«

»Im übrigen könnte meine Waschmaschine keine zusätzliche Person im Haushalt verkraften.«

Sam sah sie über die Schulter an. »Nur weil dein verstorbener Mann ein Mistkerl war …«

»Ich weiß, ich weiß! Ich darf daraus nicht schließen, daß *alle* Männer Mistkerle sind. Dich würde ich heiraten, Sam, wenn du öfter deine Socken wechseln würdest.«

Sam warf ein Hemd auf einen Kleiderhaufen und setzte sich auf die Kante des Bettes. »Voriges Jahr hast du noch gesagt, du würdest dich einsam fühlen.«

»Voriges Jahr war mir noch nicht bewußt, daß ich es so gut habe.«

»Nein, nein, vor kurzem muß irgendwas passiert sein. Vor drei Monaten warst du noch auf Wolke sieben mit Chas.«

»Na ja ... Er hat eine komische Sache mit dem Wagen gemacht.«

»Was für eine komische Sache?«

»Es ... es ist mir peinlich, okay?«

»Keine Antwort ist aber nicht okay. Denk dran, ich bin's. Du hast mich jetzt beunruhigt, Mädchen. Also, was für eine Sache?«

»Es hat mir die Augen geöffnet. Wenn ich es nicht besser gewußt hätte, hätte ich meinen können, ich hätte es wieder mit meinem toten Mann zu tun.«

»Dann lauf schleunigst weg von ihm«, sagte Sam und sah sie eindringlich an.

Sonora lächelte traurig. »Ja, ich lauf schreiend weg.«

Eine Toilettenspülung rauschte im Apartment nebenan, und im Flur wurde eine Tür zugeschlagen.

Sonora öffnete einen anderen Umschlag mit Fotos. »Aha, das ist also Sandra.«

»Du weichst mir aus, wechselst schnell das Thema.«

»Ich kann dir nichts verheimlichen, nicht wahr, Sam?«

Er kam zu ihr und schaute auf die Fotos. »Sie sieht nicht alt genug aus, um schon einen Freund zu haben.«

»Meine sechsjährige Tochter hat auch schon einen Freund.«

Sandra sah tatsächlich unglaublich jung aus, ein wenig pummelig, den Kopf voller brauner Dauerwellen-Löckchen. Sie schmiegte sich an Mark und schaute mit einem so anbetendbewundernden Blick zu ihm hoch, wie ihn nur sehr junge Frauen zustande bringen.

Sam nahm Sonora das Foto aus der Hand und kniff die Augen zusammen. »Da geht sie dahin, unsere Hauptverdächtige. Niemand kann mir erzählen, daß *dieses* Mädchen jemanden ans Lenkrad fesselt und in Brand steckt.«

»Vielleicht wollte sie ihn in ihrer Gedankenwelt auf ein ganz besonderes Podest erheben.«

»Was?«

»Ich stimme dir zu.«

Sam drehte das Foto so, daß Sonora es sehen konnte. »Schaust du jemals Chas so bewundernd an?«

»Das brauche ich nicht, er guckt sich selbst im Spiegel immer so an.«

»Ist das jetzt die Aussage eines Cops von der Mordkommission, oder bist du einfach nur gemein zur Welt gekommen? Ich meine, vielleicht siehst du diese Sache mit dem Wagen, was immer es auch gewesen sein mag, zu dramatisch. Vielleicht stand Chas dabei irgendwie unter Streß oder so.«

»Hör endlich auf damit, Sam, ehe ich wütend werde.«

Sonora drehte ihm den Rücken zu und blätterte einen weiteren Fotostapel durch. Viele Partys, viele Freunde, einige Gesichter tauchten immer wieder auf. Ein Foto zeigte Winthrop, wie er sich mit Hanteln abmühte. Und auf vielen Fotos waren sie alle drei – Mark, Sandra und Winthrop. Winthrop sah darauf meistens glücklich aus, Mark nachsichtig-tolerant, Sandra gequält-leidend. Wenn Winthrop ermordet worden wäre, würde Sandra auf der Liste der Verdächtigen ganz oben stehen.

Sonora legte zwei oder drei Fotos zur Seite, öffnete dann eine alte, einer Zigarrenschachtel ähnliche Brotdose für die Schule. MARK DANIELS stand in kindlicher, schlampiger Handschrift mit purpurrotem Markierstift auf der Vorderseite. Sie enthielt weitere Kronenkorken, Fantasy-Minifiguren, Kaugummi-Sammelbilder und noch mehr Fotos.

Diese Fotos waren älter als die anderen, in verschiedenen Größen entwickelt und mit unterschiedlichen Kameras aufgenommen – eine Sammlung aus der Vergangenheit. Sonora nahm sie aus der Dose und sah sie sich an.

Die Brüder hatten sich nahegestanden – zumindest, als sie jünger gewesen waren. Mark spielte oft den Clown, schnitt Grimassen und hielt die gespreizten Zeige- und Mittelfinger als Teufelshörner hinter den Kopf des großen Bruders. Nie war er ernst, schien sich aber auch vor der Kameralinse nie so recht wohl zu fühlen. Keaton selbstbewußt, männlich-kräftig in der Statur, ganz im Gegensatz zum schlaksigen Körperbau seines Bruders.

Eine Serie von Aufnahmen zeigte Keaton beim Angeln, und er sah dabei entspannt und glücklich aus. Mark war stets mit einem größeren, tropfenden Fisch abgebildet, Keaton nie mit irgendeiner Trophäe. Woher wußte Sonora aber, daß Keaton alle diese Fische gefangen hatte?

Keaton Daniels kam ihr sehr häufig in den Sinn. Immer wieder stieß sie gedanklich auf seine Spuren – vielleicht ganz natürlich, schließlich war er der Bruder des Mordopfers. Sonora fragte sich, ob er sich mit seiner Frau in der jetzt neu entstandenen Krise aussöhnen würde.

Während dieser Gedanke auftauchte, stieß sie auf ein Foto von Keaton Daniels, auf dem er schlafend an einen Baum gelehnt dasaß, ganz entspannt, die Angelrute lose in den Händen. Die Aufnahme war erst vor kurzem gemacht worden, wahrscheinlich von Mark. Sie legte sie auf den kleinen Stapel der Fotos, die sie aussortiert hatte, entschloß sich dann aber anders und schob sie in die Jackentasche.

Sam streckte sich und kratzte sich im Nacken. »Wie schätzt du Mark Daniels ein?« fragte er.

»Ich denke, er war ein typischer Junge, im Verhalten noch nicht seinem Alter angepaßt. Er stand vor der Verlobung, machte sich aber noch keine Gedanken über eine eventuelle Heirat. Ich kann nicht erkennen, wie er einen brutalen Mord wie diesen herausgefordert, wie er einen so kaltblütigen Haß auf sich gezogen haben könnte.«

»Für mich ist das einer dieser zufälligen Morde – man trifft sich, fesselt sein Opfer, übergießt es mit Benzin, steckt es in Brand.«

»Nein, Sam, die Mörderin hat ihr Opfer gezielt ausgesucht und lange Zeit beobachtet. Und dann hat sie eine sich plötzlich bietende Gelegenheit ergriffen.«

»Wie zum Beispiel?«

»Wie zum Beispiel Mark. Den kleinen Bruder.«

»Den kleinen Bruder? Du willst also sagen …«

»Ja. Den kleinen Bruder des eigentlich vorgesehenen Opfers, Keaton Daniels.«

11 Es war schon spät, als Sonora und Sam ins Lynagh's kamen, um sich nach Mark Daniels und dieser mysteriösen Blonden zu erkundigen. Die Metropolitan Blues Allstars spielten, und die Luft war mit Zigarettenrauch und dem Geruch nach Bier verpestet. Die Musik war dunkler, schönster Blues – wunderbar, aber viel zu laut für eine Unterhaltung.

Sam fand einen kleinen Tisch für zwei Personen in der hinteren linken Ecke, die einzigen noch freien Sitzgelegenheiten im Lokal. Die Allstars lockten die Leute an, auch an einem normalen Wochentag.

Sonora beobachtete die Gäste – eine gemischte Gesellschaft von jungen College-Studenten bis hin zu Leuten in den Dreißigern. Eine lärmende Gruppe von Männern und Frauen saß um einen langen Tisch in der Mitte des Raums, und sie hielt die Bedienung ununterbrochen auf Trab. Die Frauen schauten sehnsüchtig zur Tanzfläche, die Männer taten so, als bemerkten sie es nicht.

»… nein, sie sagte, zieh dich an, und geh nach Hause …«

»… verbrannte das Kanu statt der …«

»… drischt auf ihn ein, bis er zahlt …«

»… o nein, der Richter ist ein absoluter Blödmann …«

Anwälte, dachte Sonora.

»Willst du eine Cola oder sonst was?« schrie Sam ihr ins Ohr. Sie schüttelte den Kopf, schaute sich die jungen Leute an den Tischen in der Nähe an und fragte sich, ob der/die eine oder andere Mark gekannt hatte. Eines der Mädchen hatte sie

schon mal gesehen – langes braunes Haar bis zur Taille. Sonora holte die Fotos, die sie von Mark Daniels' Schreibtisch
mitgenommen hatte, aus der Tasche. Das Mädchen war auf
einem der Fotos.

Sonora folgte ihr mit den Augen, beobachtete, mit wem sie
sprach, mit wem sie befreundet zu sein schien. Mark war
wahrscheinlich Stammgast hier gewesen – vielleicht war das
sein Freundeskreis. Sie stieß Sam an, der ihr im gleichen Moment mit seinem Dr. Pepper zuprostete. Sie nahm ihm das
Glas aus der Hand, trank einen großen Schluck und stöhnte
auf. Ihre Kinder tranken auch Dr. Pepper. Wieso nur mochten
sie dieses Zeug?

Sonora zeigte Sam das Foto und deutete dann mit einem
Kopfnicken zu dem Mädchen auf der Tanzfläche hinüber. Sam
nickte und steckte sich etwas Kautabak in den Mund. Sonora
fiel plötzlich ein, daß sie morgen früh dreißig Cupcakes in der
Schule ihrer Tochter abliefern mußte.

Sie winkte Sam zu sich heran, und er hielt ihr sein Ohr hin.

»Ich fahre zu Marks Freundin. Du bleibst hier und siehst zu,
daß du was aus der Gruppe da rausholen kannst. Knöpf dir
besonders dieses Mädchen vor. Ich hole dich auf dem Rückweg wieder hier ab.«

»Welches Mädchen soll ich mir vorknöpfen? Die Rothaarige?«

»Das würde dir so gefallen. Nein, die da natürlich. Die mit
den irre langen Haaren.«

»Auch nicht schlecht.«

Sonora machte noch einen Abstecher zur Toilette – eng, düster, völlig überheizt, zerschlissenes Linoleum, benutzte
Papiertücher auf dem Boden. Im Vorraum war ein Münzfernsprecher, und sie erkundigte sich nach den Kindern – die bei

ihrem Bruder gut aufgehoben waren – und hörte dann den Anrufbeantworter im Büro ab.

Zwei Nachrichten waren darauf – eine von Chas und eine äußerst seltsame. Sonora runzelte die Stirn, wählte die Nummer erneut, ließ ungeduldig Chas' Sermon noch einmal über sich ergehen und hörte dann genau hin.

»Hallo, meine liebe Freundin! Euereins ist ganz schön auf Trab, wie? Erkennen Sie meine Stimme? Sicher nicht. Aber keine Bange, ich ruf' Sie wieder an.«

Sonora rieb mit dem Daumen mehrmals über den Münzeinwurfschlitz. *Euereins.* Die Frau, die bei Keaton angerufen hatte, hatte auch »euereins« gesagt. Das war kein Signal aus der Vergangenheit, keine neckische alte Schulfreundin, die auf der Durchreise in der Stadt war. Aber auch keine Drohung, keine Herausforderung – eine freundliche Frau in bester Stimmung.

Es war die Mörderin, die sich da gemeldet hatte.

12 Sandra Corliss wohnte bei ihren Eltern in einem kleinen dreigeschossigen Haus in der Trevillian Street. Das Haus mußte etwa zur Zeit von Mark Daniels' Geburt gebaut worden sein. In der Straße gab es nur wenige, weit auseinanderstehende Bäume, und man sah den Häusern an, daß der Zahn der Zeit bereits an ihnen genagt hatte. Die Wagen in den Einfahrten waren meistens alte V-8-Pickups mit stumpfem Lack und der soliden Bauweise von Panzern. Gott segne das gute alte Familienauto. Man war schließlich in Kentucky, und hier gehörte der Pickup zur Standardausstattung.

Im düsteren Licht der Straßenlaternen sah man, daß das Grundstück, welches den Corliss gehörte, an ein Parkgelände grenzte; der Garten hinter dem Haus fiel zu einer weiten, offenen Wiesenlandschaft ab. Am Ende der Auffahrt lag ein großer, über Grund gebauter Swimmingpool. Das Licht auf der Veranda brannte.

Sonora parkte den Taurus vor dem Haus, stieg aus, schloß die Wagentür ab und ging über die asphaltierte Einfahrt auf das Haus zu. Sie kürzte seitlich über den Rasen ab und stieß dabei beinahe gegen eine kleine Putten-Statue. Die Farbe hatte sich vom rechten Auge des Engelchens gelöst, was ihm ein schäbiges, zugleich aber auch groteskes Aussehen verlieh.

An der Eingangstür läutete Sonora zweimal. Die Geräusche eines Fernsehgeräts brachen abrupt ab, und der schwere blaue Vorhang vor dem Türfenster wurde in einer Ecke ein Stück angehoben. Als die Tür geöffnet wurde, entstand eine Sogwirkung und brachte das Fliegengitter zum Zittern.

Sandra Corliss' Vater war ein großer Mann mit breiten Schultern. Sein braunes Cordhemd spannte sich über einem ansehnlichen Bauch. Das blonde Haar war schon recht ausgedünnt, aber noch ohne graue Strähnen, die hellen Augenbrauen waren breit und dicht. In der Hand hielt er die Sportseite einer Zeitung. Er sah müde aus.

»Mr. Corliss? Ich bin Specialist Blair, Cincinnati Police Department. Entschuldigen Sie, daß ich so spät noch störe. Ich habe gestern mit Mrs. Corliss telefoniert.« Sie hielt ihm ihren Ausweis hin.

»Ja, natürlich, kommen Sie rein.« Er schaute nur verstohlen auf den Ausweis, als ob er eine genauere Prüfung für unhöflich hielte. Sonora sah, daß er ausgelatschte braune Pantoffeln trug.

Eine bunte Kollektion von Schuhen in verschiedenen Größen war sauber neben der Haustür aufgereiht. Der von Wand zu Wand reichende Teppich war hellblau, sehr dick und in tadellosem Zustand.

Sonora fragte sich, ob sie in einem dieser Haushalte sei, in denen man die Schuhe ausziehen mußte, um den Teppich zu schonen. Sie war peinlich berührt, als ihr einfiel, daß sie ein Loch in der Ferse des linken Strumpfs hatte, und sie tat so, als ob sie seinen Blick auf ihre Füße nicht wahrnehmen würde. Polizeibeamte zogen im Dienst ihre Schuhe nicht aus. Kein Zweifel, das stand bestimmt in irgendeiner Vorschrift.

»Sandra ist in ihrem Zimmer«, sagte Corliss.

Sonora überlegte, ob er von ihr erwartete, dort das Gespräch mit seiner Tochter zu führen.

»Perry, wer ist das?« Eine Frau in einem smaragdgrünen Trainingsanzug kam aus der Küche. Sie war sorgfältig geschminkt, hatte frostige blaue Lidschatten aufgelegt und die Augenbrauen dick nachgezogen, und ihr Haar wurde durch intensiven Einsatz von Haarspray sicher an seinem Platz gehalten. Die Fingerknöchel der Frau waren dick und gerötet.

Sonora streckte ihr die Hand entgegen. »Ich bin Sonora Blair, Cincinnati Police Department. Ich habe gestern mit Ihnen telefoniert.«

Mrs. Corliss nickte. »Ja, natürlich.« Sie senkte ihre Stimme zu einem Flüstern. »Sandra ist innerlich sehr aufgewühlt. Sie ist in ihrem Zimmer.«

»Setzen Sie sich, Detective.« Sandras Vater führte sie zum Sofa.

Sonoras Ohren klingelten noch von der Musik in der Bar, und sie wußte, sie stank nach Zigarettenrauch. Sie fühlte sich plötzlich nicht wohl – wieder einmal einer der unerklärlichen Anfälle von Unwohlsein, die sie in letzter Zeit überfielen. Es tat gut, sich hinsetzen zu können.

Corliss ließ sich in einen mit goldfarbenem Samt überzogenen Lehnstuhl sinken. Das Bild einer spanischen Galeone in sturmgepeitschter See hing an der Wand über seinem Kopf. Eine geöffnete Erdnußdose stand auf einem niedrigen Tischchen mit imitierter Marmorplatte sowie eine Lampe, deren Schirm noch mit der durchsichtigen Plastikschutzhülle überzogen war, in der ihn die Fabrik geliefert hatte. Corliss schob sich auf die Kante des Lehnstuhls, stopfte die Zeitung hinter sich auf die Sitzfläche und ließ die schweren, groben Hände zwischen den Knien baumeln. Sonora fragte sich, welchen Beruf er hatte.

»Sandra war wirklich völlig fassungslos«, sagte er. »Wir alle waren es.«

Sonora nickte. »Seit wann war Ihre Tochter die Freundin von Mark Daniels?«

»Seit zwei … nein, drei Jahren. Wir gingen davon aus, daß sich die beiden irgendwann in nächster Zeit verloben würden.« Er sah den erstaunten Ausdruck auf Sonoras Gesicht. »Es war so, daß Sandra und ich ein Übereinkommen getroffen haben, als ich Überstunden gemacht hab, um später das College für sie bezahlen zu können. Sie denkt nicht daran, vor dem Abschluß der High-School zu heiraten. Sandra ist ein gescheites Mädchen. Ihre Mom und ich sind uns einig, daß sie die Schule nicht hinschmeißt, nur um sich um den Sohn andrer Leute zu kümmern.«

»Sehr vernünftig, Mr. Corliss.«

Er nickte.

»Was ist ihr Hauptfach?«

»Informatik. Ihre Mom hat jedoch darauf bestanden, daß sie auch an Kursen zur Sekretärinnen-Ausbildung teilnimmt. So hat sie dann immer was, auf das sie notfalls zurückgreifen kann.«

Sie sollten ihr zu diesem Zweck besser eine Couch kaufen, dachte Sonora.

Eine Tür wurde geöffnet und geschlossen, dann hörte man die leisen Schritte von Füßen in Pantoffeln auf einem dicken Teppich.

Sandra hatte breite Hüften und war ziemlich pummelig. Sie trug Jeans und ein rosa Sweatshirt mit Kätzchen auf der Vorderseite. Das Haar hatte sie ordentlich zu einem Pferdeschwanz zusammengefaßt, und ihr Gesicht war ohne Make-up. Sonora hatte schon Mädchen in der Junior High-School gesehen, die weit mehr aus sich machten. Sandra war wie Mark, der Baseball-Karten und Flaschenverschlüsse in Schubladen aufbewahrte. Sie hatte wahrscheinlich Stofftiere auf ihrem Bett aufgereiht, und sie würde bis zum Abschluß ihrer Ausbildung zu Hause wohnen.

Sandra hielt die Augen auf den Boden gerichtet. Ihre Mutter eilte auf sie zu und wollte sie stützen. Aber Sandra schaffte es auch ohne Hilfe, ging in kleinen Schritten auf Sonora zu und hielt ihr die Hand hin.

Mrs. Corliss ging zur Küchentür. »Falls Sie uns noch brauchen sollten – Sandras Daddy und ich sind in der Küche.«

Mr. Corliss sah verblüfft aus, so plötzlich in die Küche verbannt zu werden, stand aber gehorsam auf.

»In Ordnung«, sagte Sonora, nicht daran zweifelnd, daß die beiden zuhören würden. Sie schlug ihren Notizblock auf und legte eine neue Kassette in den Recorder. Sie sah, daß Sandra viel geweint hatte und kurz davor war, erneut in Tränen auszubrechen. Wahre Liebe, dachte die Zynikerin in ihr.

»Seit wann waren Sie Marks Freundin?« fragte Sonora. Man muß immer mit den ganz einfachen Dingen anfangen.

»Seit zwei Jahren und zwei Monaten.«

»Seit zwei Jahren und zwei Monaten«, wiederholte Sonora sanft. Sie war sicher, daß Sandra in der Lage wäre, diese Angabe um die Stunden, Minuten und Sekunden zu ergänzen.

Sandra schluckte schwer und legte das Kinn auf die Brust, womit sie bei Sonora Erinnerungen an ihr eigenes kleines Mädchen hervorrief. Denk um Gottes willen an die Cupcakes, schoß es ihr durch den Kopf.

Sandra sah jetzt auf und schaute Sonora mit dem schmerzerfüllten Eifer an, den sie schon oft bei Menschen festgestellt hatte, die Verbrechensopfern nahegestanden hatten. Der Schmerz war noch zu neu, wurde noch nicht angenommen, und die Leute erwarteten von ihr, daß sie Ordnung in das Chaos brachte, ihnen Erklärungen für die Abgründe von Gewaltverbrechen lieferte.

Was ich dir bringe, dachte Sonora, ist nichts als zusätzliche Qual. Sie sah Sandra ganz ruhig an und wußte, daß ihre Frage weitere Tränen hervorrufen würde. Sonora war an Tränen gewöhnt.

»Erzählen Sie mir von Mark, Sandra. Was für ein Mensch er war.« Sie drückte den Einschaltknopf des Recorders. Sandra würde anfangs gehemmt sein, aber in ein paar Minuten würde sie vergessen haben, daß das Gerät mitlief.

Sandra räusperte sich. »Mark war intelligent. Er war nett. Er war immer fröhlich und lustig.«

Sonora gefiel der intelligente Ausdruck in den Augen des Mädchens. Sie lehnte sich zurück und machte sich darauf gefaßt, daß sie jetzt die positiv übersteigerte Beschreibung eines jungen Mannes zu hören bekam, den Sandra nach seinem plötzlichen, bitteren Tod wahrscheinlich zu einem Heiligen hochstilisieren würde.

»Er mochte Tiere. Und Basketball. Und er ging gern im Regen spazieren.«

Sonora lächelte freundlich. »Er ging *gern* im Regen spazieren?«

»Ja, irgendwie …« Sie drehte den unteren Rand ihres Sweatshirts zu einem Knäuel zusammen. »Es lag wohl vor allem daran, daß er sich mit einem Regenschirm albern vorkam.«

Da haben wir's, dachte Sonora. Erst romantisch verklärt, dann die nackte Wahrheit.

»Was können Sie mir sonst noch von ihm erzählen?«

»Nun, Mark hob seinen Bruder Keat in den Himmel. Ihr Dad starb, als Mark noch in der High-School war. Er hatte einen Herzinfarkt. Und Mark schaut … er hat zu Keaton aufgeschaut. Keaton ist der Typ von Bruder, zu dem man aufschaut, nicht wie mein Bruder.« Sie verzog das Gesicht.

»Gab es denn auch so was wie Wettstreit zwischen den beiden?«

Sandra zupfte an ihrer Unterlippe. »Ganz wenig. Keaton hat

immer versucht, Mark groß rauszustellen, ihn gut aussehen zu lassen, verstehen Sie? Er hat Männergespräche mit ihm geführt und ist mit ihm zu Basketballspielen gegangen. Aber Keaton ist in allem gut, und die Leute können gar nicht anders, als ihn zu mögen. Vor allem die Frauen.« Es schien ihr ein Rätsel zu sein, wie Frauen Keaton ihrem Mark vorziehen konnten. »Manchmal glaube ich, Mark war ein wenig ... oh, ich weiß nicht ...«

»Darauf aus, sich zu beweisen?«

»Ja, so in der Richtung. Aber es gab keine Spannungen zwischen ihnen. Nicht, daß sie Rivalen gewesen wären.«

»Hatte Mark viele Freunde?«

»O ja. Er alberte gern mit den Leuten rum, ging gern aus, und es machte ihm Spaß, seinen Freunden Streiche zu spielen. Er redete einfach mit jedem, der ihm in die Quere kam.«

Und hat mit einer Person zuviel geredet, dachte Sonora.

»War er in einer Studentenverbindung?« fragte sie.

Sandra schüttelte den Kopf. »Er war strikt dagegen. Sehen Sie, er hat diesen Freund, diesen Mitbewohner, sie kennen sich seit der Zeit an der Junior High-School. Und dieser Freund ist einer von diesen, Sie wissen schon, diesen ...«

»Brian Winthrop? Ich habe mit ihm gesprochen.«

»Aha, dann kennen Sie ihn ja. Die beiden sahen sich bei verschiedenen Studentenverbindungen um, aber keine wollte Brian aufnehmen, und da sagte Mark, zum Teufel mit den Armleuchtern. Keaton war ebenfalls in keiner Verbindung gewesen, weil er dauernd nebenher gejobbt hat, damit auch für Mark genug Geld da war. Ich meine, Mark ist ein Typ, den man sich gut in einem Verbindungshaus vorstellen könnte. Er würde zu diesen Leuten passen, denn er mag es, wenn viele Menschen um ihn sind und was los ist. Aber er hat wegen Brian darauf verzichtet.«

Das spricht für Charakterstärke, dachte Sonora. Mark Daniels nahm langsam Gestalt an. Keatons zu ihm aufschauender kleiner Bruder, Sandras liebenswerter, fröhlicher Fast-Verlobter, Brians getreuer Freund.

Er war tapfer, hatte die geheimnisvolle Frau am Telefon gesagt. Hatte Keaton mit der Mörderin seines Bruders gesprochen?

Sandras Mutter streckte den Kopf durch die Küchentür; sie wollte nicht stören, *natürlich nicht*, aber ihrer Gastgeberinnenpflicht nachkommen.

»Darf ich Ihnen etwas zu trinken bringen, Detective Blair? Kaffee oder einen Saft? Ich habe Diät-Sprite, Diät-Orangensaft und normales Cola anzubieten.«

»Eine Cola wäre gut«, sagte Sonora.

Mrs. Corliss schaute ihre Tochter an. »Sandra, möchtest du ein Diät-Sprite?«

»Nein danke, Mama.«

Das Klirren von Eiswürfeln in leere Gläser wirkte störend. Die angebahnte Beziehung zwischen Sonora und Sandra schwand dahin. Die Drinks wurden zusammen mit einem Teller Plätzchen – selbstgebacken und sehr fettig – auf einem Tablett serviert. Sonora nippte an ihrer Cola. Das Zeug war für ihren Magen Gift.

Sandra ignorierte die Plätzchen und nahm einen kleinen Schluck von dem Sprite, das ihr trotz der Ablehnung aus der Haltung »Mama weiß es besser« heraus gebracht worden war. Sie verzog das Gesicht und stellte das Glas mit einer Geste, die Widerwillen ausdrückte, auf das Tablett zurück.

Echter Kummer, dachte Sonora.

»Alles schmeckt wie Sägemehl. Seit es passiert ist, drängt mich Mama dauernd, was zu essen, aber schon beim Gedanken daran wird mir übel.«

Sonora war es genauso gegangen, als Zack gestorben war – jedes Essen hatte wie Asche geschmeckt. Und sie hatte in dieser Phase den Drang verspürt, leidenschaftlichen Sex mit allen Männern zu treiben, die sie auch nur halbwegs mochte. Mit Sandra würde sie wohl besser nicht über diese Erfahrung sprechen.

»Ihre Mutter macht sich natürlich Sorgen um Sie. Mütter kümmern sich um das Wohlergehen ihrer Kinder, indem sie sie füttern.«

Sandra nickte. Ihre Augen wurden glasig.

»Was hat Ihre Mutter von Mark gehalten?« fragte Sonora schnell.

»Sie war ganz verrückt mit ihm, lud ihn dauernd zum Essen ein. Er aß wie ein Scheunendrescher, und das gefiel meiner Mutter. Er konnte essen und essen und nahm doch kein Gramm zu.«

»Beneidenswert.« Sonora griff nach einem der Plätzchen.

Sandra nickte heftig und nahm sich auch ein Plätzchen. Eine Träne lief ihr die Wange hinunter. Sonora konnte nicht anders, sie mußte an ihre eigene Tochter denken, an Heathers ruhigen, intelligenten Blick hinter den Brillengläsern, an die Art, wie sie blinzelte, wenn man ihr aus der Nähe in die Augen schaute, und wie sie die Brille immer wieder auf der Nase hochschob. Sonora hoffte, nie eines ihrer Kinder durch ein solches Drama lavieren zu müssen. Mr. und Mrs. Corliss hatten eine schwere Zeit vor sich.

Mark war ein Spaßvogel gewesen, stets zum Lachen aufgelegt, aber nie auf Kosten anderer. Und vor allem nie auf Kosten Brians, der eine so dankbare Zielscheibe gewesen wäre. Sonora hörte aufmerksam mit gesenkten Kopf zu, und ihr blieb nicht die leichte Schärfe in Sandras Stimme verborgen, wenn sie von Winthrop sprach.

Sonora hakte hier vorsichtig ein, erhielt aber keinen Anhaltspunkt für Eifersucht bei Sandra – außer im Hinblick auf Brian. Wenn Mark sich auch mit anderen Mädchen abgegeben hatte, hatte Sandra davon nichts mitbekommen. Sonora war gespannt, was für eine Story Sam von der Brünetten in der Bar mitbrachte.

»Hat Mark mal irgendwas von seltsamen Telefonanrufen gesagt oder von jemandem erzählt, den er getroffen hatte, der ein bißchen … na ja, komisch war?«

Sandra runzelte die Stirn. »Nein, nicht daß ich wüßte. Und er hätte mir so was erzählt, da bin ich sicher.«

»Machte er den Eindruck, über etwas beunruhigt zu sein oder irgendwie unter Druck zu stehen?«

»Er war sauer darüber, daß er seinen Job verloren hatte. Er meinte, die Leute hätten ihn ungerecht behandelt.«

Sonora nickte.

»Aber er hatte das schon fast überwunden. Ich glaube, Keaton hat ihm Geld zugesteckt, damit er sich über Wasser halten konnte, und außerdem hatte er ja auch was gespart. Er kam ganz gut zurecht. Er muß … er mußte in diesem Semester sehr viel fürs Studium lernen, und so hatte Keaton ihm gesagt, er solle sich erst nach dem Ende der Prüfungen nach einem neuen Job umsehen und dann in der Weihnachtszeit so richtig rangehen. Es lief also alles recht gut. Er hatte sogar mehr Zeit für sich, und diese Lösung war letztlich eine große Entlastung für ihn. Nur deshalb konnte er es sich ja auch erlauben, Keaton zu besuchen, der ziemlich down war.«

Sonora lehnte sich zurück. »Warum war sein Bruder, wie Sie sagen, down?«

»Er hat Eheprobleme. Seine Frau und er leben schon einige Zeit getrennt, und Keaton kaute daran herum, sich mit seiner Frau auszusühnen und zu ihr zurückzugehen.«

»Was war Marks Meinung dazu? Was wollte er Keaton raten?«

»Es gab da ein Problem mit den Schulen, an denen Keaton als Lehrer tätig war. Er hat auf eigenen Wunsch an einer schwierigen Schule in der Stadtmitte gearbeitet, aber seine Frau drängte ihn, an eine problemlosere in einer Vorstadt zu gehen, wo er nicht glücklich war. Doch *ohne* seine Frau war er auch nicht glücklich. Er war einsam, trieb sich in Bars herum, und Mark war besorgt um ihn. Er hätte alles liegen- und stehenlassen, um in dieser Lage bei seinem Bruder sein zu können.«

»Kennen Sie Keatons Frau persönlich?«

»Ashley? Ich habe sie ein paarmal getroffen. Sie ist sehr in ihre Arbeit eingespannt.«

»Hat sich Mark in letzter Zeit mit neuen Leuten angefreundet? Sagen wir, in den letzten ein, zwei Monaten?«

»Ja, mit ein paar Jungen, mit denen er Basketball gespielt hat.«

Sonora griff in ihre Handtasche. »Ich bitte Sie, sich dieses Phantombild anzusehen und mir zu sagen, ob Ihnen diese Frau bekannt vorkommt.«

Sandra schaute sich das Bild an, drehte es hin und her, betrachtete es aufmerksam. Sonora beobachtete sie und war enttäuscht. Der leere Blick in den Augen des Mädchens schien echt zu sein.

»Es ist nur ein Phantombild, vielleicht nicht gut getroffen«, sagte Sonora. »Erinnert es Sie irgendwie an eine Ihnen bekannte Frau?«

Sandra schüttelte den Kopf. »Nein. Wer ist das?«

Sonora war sich der Ironie bewußt. »Könnte eine Zeugin sein. Wir würden uns gerne mal mit ihr unterhalten.«

13 Der Parkplatz vom Lynagh's hatte sich geleert, als Sonora wieder dort war, um Sam abzuholen. Neben dem Lokal lag ein Mini-Markt, und ihr fiel wieder ein, daß sie eine Backmischung für Heathers Cupcakes brauchte. Ihre Ohren klingelten immer noch vom Aufenthalt in der Bar, und so hörte sie nicht, daß neben ihr ein Pickup vorfuhr.

Ein junger Kerl mit langem Haar und sonnengebräuntem Gesicht beugte sich aus dem Fenster, grinste sie an und sagte irgend etwas zu ihr. Sie verstand es nicht, aber es stank geradezu nach sexueller Anmache, und die drei Männer auf der vorderen Sitzbank des Pickups lachten grölend.

Sonora ging in den Laden. Ein Instinkt führte sie geradewegs zu dem Regal, in dem Schokoladeartikel unverschämt verführerisch ausgelegt waren wie alle anderen Waren, die nicht einer Kontrolle oder Sondergesetzen unterlagen. Schokolade dürfte es nur auf Rezept geben, fluchte sie innerlich, blieb letztlich dann aber doch standhaft. Hinter sich hörte sie das Kichern eines Mannes, und aus den Augenwinkeln sah sie, daß die drei Kerle aus dem Pickup ihr in den Laden gefolgt waren. Sofort fing ihr Magen an zu schmerzen – das Geschwür reagierte zuverlässig wie immer in solchen Situationen. Ihr Gesicht fing an zu glühen. Sie war müde und in keiner guten geistigen Verfassung für solche Aufregungen.

Der Typ, der sie draußen angequatscht hatte, riß eine Stange Zigaretten auf und nahm zwei Packungen heraus. Seine Finger waren dick und mit Öl verschmiert. Er knuffte den Typen neben sich, der einen Overall trug und ein Halstuch straff über den Kopf geknotet hatte, in die Seite.

Der dritte Mann hatte einen Bürstenhaarschnitt und eine breite Lücke zwischen den Vorderzähnen. Er steckte die Zunge durch die Lücke. »Ach du heiliger Strohsack«, nuschelte er.

Sonora ging weiter, weg von den Männern, und sie dachte, daß es ihr nicht im geringsten leid täte, wenn diese drei Kerle mit Handschellen an das Lenkrad ihres Pickups gefesselt und in Brand gesteckt würden. Sie kam in einen vielversprechenden Gang, stieß auf Apfelschnaps, Pfannkuchen-Sirup Marke Tante Jemima und Saftflaschen. Wieder hörte sie Gelächter und sah, wie die Typen am Ende des Gangs die Köpfe zusammensteckten. Dann kamen sie mit Kartoffelchips, Keksrollen, Bier-Sechserpacks und Zigarettenstangen in den Händen auf sie zu.

Ein Diät-Sprite würde sie töten, dachte Sonora. Nur nicht schnell genug.

Der mit dem Tuch auf dem Kopf trat dicht zu ihr hin; seine Jeans streiften fast ihre Beine.

Sonora rührte sich nicht. Was würden die Kerle als nächstes tun, fragte sie sich. Ihr Herz klopfte, was sie ärgerte. Sie bewegte sich keinen Zentimeter. Die drei drehten sich um, gingen weg, kamen zurück und schlenderten wieder an ihr vorbei, zogen Haifischkreise.

Ach was, sie sind nichts als dumme Jungs. Sonora begab sich zur Kasse, bezahlte ihre Backmischung und bemerkte beim Einstecken des Wechselgeldes, daß ihre Finger ein wenig zitterten.

Die drei standen vor dem Ladeneingang, als Sonora nach draußen kam, hatten ihre Aufmerksamkeit jetzt jedoch auf ein anderes Opfer konzentriert.

Sonora nahm an, daß Geschworene, die in ihrer Denkweise noch nicht über das Stadium des Neandertalers hinausgekommen waren, das Mädchen so einschätzen würden, als provozierte es geradezu Ärger. Es war zwischen vierzehn und vierundzwanzig, sein Make-up ließ eine genauere Schätzung des Alters nicht zu.

Die Kleine hatte mit dem Make-up wirklich übertrieben. Ein dicker schwarzer Lidstrich ließ das Gesicht bleich und scharf in der Kontur wirken. Die Pickel auf der Stirn und am Kinn waren dick mit Grundierung und Puder überdeckt. Ihre Hüften waren schmal und steckten in engen Jeans, die der Mode entsprechend an den Knien aufgerissen waren. Das Haar war mit einer Unmenge von Gel sorgfältig in die gewünschte Form gebracht, und die kleinen spitzen Brüste zeichneten sich deutlich unter dem T-Shirt ab.

Sie lächelte, aber es war ein verlegenes, schmeichelndes Lächeln, das soviel ausdrückte wie: Bitte laßt mich in Ruhe.

Einer der Kerle griff nach ihrem Arm.

»Komm, du Unschuldslämmchen!«

Sonora zog sich bei diesem Ausdruck stets die Kopfhaut zusammen.

»… abends sehr unsicher für 'n Mädchen wie dich.« Der mit dem Tuch besorgte das Reden. »Hüpf in unsern Truck, Süße, und wir bringen dich heim.«

Das Mädchen versuchte sich loszureißen. »Nein, vielen Dank. Meine Mom holt mich ab.«

»Deine Mom?« Bürstenschnitt schob mit seiner von Tabak braunen Zunge einen Zahnstocher von einem Mundwinkel in den anderen. »Dann laß uns doch 'n bißchen rumfahren, bis deine Mom kommt. Wie wär's damit? Klingt doch gut, oder?«

»Bitte«, sagte das Mädchen. Kopftuch hielt es immer noch

am Arm fest, und es versuchte wieder, sich loszureißen. »Bitte nicht! Hört auf!«

Jetzt schaltete sich Braungesicht ein. *»Bitte nicht, hört auf, bitte nicht, hört auf.«* Die Kerle lachten und drängten sich dichter um das Mädchen.

»Ich muß jetzt gehen«, sagte sie leise.

Sonora fragte sich, ob ihre Mom – wenn es überhaupt eine gab – wirklich zu ihr unterwegs war und was dieses junge Ding, das morgen früh wahrscheinlich in die Schule mußte, noch so spät auf der Straße zu suchen hatte. Wie alt war das Mädchen denn nun wirklich?

Kopftuch verstärkte seinen Griff, und das Mädchen zuckte zusammen. »Wo willste denn überhaupt hin, Süße? Wir sorgen dafür, daß du heil und sicher heimkommst.«

Diese Worte brachte sie alle drei zum Lachen, und Kopftuch zerrte das Mädchen in Richtung Pickup.

Sonora öffnete den Verschluß ihrer Handtasche und legte die Hand leicht um die Baretta, was ihr ein gutes Gefühl gab. Die Bedrohung des Mädchens durch diese Mistkerle war eindeutig, und Sonora fand, sie dürfe und solle sich einmischen.

»Ich mag euch Typen nicht.« Das waren die ersten Worte, die ihr in den Sinn kamen. Das Mädchen schaute überrascht auf, immer noch verkrampft lächelnd. Sonora lächelte nicht.

Braungesicht aber lachte auf, während Bürstenschnitt die Stirn runzelte. Irgend etwas an Sonora schien ihn zu beunruhigen – ein Anzeichen für Intelligenz.

»Ich verlange, daß ihr euch bei dem Mädchen entschuldigt.«

Klingt gut, dachte Sonora, wußte aber nicht, was sie letztlich mit diesen Kerlen anfangen sollte. Sie festzunehmen würde zu zeitraubend sein, und vor allem, mit welcher gesetzlichen Begründung? Abwendung einer drohenden Gefahr für einen Mitmenschen? Die Kerle wären zurück auf der Straße, noch ehe der Papierkram erledigt war. Und sie befand sich in einer Stadt außerhalb ihres Zuständigkeitsbereichs.

»Was gibst du mir, wenn ich's mache?«

Sonora schaute über die Schulter. Es war spät. Kein Mensch weit und breit, wie immer in solchen Situationen.

»Guckst dich nach Hilfe um, was, Schätzchen?«

Sonora nahm die Pistole aus der Handtasche und richtete sie auf Bürstenschnitt.

Der trat einen Schritt zurück. »Ach du heilige Scheiße! Wir haben doch nur Spaß gemacht.«

»Sagt, daß es euch leid tut«, fauchte Sonora.

»Kommt nicht in Frage.«

»Ihr steigt jetzt sofort in euren Truck und verschwindet aus meinem Gesichtskreis. Alle drei.«

»Verdammtes Miststück!«

Später, als sie den Vorfall im Geist noch einmal durchging, konnte sie sich nicht erinnern, bewußt den Entschluß gefaßt zu haben, einen Schuß abzugeben. Aber die Pistole in ihrer Hand ging los, und Bürstenschnitts Gesicht wurde kreidebleich. Einen schrecklichen Moment lang glaubte Sonora, sie hätte ihn getroffen.

Die Tür der Bar wurde aufgestoßen. Sam. Sein zunächst bestürzter Blick wurde hart, als er die Situation erfaßte.

Die drei kletterten hastig in ihren Truck. Sonora sah kein Blut, kein Anzeichen dafür, daß jemand verletzt war. Das Glück war ihr treu geblieben, sie war noch immer ein schlechter Schütze.

Der Motor des Wagens sprang beim zweiten Versuch an, Reifen quietschten, als der Pickup davonraste.

»Wir kommen wieder, du Drecksau!«

»Macht das, aber dann bin ich von Anfang an dabei!« schrie Sam ihnen nach.

Sonora schaute sich nach dem Mädchen um – es war verschwunden. Zehn Punkte für einen schnellen Entschluß, wenn auch nicht für gutes Benehmen.

Sam hielt die Beifahrertür vom Taurus für Sonora auf und sah sie dabei an. »›Unbeabsichtigtes Lösen eines Schusses beim Überprüfen der Waffe‹ gibst du morgen früh zu Protokoll, klar? Komm, steig ein.«

Das tat sie, er startete den Motor, setzte ein Stück zurück und fuhr dann vom Parkplatz.

»Wann zum Teufel hast du dich entschlossen, den verdammten Clint Eastwood zu spielen?«

Sonora schaute auf ihre Füße. »Warum beruhigst du dich nicht erst mal und hörst dir meine Darstellung der Geschichte an?«

Doch er fuhr, ihre Worte ignorierend, fort: »Das waren wahrscheinlich die einzigen verdammten Rowdys in ganz Kentucky, die keine Waffe in ihrem Truck hatten, und du hast Glück gehabt, daß es nicht zu einer Schießerei mit ihnen gekommen ist. Was hättest du denn dann gemacht?«

Sonora zuckte mit den Schultern.

»Was zum Teufel ist denn nur in letzter Zeit mit dir los, Mädchen?«

»Was mit *mir* los ist? Und was ist mit diesen Mistkerlen los? Ich habe für so was keinen Nerv mehr.«

»Keinen Nerv mehr für was, Sonora? Für das Leben, wie es nun mal ist?«

»He, es war der Ansatz zu einer Vergewaltigung. Hast du die Kleine nicht gesehen? Sie haben versucht, sie in ihren Pickup zu zerren.«

»Aha, dann hast du also einen Grund gehabt, ihnen die Gehirne aus den Schädeln zu pusten?«

»Ja, das glaube ich, und du hättest es genauso gemacht, wenn du dabeigewesen wärst.«

»Vielleicht. Aber kann es nicht auch sein, daß wir uns in letzter Zeit ein bißchen beschissen fühlen? Wie wär's denn damit?«

»Sam, du kennst mich doch …«

»Was soll das heißen?«

»Ich habe dich schon schlimmere Sachen machen sehen.«

»Nein, das hast du nicht.«

»Na schön, dann halt' jetzt einfach die Klappe zu diesem Thema.«

»Sonora …«

»Sei still, okay?«

»Was machst du, wenn ich nicht still bin? Erschießt du mich dann? Sag mal, findest du diese Sache eigentlich lustig? Es ist überhaupt nicht lustig.«

Sonora schloß die Augen und verschränkte die Arme vor der Brust. »Interessant, nicht wahr, Sam? Frauen müssen in der ständigen Furcht vor Gewaltanwendung durch Männer leben, und alle Welt findet das in Ordnung. Dreht man aber den Spieß mal um, findest du das gar nicht gut.«

»Das hat doch nichts mit dieser Sache zu tun, Sonora. Steck mich nicht in eine Schublade mit irgendwelchen Mistkerlen, nur weil ich ein Mann bin. Du bist Polizistin, du bist zur Zeit im Dienst, da hat man nun mal Vorschriften zu beachten.«

»Ich habe mich gut gefühlt, Sam. Für eine Minute oder so habe ich mich richtig gut gefühlt.«

»Sag mir Bescheid, wenn du Phantasien entwickelst, in denen Männer mit Handschellen gefesselt und in Brand gesteckt werden.«

»Wenn du meinst, das sei lustig, dann kann ich dir nur sagen, das ist es nicht.«

14 Es war halb vier morgens, als Sonora und Sam sich auf dem Parkplatz am Broadway voneinander verabschiedeten. Das gelbe Licht der Straßenlaternen im Zentrum der Stadt spiegelte sich verzerrt im regennassen Asphalt der Straßen. In einigen der Bürogebäude brannte Licht, kein Mensch war jedoch zu sehen.

Sonora stieg in ihren Wagen und kurbelte das Seitenfenster runter.

Sam legte den Ellbogen auf den Türrahmen. »Fährst du tatsächlich nach Hause, Sonora? Oder ziehst du deine Pistole und machst dich auf, die Stadt von Ungeziefer zu befreien?«

»Nach Hause zum *Backen*, akzeptierst du das als Unschuldsbeweis?«

»Ich gönne mir ein paar Stunden Schlaf, dann gehe ich früh ins Büro. Wenn du es nicht rechtzeitig schaffst, werde ich den Bericht über unsere Gespräche in Kentucky machen.«

»Danke, Sam.«

Normalerweise war es umgekehrt. Die Krankheit seiner Tochter paßte sich nicht immer der Mordrate in der Stadt an. Sonora arbeitete oft für zwei und scheute nicht vor Lügen zu seinen Gunsten zurück, wenn es Annie wieder einmal nicht gutging.

Als er sich umdrehte, hielt sie ihn am Ärmel fest.

Er sah sie an. »Was gibt's noch?«

»Etwas Wichtiges habe ich dir noch nicht erzählt, weil ich

sauer auf dich war. Ich habe eine irre Nachricht auf meinem Anrufbeantworter im Büro.«

»Ich habe dauernd irre Nachrichten auf meinem Anrufbeantworter, Sonora. Meistens von meiner Frau.«

»Es war eine Frau.«

»Meine Frau ist auch eine Frau.«

»Laß jetzt mal die Späßchen, und hör mir zu. Diese Frau hat nicht viel von sich gegeben, aber sie hat ›euereins‹ gesagt.«

Das fesselte umgehend seine Aufmerksamkeit. Er beugte sich tief zu ihr hinunter. »Du meinst, *sie* war es?«

»Ja.«

»Was hat sie gesagt?«

»›Hallo, meine liebe Freundin! Euereins ist ganz schön auf Trab, wie?‹ Und dann hat sie gefragt, ob ich ihre Stimme erkenne, und erklärt, daß sie mich wieder anrufen werde.«

Er überlegte einen Moment. »Warum zum Teufel ruft sie dich an?«

Sonora zuckte mit den Schultern.

»Wenn es *sie* ist, Sonora, dann ist sie scharf darauf, von der Polizei gejagt zu werden. Vielleicht gehört sie zu den Irren, die sich eine Spielkameradin bei der Kripo für ein Katz-und-Maus-Spiel aussuchen.«

»Wir sind ja nie davon ausgegangen, daß sie normal ist.«

»Da hast du recht. Paß gut auf dich auf, Mädchen.«

Sonora schaute ihm nach, wie er zu seinem Wagen ging. Als er einstieg, winkte er ihr noch einmal zu und fuhr dann davon. Sie sah zum fünften Stock des schmuddligen Backsteingebäudes hoch, zu den erleuchteten Fenstern der Mordkommission. Neonlicht drang durch heruntergelassene, ausgebleichte Jalousien. Trotz der Kälte hatte jemand ein Fenster weit geöffnet.

Sie war froh, endlich nach Hause fahren zu dürfen.

Der Motor ihres Wagens gab die üblichen keuchenden Geräusche von sich, als sie den Hügel hinauffuhr. Er würde sich wohl nicht mehr sehr lange durch die Straßen Cincinnatis quälen.

Der Regen hatte aufgehört, aber der auf beiden Seiten der Straße aufgestapelte Müll war völlig durchnäßt, und im Licht der Scheinwerfer glitzerten Regentropfen auf dunklen Plastiksäcken. Eine Frau lehnte sich aus einem Fenster im zweiten Stock eines Wohnblocks; die zerlumpten gelben Vorhänge hatte sie zur Seite geschoben. Im Licht der Zimmerlampe erkannte Sonora, daß die Frau strähniges blondes Haar hatte und nach Nutte aussah. Sie rauchte eine Zigarette und starrte teilnahmslos auf die nasse, schmutzige Straße hinunter.

Cincinnati war bei Nacht zutiefst deprimierend. Sonora kurbelte das Fenster hoch. Irgendwie fühlte sie sich innerlich nicht im Gleichgewicht, hin- und hergerissen zwischen ihrer Arbeit und dem heimischen Herd. Herd, ging ihr durch den Kopf, Feuer, Flammen, Haus in Flammen. Auto in Flammen. Mark Daniels in Flammen. Keaton Daniels …

Eine Hupe jaulte auf, und sie zuckte zusammen. Sie war zu weit nach links geraten. Mit zitternden Händen lenkte sie nach rechts. Dann drehte sie das Fenster wieder herunter, atmete tief die kühle Luft ein, beugte sich vor, nahm den Fuß etwas vom Gas und fuhr langsamer weiter.

O Gott, es ging alles so schnell. In der einen Sekunde fuhr man noch relativ aufmerksam, in der nächsten war man eingenickt. War es Zack auch so gegangen? War er vor dem Aufprall noch einmal aufgewacht? Hatte er noch Schmerzen erleiden müssen?

Man hatte bei der Blutprobe weder Alkohol noch irgendwelche Drogen bei ihrem Mann festgestellt. Das hatte ihr der Coroner gar nicht erst bestätigen müssen. Zack war hinter dem Steuer eingeschlafen, weil er erschöpft gewesen war. Es mußte einen Mann ja erschöpfen, wenn er zwischen einer Ehefrau, zwei Kindern, seiner Arbeit und der »Blondine der Woche« herumlavierte.

Sonora bog in ihre Straße ein, stellte den Wagen in der Zufahrt vor dem Haus ganz rechts ab, um den schwarzen Trail Blazer ihres Bruders vor der offenen Garagentür nicht zu blockieren. Clampett erwartete sie mit verschlafenen Augen und wedelndem Schwanz hinter der Eingangstür. Die Kinder, höchstwahrscheinlich Heather, hatten sein Fell gebürstet und seinen Hals mit einem Band geschmückt.

Sonora schob Clampett mit einem sanften Stoß ihres Knies zur Seite, um ihn davon abzuhalten, aus der Tür zu entwischen und eine seiner heißgeliebten, ekstatischen Durchstöberungen der Garage zu starten. Im Haus herrschte der stille Friede, der immer dann eintrat, wenn die Kinder endlich fest schliefen. Sonora hörte das leise Summen statischer Elektrizität aus dem Fernseher im Wohnzimmer. Sie ging in die Küche, stellte ihre Handtasche auf einen Stuhl und sah, daß Geschirr im Spülstein aufgestapelt war. Popcorn-Klümpchen lagen verstreut auf dem Fußboden, Spuren von Schokoladesirup und Speiseeis klebten auf dem Tisch und der Anrichte. Sonora fragte sich, ob diese Spuren vom Essen stammten oder ob die Kinder sie mit einem Pinsel aufgetragen hatten.

Sie riß ein leeres Blatt vom Notizblock an der Wand und fischte einen Bleistift aus der kleinen Blechdose mit Krimskrams auf dem Mikrowellenherd.

ICH BIN NICHT EUER DIENSTMÄDCHEN, schrieb sie in Großbuchstaben auf das Blatt. DAMIT IHR EUCH DAS MERKT; MORGEN KEIN FERNSEHEN ODER VIDEO-SPIELE. MACHT NÄCHSTESMAL GEFÄLLIGST SAUBER! TROTZDEM IN LIEBE, EURE MOM.

Sie steckte die Rüge unter einen Magneten an der Kühlschranktür. Dann ging sie ins Wohnzimmer, wo ihr Bruder auf dem Sofa schlief. Der Sportteil der Zeitung lag aufgeblättert auf seinem Kopf und den Schultern. Seine Cowboystiefel standen neben dem Sofa auf dem Boden. Er hatte keine Löcher in den Strümpfen.

Sonora machte den Fernseher aus. Ihr Bruder schreckte hoch, saß vorgebeugt da und rieb sich mit den Händen über das Gesicht. Dann tastete er auf der Armlehne des Sofas nach seiner Nickelbrille, setzte sie auf und schaute Sonora blinzelnd an.

Heather sah ihm sehr ähnlich, nur daß er blondes und Heather dunkles Haar hatte.

Sonora ließ sich in den Schaukelstuhl sinken und schloß die Augen.

»Wieviel Gläser Wasser gibst du Heather, ehe sie ins Bett geht?«

Sein Lispeln war bloß andeutungsweise zu hören, man merkte es nur, wenn man wußte, daß es da war.

»Ein Glas. Wie viele hast du ihr gegeben?«

»Sechzehn.«

Sonora schüttelte den Kopf. »Du Spinner.«

Er gähnte und streckte sich. »Was das Essen angeht …«

»Ja?«

»Die Abmachung war, daß ich für das Babysitten ein von dir liebevoll gekochtes Essen kriege. Im Fernsehen gibt's dann für hungrige Männer immer …«

»Du hast das Kleingedruckte nicht gelesen. Ich *schulde* dir *irgendwann* ein von mir selbst gekochtes Essen.«

»Das hat doch nichts zu sagen.«

»Hast du von dem Mann gehört, der in seinem Wagen verbrannt ist?«

Er schob die Brille höher auf die Nase. »Ist das *dein* Fall?«
Sonora nickte und schloß wieder die Augen. »Mann, bin ich
müde! Und jetzt muß ich auch noch Cupcakes backen.«

»Du wirst über den Zustand deiner Küche nicht besonders
erfreut sein.«

»Zu spät. Du siehst auch erschöpft aus. Hast du den ganzen
Abend mit den Kindern gespielt?«

»Pferdchen samt Huckepackreiten mit Heather. Monopoly
mit beiden. Es ist sehr kräfteraubend, wie sie es spielen. Ich
werde nie verstehen, warum man *zweimal* um den Tisch laufen
muß, wenn man auf ›Bahnhof‹ gekommen ist.«

»Du hättest sie vor den Fernseher setzen können.«

»Stets die hingebungsvolle Mutter. Wieviel Uhr ist es?«

»Mitten in der Nacht. Vier.«

Er sah sie an und schüttelte den Kopf. »Und warum mußt du
jetzt noch Cupcakes backen? Die kann man doch in jeder
Bäckerei kaufen. Schon mal davon gehört?«

»Diese müssen aber von Mommy gebacken sein.«

»Dann lüg doch einfach.«

»Heather würde es merken. Meine geraten in der Form nie
richtig und verklumpen irgendwie auch immer.«

»Erinnerst du dich noch an den Abend, als du Hähnchen
gegrillt hast?«

»Gott sei Dank hast du einen funktionierenden Feuerlöscher
in deinem Wagen gehabt.«

»Also los, auf geht's, ich möchte mir ansehen, wie du deine
Cupcakes machst. Darf ich mal dein Telefon benutzen?« Er
nahm den schnurlosen Hörer von der Halterung in der
Küche, tippte seinen Code ein und hörte die bei ihm einge-
troffenen Nachrichten ab. »Übrigens, Sonora, so um die
Abendessenszeit kam ein ziemlich komischer Anruf für dich.«

»Hat man eine Nachricht für mich hinterlassen?« Sonora

nahm einen Rührlöffel aus der Schublade und las die Back-
anleitung auf der Schachtel mit der Backmischung. Duncan
Hines. Eier, Wasser dazugeben …

»Nein. Es war eine Frau. Ich sage ›hallo‹, und sie fängt an zu
singen.«

Sonora schaute von der Anleitung auf und versuchte, die
Backofentemperatur im Gedächtnis zu behalten – hundert-
neunzig Grad. »Was hat sie gemacht?«

»*Gesungen*. Einen alten Elvis-Song. ›Love Me Tender‹.«

»Das ist kein Elvis-Song.«

»Er hat ihn aber gesungen, und er hat ihn berühmt gemacht.«

Sonora kratzte sich an der Wange. »Jetzt mal ganz langsam.
Sie hat dir am Telefon ›Love Me Tender‹ vorgesungen?«

»Ja.«

»Schön gesungen?«

»So lala.« Er hängte den Hörer wieder in die Gabel und
verzog das Gesicht.

»Was ist los?« fragte Sonora.

»Gestern abend war viel Betrieb im Saloon. Eine Menge Leute sind zum Line-Dancing-Unterricht gekommen.«

»Das ist doch schön.«

»Natürlich, aber das Mädchen, das den Unterricht gibt, ist
krank geworden, hat wahrscheinlich eine Grippe, und damit
kriege ich morgen Probleme. Ich kann mich nicht um die
Kinder kümmern, es sei denn, du bringst sie zu mir in den
Saloon.«

»Nein, nicht, wenn sie am nächsten Tag in die Schule müssen.«

»Okay. Oh, noch was. Chas hat angerufen. Er wollte wissen,
wo du bist, und glaubte mir nicht, als ich antwortete, du seist
dienstlich unterwegs. Er sagte, du sollst ihn zurückrufen, egal,
wie spät es werde.«

»Verdammt. Na schön.«

»Ruf ihn doch einfach nicht an.«

Sonora hob den Telefonhörer ab, tippte eine Nummer ein und rollte mit den Augen. Stuart sah ihr zu.

»Nicht zu Hause.« Sie schaute auf die Uhr. »Um vier Uhr sechzehn. Das macht er absichtlich.«

»Dich anrufen lassen und nicht abnehmen?«

»Ja. Wenn er überhaupt zu Hause ist.«

»Nicht alle Männer sind wie Zack«, sagte Stuart. Sonora warf ihm einen wütenden Blick zu, aber er grinste nur. »Einige sind schlimmer.«

»Stimmt einen nachdenklich, nicht wahr?« Sonora nahm einen großen Löffel aus der Geschirrschublade und tat so, als merkte sie nicht, daß Stuart verstohlen ihren Zettel mit der Rüge an die Kinder von der Kühlschranktür entfernte. Er kratzte Eiscreme aus den Schälchen und stellte sie dann in die Spülmaschine. Sonora konnte sich nicht erinnern, daß er während ihrer gemeinsamen Zeit im Elternhaus jemals beim Geschirrspülen geholfen hätte. Sie öffnete den Mund, wollte etwas sagen, unterdrückte es dann aber. In all den Jahren hatten sie sich um die Benutzung des Badezimmers gezankt, sich beschimpft und beleidigt, waren grob zu den Freunden des anderen gewesen, und sie hatte sich nicht vorstellen können, daß ihr Bruder einmal Babysitter bei ihren Kindern spielen und ihr in der Küche helfen würde.

»O Gott!« stöhnte Stuart auf.

»Was ist los?«

»Schokoladensirup auf meinem Polohemd!«

»Ich gehe morgen früh als erstes zu einer Autopsie. Was meinst du, was für Zeug dann auf mein Hemd gerät?«

Stuart zuckte zusammen und wechselte schnell das Thema. »Willst du keinen Mixer benutzen?«

»Ich kann ihn nicht finden.«

»Er liegt in Tims Zimmer.«

»Ich rühre das Zeug einfach mit dem Löffel an. Die Klümpchen werden beim Backen vielleicht zerfließen.«

»Meinst du wirklich, man müßte die kleinen Formen so voll machen? So können sie natürlich nicht schön werden. Sag mal, Sonora, hat Mom dir denn gar nichts von diesen Dingen beigebracht?«

»Ja, ich weiß, ich bin die verdammte Donna Reed.«

Das Telefon läutete, als sie endlich ins Bett geschlüpft war und nur noch schlafen wollte. Sie hob beim dritten Läuten ab.

»Was ist so wichtig, daß du mitten in der Nacht anrufst, Chas?«

Stille. Ein Kichern. Sonora runzelte die Stirn.

»Euereins klingt wütend. Jetzt sagen Sie mir bloß nicht, Sie hätten zu allem anderen Ärger auch noch Kummer mit Männern.«

Euereins. Sonora hielt den Atem an. »Mit wem spreche ich?«

»Treiben Sie keine Spielchen mit mir, Detective, diesen Quatsch können wir mit Männer-Freunden machen, nicht unter Freundinnen.«

Sonora setzte sich im Bett auf. Ihre Hand am Hörer war feucht. »Unter Freundinnen, wie? Warum treffen wir uns dann nicht mal und halten ein nettes Schwätzchen miteinander?«

»Zusammen einen Einkaufsbummel machen, essen gehen und uns ein herrliches Dessert genehmigen?« Die Stimme klang wehmütig. »Wir beide wissen, daß wir uns in einem Ihrer kleinen Verhörzimmer wiederfinden würden.«

»Wir ziehen es vor, sie Vernehmungszimmer zu nennen. Wäre doch aber nett, jemanden zu haben, mit dem man ein

Schwätzchen halten kann, meinen Sie nicht auch? Ich wette, Sie hätten mir eine Menge zu erzählen.«

»Wenn Sie diesen Anruf zurückverfolgen wollen, Detective, werden Sie kein Glück haben. Ich rufe von einem Münzfernsprecher an, und natürlich nicht von dem, den ich sonst immer benutze.«

Sonora lauschte, ob im Hintergrund irgendwelche Geräusche zu hören waren, die auf eine Bar schließen ließen. Nichts.

»Er ist attraktiv, nicht wahr?«

Sonora runzelte erneut die Stirn. »Wer?«

»Keaton. Tun Sie doch nicht so, als ob Sie nicht wüßten, wen ich meine. Ich bin ganz sicher, Sie mögen ihn.«

»Werden Sie ihn umbringen?«

Totenstille am anderen Ende der Leitung. Dann: »Sie sind für die direkte Methode, wie, gehen in dieser Sache wie eine Drei vor.«

»Wie eine Drei?« fragte Sonora.

Keine Antwort. Dann: »Wie wär's denn damit: Unsereins läßt die Finger von ihm, wenn euereins es auch tut. Sie werden es mir nicht glauben, das weiß ich, aber ich will *diesen* Mann nicht umbringen. Er erinnert mich an jemanden.«

»An wen?«

»Nur … an einen Mann, den ich mal kannte.«

Du mußt sie am Reden halten, dachte Sonora. »Sie sehen sich ähnlich?«

»Mehr als das, Detective. Es ist was Besonderes, so eine Art Energie, die von ihm ausgeht, von ihm zu mir überspringt. Als ob er direkt in Verbindung mit mir stehen würde. So empfinde ich das jedenfalls. Er stellt mich an den Platz, an dem ich stehen will.«

»Sie kennen ihn also?«

»Ich kenne ihn. Er kennt mich nicht.«

Sonora hob den Kopf. »Was wollen Sie von ihm? Warum wollen Sie ihm Schaden zufügen?«

»Ich will ihm nicht *schaden*. Ich will bedeutsam sein in seinem Leben.«

Das hast du bereits erreicht, dachte Sonora. »Wollen Sie damit sagen, Sie töten Männer, um bedeutsam zu sein?«

Ein Lachen ertönte. »Sie müssen zugeben, es ist eine *feuersichere* Methode, ihre Aufmerksamkeit zu erringen.«

»*Feuersicher?* Sehr hübsch.«

»Und sie verdienen, was sie bekommen. Wenn Sie ehrlich sind, Miss Detective-Freundin, dann müssen Sie doch zugeben, daß euereins Verständnis für mich hat. Sie müssen doch auch schon auf solche Ideen gekommen sein. Diese Männer verdienen es. Es kann doch kein völlig neuer Gedanke sein. Oder sind Sie immer ein ganz braves Mädchen gewesen?«

»Immer«, sagte Sonora und dachte an die drei Kerle mit dem Pickup.

»Wenn das stimmt, können Sie nicht glücklich sein.«

»Was hat Glücklichsein mit der ganzen Sache zu tun?«

»Nichts, jedenfalls nicht für brave Mädchen, die tun, was man ihnen sagt. Merken Sie denn nicht auch selbst, wie einen das krank macht, den anderen zuliebe elend dahinzuleben? Nie zu kriegen, was man gern hätte, weil es ›böse‹ ist? Sein Leben ganz einem Mann zu widmen, weil man sonst ein Nichts ist?«

Sonora atmete tief durch und fragte sich, ob sie es nicht doch mit einer Geisteskranken zu tun hatte. »Wieso glauben Sie eigentlich, daß ich so brav bin? Ich habe gestern abend auf drei Männer in einem Pickup geschossen.«

Stille. Das hat sie ein bißchen aus dem Gleichgewicht gebracht, dachte Sonora. Hoffentlich.

»Das glaube ich nicht. So was macht kein braves Mädchen.«

Sonora spitzte die Ohren. Waren das die Geräusche einer Eisenbahn im Hintergrund? »Wie Sie meinen – glauben Sie es mir, oder lassen Sie's bleiben.«

Wieder Stille. Dann: »Warum sollten Sie so was tun? Polizeieinsatz?«

»Ich hatte meine Gründe dafür, so wie Sie Ihre Gründe haben. Sie haben doch Gründe für das, was Sie da tun, oder?«

»Netter Versuch. Komisch, ich hatte nicht erwartet, daß ich Sie mag.«

Ein Klicken, und die Verbindung war unterbrochen. Sonora versuchte auf der Rückseite einer Kleenexschachtel das Gespräch wörtlich festzuhalten. Und sie fragte sich, ob sie nicht ein wenig zu heftig in dem Topf herumgerührt hatte.

15 Das Seziermesser würde um neun Uhr die Haut der Leiche aufschlitzen. Sonora schaffte es, um acht Uhr vierzig bei der Kaffeemaschine in der Vorhalle zu sein. Sie goß sich eine Tasse ein und schlenderte auf der Suche nach dem Pathologen den hellerleuchteten Flur hinunter.

Ein Schild an der Wand verkündete: LEICHEN MÜSSEN IM LEICHENSACK ANGELIEFERT WERDEN UND MIT DEM IDENTIFIZIERUNGSANHÄNGER VERSEHEN SEIN. Darunter hatte jemand hingekritzelt: *Bitte die Verschlußleinen am Leichensack nicht verknoten!*

»Hallo, Sonora.«

Sie drehte sich um. »Eversley, Sie sind's. Ich war schon auf der Suche nach Ihnen.«

»Sie sind wie ein Zombie an mir vorbeigelaufen. Diese Schlachtfeste am frühen Morgen müssen für eine Frau mit regem geselligen Leben die Hölle sein.«

»Ich führe kein geselliges Leben, ich habe Kinder.«

»Irgendwann hat's das ja aber für Sie auch mal gegeben.« Eversley führte sie in sein Büro und setzte sich dort auf die Kante des Schreibtischs. Er hatte graue Augen, und sein rundes Gesicht war von alten Aknenarben gezeichnet. Sein Haar war schwarz und strähnig. In seinem Pullover wirkte er recht rundlich, und wenn er noch ein wenig Gewicht zulegen würde, wäre die Amerikanische Liga gegen den Herztod gar nicht mehr zufrieden mit ihm. Sein Verhalten ließ vermuten, daß er sich irgendwie in einem Zustand permanenten Zornes befand.

Er warf einen Blick auf das Klemmbrett auf dem Schreibtisch.

»Sie sind wegen dem gegrillten Knaben hier?«

»Ja, das bin ich.«

»Er ist wenigstens noch als menschliches Wesen zu erkennen. Letzte Woche hatten wir einen hier, der hätte in Ihre Mikrowelle gepaßt.«

»Mord?«

»Alkoholisiertes Mädchen. Jemand hat in ihrem Wohnwagen im Bett geraucht – eine Einladung zum Sprung ins Inferno-Land.«

»Wer hat heute morgen Dienst?«

»Dr. Bellair.«

»Aha«, sagte Sonora. Das bedeutete, daß alles streng nach Vorschrift zu gehen hatte – Schutzbrille, Schürze, Schuhüberzüge, Handschuhe.

»Dieser Mann ist nicht sanft in die ewigen Jagdgründe eingegangen«, erklärte Eversley. »Er muß eine Verabredung mit dem Teufel persönlich gehabt haben.«

Sonora lehnte sich gegen die Ecke des Schreibtischs und kam dabei Eversley so nahe, daß sie sein Rasierwasser riechen konnte. Sie wünschte, er würde im Autopsieraum nicht auch noch diesen Duft verströmen, wo in der Kakophonie der anderen Gerüche jeder zusätzliche eine Attacke auf den Geruchssinn bedeutete.

Sie gähnte. »Der Mann hatte nicht nur eine Verabredung mit dem Teufel, er wurde auch sein Opfer.«

»Ich habe davon gehört, Sonora. Er war mit Handschellen gefesselt, nicht wahr? Klarer Fall von Sadomasochismus.«

»Es handelt sich nicht um eine Sex-Sache, Eversley. Wenn es das gewesen wäre, hätte es *so* aussehen müssen, meinen Sie nicht auch?« Sonora streckte die Arme zur Seite aus. »Oder

so.« Sie hob die Arme über den Kopf. »Er wäre an die Kopfstütze oder an die Türgriffe gefesselt worden.«

»Da müßte er aber eine verdammt große Spannweite der
Arme gehabt haben, wenn die Hände bis zu beiden Türgriffen
reichen sollten.«

Sonora streckte auf Höhe der Taille die Hände nach vorne aus
und legte die Handwurzeln aneinander. »Statt dessen wird er
ans Lenkrad gefesselt, ungefähr so. Man könnte es als Gefan-
genenposition bezeichnen.«

»Könnte man, aber ich würde es nicht so nennen.«

Leise Schritte auf Gummisohlen näherten sich.

Selbst in dem dunkelblauen Arbeitskittel strahlte Stella Bellair
Würde und Eleganz aus, was zugleich auch distanzierend
wirkte. Sie hielt sich straff aufrecht, und man sah ihr das berufliche Engagement, verbunden mit persönlicher Liebens-
würdigkeit, sofort an. Das Haar trug sie in einem Nackenkno-
ten, kleine Korallenohrringe zierten die Ohrläppchen, und ihr
ebenholzschwarzes Gesicht, perfekt hergerichtet, strahlte vor
Gesundheit und Wohlergehen.

Wie stellte diese Frau das nur an? Bellair war beruflich genauso eingespannt wie Sonora, und sie war Mutter von drei Kindern. Klar, dachte Sonora, daß es im Haus dieser Frau unta-
delig sauber und ordentlich ist. Warum fragte sie sich solche
Dinge eigentlich nicht auch bei Männern?

Eversley deutete eine Verbeugung an. »Guten Morgen, Stella.«

»Guten Morgen zusammen. Ist die Leiche schon vom Rönt-
gen zurück?«

Eversley nickte. »Marty hat sie vor ungefähr fünfzehn Minuten hergebracht.«

»Nur noch schnell einen Kaffee«, sagte Bellair und ging den
Flur zurück zur Vorhalle.

Eversley rutschte auf dem Schreibtisch ein Stück nach vorn. »Okay, wie wär's denn damit: Knabe trifft Mädchen. Knabe nimmt Mädchen in seinem Auto mit. Knabe kommt auf ruchlose Gedanken. Mädchen …«

Sonora spürte die Vibration des Piepsers, der an einer Gürtelschlaufe an ihrer Hüfte hing. »Moment, Eversley.« Sie zog das beigefarbene Telefon auf dem Schreibtisch zu sich heran. »Ich muß neun wählen, wenn ich nach draußen anrufen will?«

»Was für ein gescheites Mädchen. Neun ist tatsächlich die Nummer, die Sie brauchen. Wie sind Sie bloß darauf gekommen, daß Ihr Anruf gewünscht wird? Sind Sie etwa ein parapsychologisches Genie?«

»Wenn du mit den Lebenden nicht zurechtkommst, dann wende dich den Toten zu.«

»Das ist aber nun wirklich eine *sehr* häßliche Attacke gegen die Pathologie!«

Sonora wählte, dabei an ihrer Unterlippe kauend. »Erklären Sie mir eines – warum ist es immer die Neun? Warum ist die Notrufnummer *neun* eins eins? Was ist das für ein seltsames Neun-Mysterium? Warum … Ja, hallo, hier ist Blair.«

Sams Stimme klang sehr müde. »Der Bruder hat angerufen.«

»Keaton Daniels hat im Büro angerufen?«

»Ja, sagte ich doch gerade.«

»Und was ist los?«

»Er hat es mir nicht verraten, sagte, er wolle dich so bald wie möglich sehen und mit *dir* sprechen. Und nur mit dir, mit keinem anderen.«

Dr. Bellair ging draußen vorbei und eilte auf den Autopsieraum zu. Eversley folgte ihr. Sie würden in wenigen Minuten mit der Autopsie beginnen.

»Er wartet auf mich?«

»Ich habe ihm gesagt, du könntest in etwa zwei Stunden bei

ihm sein. Er sagte, er sei in seinem Apartment. Die Anschrift lautet …«

»Ist es die Adresse in Mount Adams? Die habe ich.«

»Ja. Noch was. Die Algebralehrerin deines Sohnes hat ebenfalls angerufen.«

»Wer?«

»Eine Miss Cole. Sie sagte, du möchtest sie zurückrufen. Willst du die Nummer haben?«

Sonora nahm einen Gutschein für ein Hähnchen-Essen – KAUF EINES ZUM PREIS VON ZWEI – vom Schreibtisch und drehte ihn um. Der Preis dafür war auch schon wieder gestiegen. »Ja, Sam. Okay, null zwei sechs. Mein Gott, was will die nur von mir? Sonst noch was?«

»Hast du wieder was von deiner neuen Freundin gehört?«

»Ja, hab ich, und es war gar nicht lustig, Sam.«

»Was hat sie gesagt?«

»Erzähl ich dir später. Ich muß jetzt weg.« Sam stotterte noch irgendwas, aber sie legte auf.

Sonora hastete den Gang hinunter und nickte einer Putzfrau zu, die ihrer vertraglich festgelegten Sklavenarbeit nachging. Sie kam an dem Sichtfenster vorbei, durch das Verwandte schauen konnten, um ihre toten Angehörigen zu identifizieren, vorausgesetzt, die Gesichtszüge waren noch zu erkennen. Dann passierte sie ein Schild, das vor der Gefährdung durch biologische Keime warnte, und fragte sich, was Tim in Algebra verbockt haben mochte. Schließlich blieb sie vor der grünen Schwingtür neben einem Metallbehälter stehen, in dem neben anderem Material Schutzbrillen, Handschuhe, Schuhüberzüge und Plastikschürzen gestapelt waren. Sie ließ die Schürze weg, nahm sich aber die Zeit, die Überzüge über die Schuhe zu ziehen, die Schutzbrille aufzusetzen und die Handschuhe überzustreifen. Die Latex-Handschuhe, innen

mit einer Puderschicht versehen, damit man leichter hinein-
schlüpfen konnte, waren ihr viel zu groß, und so blieb an
jedem ihrer Finger ein zentimeterlanges baumelndes Ende
übrig. Sie überprüfte, unbeholfen in den Handschuhen, ihre
Kamera, vergewisserte sich, daß tatsächlich ein Film eingelegt
war und die Batterien funktionierten, und ging dann durch
die zweiflügelige Schwingtür in den Autopsieraum.

Mehrere Autopsien waren bereits im Gange, Wasser rauschte
aus verschiedenen Hähnen, große graue Abfalltonnen waren
schon vollgestopft mit benutztem Material. Ein intensiver
Geruch nach Blut hing im Raum, aber er wurde vom wider-
lichen Gestank eines Desinfizierungsmittels überlagert.

Dr. Bellair stand, die Hände in die Hüften gestemmt, vor
einem Lichtkasten mit mehreren Röntgenaufnahmen. Eversley schaute ihr über die Schulter. Bellair deutete auf eine bestimmte Stelle auf einer der Aufnahmen.

»Hier«, sagte sie.

Eversley nickte.

»Was haben Sie gefunden?« fragte Sonora.

»Das Fragment eines Geschosses. Im Bein.«

Sonora kratzte sich am Hinterkopf. »Sie wollen sagen, es sei
zusätzlich auch noch auf ihn geschossen worden?«

»Ja, eindeutiger Fall von Overkill.«

Der Rollwagen mit Mark Daniels' Leiche bewegte sich, wie
von magischen Kräften geschoben, auf den Autopsietisch zu.
Sonora beugte sich vor, sah dann, daß Marty am anderen Ende
den Wagen bugsierte, seine kleine Gestalt jedoch vom Kopf
Mark Daniels' verdeckt wurde. Sie trat vorsichtig einen
Schritt zurück, um nicht im Weg zu stehen. Marty beteuerte
stets, er könne gut sehen, wohin er die Rollwagen schiebe, und
niemand wagte es, ihm zu widersprechen, um sich nicht dem
Vorwurf der Diskriminierung Zwergwüchsiger auszusetzen.

Aber vor einem Monat hatte er einem der Pathologen den Wagen äußerst heftig ins Kreuz gestoßen, und erst vergangene Woche hatte er einen der Techniker so wuchtig gerammt, daß er zu Boden gestürzt war. Bei Marty war nicht auszuschließen, daß er beides absichtlich getan hatte.

Jetzt schob er die Bahre neben den Seziertisch – Edelstahl, hochstehende Ränder, Wasseranschlüsse, Schläuche, Abflußlöcher.

»Im Bericht des Krankenhauses steht nichts von einer Schußwunde«, sagte Eversley.

Bellair wandte sich von den Röntgenbildern ab. »Sie mußten sich um andere Dinge kümmern. Wir wollen ihn uns jetzt ansehen.«

Marty schob seinen stets mitgeführten Hocker ans Kopfende des Tisches, kletterte rauf und setzte sich. Wie die meisten Zwergwüchsigen hatte er einen kräftigen Körperbau und einen großen Kopf. Sonora sah, daß ihm die Handschuhe genau paßten. Seine Hände waren größer als ihre. Er hatte dickes braunes Kraushaar; sein dichter, gerader Schnurrbart wurde an den Enden grau.

Zwei junge Frauen, beide Medizinstudentinnen im letzten Ausbildungsjahr, nahmen neben dem Tisch ihre Plätze ein. Die Brünette, Annette Sowieso, war Sonora bekannt, die Rothaarige nicht. Wie immer verhielt sich Annette, deren Haare im Igelschnitt kerzengerade vom Kopf abstanden, ihr gegenüber aus einem unerklärlichen Grund ausgesprochen feindselig. Sie hatte Sonora offensichtlich von Anfang an nicht leiden können, und Sonora sah keinen Grund, diese Gefühle nicht gleichermaßen zu erwidern.

Der Reißverschluß des Leichensacks wurde aufgezogen, und alle Anwesenden außer Sonora halfen dabei, Mark Daniels' Leiche auf den Bauch zu drehen und vom Rollwagen auf den

Seziertisch zu schieben. Sonora rieb sich über den Nasenrücken, wieder einmal feststellend, wie bedrückend der Anblick einer Leiche war. Die Rückseite seiner Oberschenkel und die Gesäßbacken zeigten keine Brandwunden. Es hatte sich nach Eintritt des Todes jedoch Blut dort angesammelt, was der Haut eine dunkle, blutergußähnliche Färbung verlieh. Eine dünne Blutspur lief aus der Nase der Leiche auf den Tisch.

»Keine Kleider, oder?« fragte Sonora.

Eversley klang wütend. »Im Krankenhaus wird gesagt, sie seien in der Leichenhalle, dort erklärt man uns, das Krankenhaus habe sie, und die Krankenwagenbesatzung ist nicht erreichbar.«

Bellair schüttelte den Kopf. »Nach dem Aussehen der Verbrennungen hatte er keine erwähnenswerte Bekleidung am Körper, Detective. Der Arzt in der Notaufnahme wird es Ihnen mit Sicherheit sagen können, aber bei Verbrennungen dieser Art würden sich Kleidungsstücke – außer vielleicht eine Gürtelschnalle oder so was – in die Haut eingebrannt haben.«

»Der Sachverständige vom Brandstiftungsdezernat hat nichts dergleichen finden können. Ich will nur sichergehen. Wir glauben, daß der Killer die Kleider an sich genommen hat. Wenn Sie irgendein Fragment finden, lassen Sie es mich wissen.«

Alle nickten zustimmend. Jeder der Anwesenden wurde gerne in das Wer-ist-der-Mörder-Spiel mit einbezogen.

Der Körper wurde umgedreht, Seziergeräte bereitgelegt. Der Nacken der Leiche sackte durch, die Augen standen weit offen. Kein Anschluß unter dieser Nummer, schienen sie zu sagen.

Eversley nahm einen Wasserschlauch und fing an, den Körper

abzuspülen. Marty tastete mit den Fingern den weißlich-grauen Nacken der Leiche ab.

Die Rothaarige drückte auf Mark Daniels' Bauch. »Ist das ein Messerstich?«

Sonora verzog das Gesicht. »Na, jetzt aber … Nach der Schußwunde nicht auch noch ein Messerstich.«

Eversley sah sich den Riß in der Haut an. »Ich nehme an, es ist eine Fissur, die durch die Verbrennungen hervorgerufen wurde. Geben Sie mir mal ein Vergrößerungsglas.«

Bellair drückte mit der Fußspitze auf das Recorder-Pedal unter dem Tisch und begann mit der äußerlichen Untersuchung der Leiche. Die anderen einschließlich Sonora standen reglos um den Tisch und warteten darauf, daß das Rätsel des Gegenstandes da auf dem Tisch durch seine Zerteilung gelöst wurde.

»Leiche eines Mannes, Weißer, zweiundzwanzig Jahre alt, hat verschiedene Verletzungen …«

Die größtenteils verbrannte Haut wurde sorgfältig mit einem starken Vergrößerungsglas untersucht, und es dauerte lange und war sehr ermüdend. Sonora gähnte, trat von einem Fuß auf den anderen und fragte sich, ob Tim vielleicht seine Hausaufgaben in Algebra nicht gemacht oder nicht abgegeben hatte.

Sie betrachtete Mark Daniels' konkaven Bauch, das flachgedrückte Gesäß, den haarlosen, mit Brandblasen bedeckten Schädel, und sie versuchte dieses Bild mit dem in Verbindung zu bringen, das sie auf den Fotos gesehen hatte. Mark Daniels würde nicht mehr die Chance haben, in die Fußstapfen seines großen Bruders zu treten.

Eversley hielt seinen Fotoapparat hoch. »Wieder mal ein Kodak-Augenblick.«

Er machte Aufnahmen von dem verbrannten Schädel, dem verkohlten Ohrstumpf, den Verbrennungen zweiten und dritten Grades am Körper, den rußiggeschwärzten Stümpfen der Hände. Bellair untersuchte die Schußwunde. Sonora machte sich Notizen. Ihre Finger und Handflächen waren feucht in den Latex-Handschuhen. Bellair zog mit einiger Mühe den noch im offenen Mund der Leiche steckenden Beatmungstubus heraus. Die dünne Plastikröhre platzte auf und verbog sich.

Eversley legte die Kamera in den Wandschrank zurück. Er krümmte den Rücken und streckte ihn dann wieder. »Nehmt eure Schippchen zur Hand, Leute. Jetzt machen wir ein Kanu aus ihm.«

Sonora hörte das Surren der kleinen Rundsäge und sah, wie sie einen y-förmigen Schnitt in die Oberfläche der Brust der Leiche machte. Die dicke Hautschicht klaffte auf wie eine zerteilte Gummischürze und legte eine Ansicht von Fleisch und Fett frei, wie man sie nur in Metzgerläden zu sehen bekommt, und die Luft war plötzlich von dem intensiven Geruch eines geöffneten menschlichen Körpers verpestet. Wie immer brachte der Anblick der gelblichen Fettschichten Sonora zu dem Gelöbnis, wieder regelmäßig Sport zu treiben. Gleich ab morgen. Sofort nach dem Aufstehen.

»Ich fühle mich nicht besonders gut«, sagte Sonora leise.

Eversley und Bellair sahen erschrocken auf; sie mußten immer damit rechnen, daß jemand, der nicht zum internen Kreis der Todesspezialisten gehörte, umkippte und auf den Boden krachte. Es wurde als nicht standesgemäß und unschicklich betrachtet, wenn jemand aus dem Autopsiesaal in die Notaufnahme gebracht werden mußte – schlimmer noch, wenn sich der Kreis schloß und der Betroffene mit tödlichem Schädelbruch von der Notaufnahme zur Autopsie zurückgeliefert wurde.

»War nur Spaß«, sagte Sonora.

Bellair schien das Späßchen zu tolerieren, Eversley aber streckte ihr die Zunge heraus. Er nahm eine große Knochenschere ähnlich einem Bolzenschneider, schnitt den Rippenbogen der Leiche auf – und das konzertierte Gemetzel begann. Die Eingeweide wurden entfernt, die inneren Organe herausgenommen, gewogen, dann auf ein Brett gelegt, auf dem ein Medizinstudent Scheiben und Klumpen von ihnen abschnitt und in Probeflaschen steckte.

Bellair entnahm einen Glasbecher Blut aus der leeren Brusthöhle, und die Rothaarige extrahierte mit einer Spritze eine Urinprobe aus der Blase.

»Keine Gallensteine«, sagte die Brünette. Sie schlitzte mit einem Skalpell die straffe, gelblich-trübe Membran der Gallenblase auf. Bellair öffnete mit einem Schnitt den Magen, und plötzlich lag der scharfe Geruch von Whiskey in der Luft.

»Bourbon. Unverdautes Popcorn. Noch irgendein anderes Zeug, ein paar Stunden vorher gegessen. Eversley wird im Labor rausfinden, was es ist.«

Sonora machte sich eine Notiz. Mark Daniels' letzte Mahlzeit. Bourbon und Popcorn – Cujo's?

Sonora schaute noch rechtzeitig auf, um mit anzusehen, wie Marty die Kopfhaut vom Schädel zog. Sie löste sich so leicht wie die Haut von einem Brathähnchen, sah aus wie eine grausige Halloween-Maske, und darunter kam das von Blut gerötete Schädeldach zum Vorschein. Marty schnitt mit einer Rundsäge, im Nacken beginnend, den Schädel auf, und ein dünner, wie Kreidemehl aussehender Schleier aus Knochenstaub stieg auf.

Er löste die einzelnen Platten, die er routiniert herausschnitt, von der Gehirnmasse, und Sonora kam es vor, als entfernte er die Muschelschalen von einer Riesenkrabbe. Marty arbeitete sehr präzise und methodisch, und statt des Krabbenfleisches bestand seine Belohnung aus Mark Daniels' Gehirn.

»Epidurale Blutung«, sagte er.

»Von einem Schlag auf den Kopf?« fragte Sonora.

Bellair hob die Hand. »Vielleicht.« Sie untersuchte die straff gespannte Membran über dem Gehirn und schnitt sie am hinteren Ende auf. »Ich würde sagen, die Blutung ist durch die Hitze verursacht worden.«

Sonora hob ihre Kamera, machte Fotos vom Schädeldach und der aufgeschlitzten Membran und trat dann wieder aus dem Weg.

Die Geräusche von den Schneidebrettern der Studenten ließen Sonora an das Entbeinen von Hühnern denken. Alles hier erinnert viel zu sehr an die Fleischabteilung bei Winn Dixie, dachte Sonora, und es vermittelt einem, wenn denn nichts anderes, zumindest einen kleinen Einblick in die Abgründe des Kannibalismus. Nach ihrer ersten Autopsie hatte sie mehrere Wochen kein Fleisch essen können.

Bellair kniff die Augen zusammen. »Ruß in den Atemwegen. Lungenödem.«

Sonora notierte sich diese Details über Mark Daniels' qualvollen Tod.

Und schließlich war es vorbei. Bellair streifte die Handschuhe ab. Eingeweide und verschiedene andere Innereien, die einmal zu Mark Daniels gehört hatten, wurden in Plastiksäcke gesteckt, die Säcke zugebunden und zwischen den Beinen der Leiche deponiert.

Selbst Tote hatten noch Dinge, die man ihnen lassen mußte.

Eversley knetete seine verschmutzten Handschuhe zu einem Ball und stopfte sie verstohlen in eine bereits überquellende Abfalltonne. »Wissen Sie, was der Killer als Brandbeschleuniger benutzt hat?«

»Benzin.«

»Ich werde Ihnen die Kohlenmonoxydwerte noch durchgeben, ebenso die Werte des Wasserstoffzyanids beziehungsweise des Stickstoffsulfitoxyds.«

»Woher könnte das Zyanid stammen?« fragte Sonora.

»Er ist in einem brennenden Auto umgekommen, nicht wahr? Die Innenausstattung besteht weitgehend aus Plastikstoffen, die wiederum aus Mineralöl gewonnen werden. Und das bedeutet, daß sie wie die Hölle brennen und dabei giftige Gase freisetzen. Wahrscheinlich ist er an einer Kombination aus Kohlenmonoxyd und Zyanid gestorben.«

»Nicht an den Verbrennungen?«

»Sie waren nicht ausschlaggebend. Wenn es nur die Verbrennungen gewesen wären, hätte er noch etwa drei Tage länger leben können, vielleicht hätte er sogar überlebt. Wir werden sehen, was die Carboxylhämoglobinwerte ausweisen, aber Zyanid verschwindet so schnell aus dem Blut und dem Gewebe, daß eine Feststellung der ursprünglichen Konzentration kaum möglich ist.«

»Nun erklären Sie mir mal, was das bedeuten soll, Eversley.«

»Er starb, wie ich schon sagte, wahrscheinlich an einer Vergiftung durch eine Mischung aus Kohlenmonoxyd und Zyanid. Die Zyanidwerte werden wir kaum nachweisen können, vor allem, wenn der Notarzt clever war und ihm Thiosulfat gespritzt hat.« Er sah Bellair an. »Das machen diese Leute doch, nicht wahr?«

»Würde Zyanid ihn innerhalb weniger Minuten getötet haben?« fragte Sonora.

»Nein. Selbst in einer hohen Dosis nicht. Entscheiden Sie sich nicht für Zyanidkapseln, wenn Sie je auf Selbstmordgedanken kommen.«

»Vielen Dank, Eversley, ich werde mir das merken.«

»Jedenfalls war es kein leichter Tod. Der Staatsanwalt kann daraus vor Gericht sicher einiges machen.«

»Eversley, ihm war ins Bein geschossen, er war ans Lenkrad gefesselt, mit Benzin übergossen und in Brand gesteckt worden. Der Staatsanwalt hat ganz bestimmt genug Munition.«

»Und wir haben hübsche Fotos. Wenn die Verteidigung ...«

»Eversley, Sie sollten sich nicht so viele Krimis im Fernsehen anschauen.«

16 Sonora hatte Mount Adams und die Umgebung schon immer gemocht – die Häuser im Zentrum der Stadt dicht beisammenstehend, sonst verstreut am Berghang liegend mit Blick auf den Fluß und die Stadt selbst. Das Getriebe ihres Wagens machte surrende Geräusche, als sie eine enge Serpentine hinauffuhr.

Ein Mann auf dem Bürgersteig blieb vor dem Schaufenster eines Juwelierladens stehen. Der Laden machte den Eindruck, als ob sein Besitzer sich nicht scheute, auch die Preise auszuzeichnen. Irgend etwas an dem Mann, seine Schultern, seine ganze Gestalt, veranlaßten Sonora, auf die Bremse zu treten und zu ihm zurückzuschauen.

Er beachtete sie nicht, sah nicht einmal auf, und Sonora brauchte nicht mehr als einen kurzen zweiten Blick, um zu erkennen, daß es nicht Zack war, daß der Mann Zack nicht einmal sehr ähnlich war.

Sie fuhr weiter, Schlaffheit in ihren Schultern und Schmerz im Rücken spürend. So etwas war ihr seit langer Zeit nicht mehr passiert, und sie haßte sich selbst dafür, für diesen kurzen Moment des Erkennens – ja, da ist er! –, während die Logik in ihrem Bewußtsein Warnglocken aufschrillen ließ – nein, Sonora, das kann ja nicht sein.

Noch Monate nach Zacks Tod hatte sie unbewußt in jeder Menschenmenge nach seinem Gesicht Ausschau gehalten – in Einkaufsstraßen, Kinos, Geschäften –, hatte weiß Gott warum gehofft, im Dairy Mart beim Einkauf von geschroteten Weizen auf ihn zu stoßen. Ein Teil von ihr war auf diese alltäg-lich-nüchternen Vorstellungen ausgerichtet geblieben, ein an-derer Teil hatte sich geweigert zu glauben, sie würde ihn im Badezimmer beim Rasieren antreffen.

Der Alptraum war inzwischen endgültig vorbei.

Es wurde ihr klar, daß der Mann sie an Zack erinnert hatte, weil er wütend aussah – wütend, weil sie zuviel Zeit für ihren Beruf aufwendete, oder weil die Kinder zuviel Krach machten, oder weil er nicht glücklich war, und all sein Unglück war ihre Schuld, und überhaupt, das Leben war ungerecht, niemand verstand ihn, niemand behandelte ihn richtig.

Sonora fuhr weiter die steil ansteigende Straße hinauf und kam in das Wohnviertel von Mount Adams.

Vor Jahren war diese Gegend von Studenten bevorzugt wor-den, aber die Volkswagen und Kharman-Ghias waren in-zwischen geländegängigen Jeeps, Audis und Saabs gewichen. Jedes zweite Haus war renoviert worden, und alles, von der Fassade einer Bar namens Longworth's über die Hinweis-schilder des Buckeye-Sicherheitsdienstes in den kleinen Vor-gärten bis zu den getrimmten und mit Bändern geschmückten Hirtenhunden, die auf den Bürgersteigen herumstolzierten, schrie laut und deutlich YUPPIE.

Vor vielen der noch nicht renovierten Häusern standen Schil-der mit der Aufschrift ZU VERKAUFEN.

Sonora kam an der Rookwood-Töpferei vorbei, einem auf Tudorstil getrimmten Fachwerkhaus, manövrierte den Wagen um einen blauen Lastwagen herum, auf dem H. JOHNSON – UMZÜGE UND LAGERUNG stand, lächelte vor sich hin, als sie ein Haus sah, das dringend eines neuen Anstrichs bedurfte, dessen Vorgarten völlig verwildert war und auf dessen Veranda eine alte Kirchenbank stand. Hier wohnte ein Rebell, der gegen den Yuppie-Trend aufmuckte.

Es zeigte sich, daß die Kirchenbank Sonora zu sehr abgelenkt hatte, und sie konnte gerade noch einem braunen Müllcontainer aus Stahl ausweichen, auf dessen Seite Rumpke stand.

Wenn ich keine Kinder hätte, dachte Sonora, würde ich gerne hier leben. Vorausgesetzt, es fiel ihr zufällig ein Sack mit Geld in den Schoß.

Das Haus, in dem Keaton Daniels wohnte, gehörte zur besseren Sorte – ein renoviertes, schmales, zweistöckiges Gebäude aus rotbraunen Backsteinen, die Fugen dunkelblau überstrichen, ein Farbton, der in den Fachgeschäften als Early American angeboten wurde. Das kleine Rasenstück des Vorgartens war hübsch angelegt und bestens gepflegt.

Keaton Daniels öffnete bereits die Tür, als sie erst die Hälfte des Weges vom geparkten Wagen zum Haus zurückgelegt hatte. Er war unrasiert und sah mit den Bartstoppeln auf der kreidebleichen Gesichtshaut miserabel aus. Er trug wieder eine Khakihose, dazu ein weißes T-Shirt und dicke Baumwollsocken.

Das Bild seines toten Bruders, wie er auf dem Seziertisch lag und Marty die Kopfhaut sorgfältig massierte, ehe er sie abzog und den Schädel freilegte, stieg in Sonoras Geist auf. Sie strich eine Haarsträhne aus ihrem Gesicht und versuchte das Bild loszuwerden und sich auf Keaton zu konzentrieren. Diesen Mann möchte ich nicht auch auf dem Seziertisch sehen, dachte sie.

»Hallo, Mr. Daniels.«

Er nickte, hielt die Tür für sie auf und murmelte irgendwelche höflichen Willkommensworte, die ineinander verschmolzen und leer und abwesend klangen.

Er ging voraus, führte Sonora am Wohnzimmer vorbei in die Küche. Licht fiel auf einen runden Eichentisch mit einem Frühstücksgedeck – ein weißes Frottee-Tischtuch, darauf eine halbleere Kaffeetasse, ein Teller mit einem zerbröselten Vollweizentoast, von dessen einer Ecke ein großes Stück abgebissen war.

Über die Mitte des Tisches war ein rotes Küchentuch gebreitet. Daneben lag eine zusammengerollte Zeitung; das rote Gummiband war zwar abgestreift worden, die Zeitung hatte sich jedoch nicht entrollt. Rechts vom Teller lag ein Stapel Briefe. Zwei oder drei Umschläge waren aufgeschlitzt. Sonora erkannte eine Wasserrechnung sowie eine Visa-Abrechnung.

Sie nahm ihr Notizbuch aus der Handtasche und setzte sich gegenüber dem Platz mit dem unterbrochenen Frühstück an den Tisch, stützte die Ellbogen auf, das Kinn in die Handflächen, und wartete.

Daniels setzte sich nicht. Er kniete sich mit einem Bein auf die Sitzfläche seines Stuhls und deutete mit seinem dicken Zeigefinger auf einen billigen weißen Umschlag mit einer abgestempelten Elvis-Briefmarke.

»Ich bin gestern nicht nach draußen gegangen, nicht mal zum Briefkasten, um meine Post zu holen. Aber heute morgen versuchte ich wenigstens wieder zur üblichen Routine zurückzukehren, machte mir ein Frühstück und holte die Zeitung und die Post.«

Sonora überprüfte ihren Recorder, sah, daß er lief, und schaute dann Daniels an.

»Das da lag also die ganze Zeit im Briefkasten.«

Er hob das rote Küchentuch hoch. Darunter lag ein Polaroidfoto. Aus Sonoras Sicht stand es auf dem Kopf. Sie ging um den Tisch herum und schob Keaton Daniels sanft zur Seite.

Mark Daniels schaute aus dem offenen Fenster des Wagens. Sein Oberkörper war nackt und das Haar ganz zerzaust. Seine Hände steckten in Handschellen, und er bog sie nach innen, in dem Versuch, sie so klein wie möglich zu machen, um sie herausziehen zu können. Sonora sah, daß ein Seil um das Lenkrad und um seine Hüfte geschlungen war. Sein Haar schaute naß aus, als ob er schwitzen würde. Nein, das war Benzin. Man hatte ihn mit Benzin übergossen.

Kurz vor der Zündung, dachte Sonora. Sie hoffte den Ausdruck auf seinem Gesicht niemals bei einem Menschen, den sie liebte, sehen zu müssen.

Sonora hatte schon so manche scheußliche Nachricht von Verbrechern erhalten, aber sie war noch nie auf einen Killer gestoßen, der Fotos von seinem Verbrechen an die Angehörigen seines Opfers geschickt hatte. Sie ließ sich langsam auf den harten Windsor-Stuhl neben sich sinken.

In einem ersten Impuls wollte sie das Küchentuch wieder über das Foto werfen, aber der Cop in ihr behielt die Oberhand, und sie tat es nicht. Keaton Daniels stand neben ihr, bewußt zur Seite blickend.

Sie griff nach seinem Arm. »Kommen Sie.«

Das Wohnzimmer hatte ihr schon vorhin beim Vorbeigehen gefallen. Ein honigfarbenes kleines Sofa stand zwischen zwei abgenutzten Bücherschränken, die mit Paperbacks und einigen Hardcovers, meist Kinderbüchern, sowie mit Spielen vollgestopft waren. Ein alter Nußbaumschreibtisch, rechtwinklig zum Sofa aufgestellt, ergänzte die Ecke der Gemütlichkeit neben den mit schwarzem Leder bezogenen, geschmackvoll arrangierten Chrommöbeln in der zweiten Hälfte des Raumes.

Sonora schaute von einer Seite zur anderen.

»Die guten Stücke gehören dem Hausbesitzer«, erklärte ihr Keaton. »Seine Firma hat ihn für neun Monate nach Deutschland geschickt. Das schrottreife Zeug ist mir.«

»Na, schrottreifes Zeug, ich bitte Sie ...« Sonora setzte sich auf das Sofa, Keaton auf die Ecke des Polsters neben ihr.

»Da ist noch mehr«, sagte er. »Ich rief meine Mutter an, nachdem ich dieses Foto erhalten hatte. Ich hatte Angst, sie hätte auch so was bekommen.«

»Und?« Sonora hatte wieder ihr Notizbuch auf dem Schoß, und der Recorder lief.

»Nein, nichts. Aber sie hatte einen seltsamen Besuch. Sie ist ... sie lebt in einer Art Genesungsheim. Sie ist noch recht jung, aber ... Na ja, es ist alles ziemlich kompliziert.«

»Was für einen Besuch?«

»Eine junge Lady, wie meine Mutter sich ausdrückte. Sie wollte mit ihr über Mark reden – und über mich.«

»Über Sie? Hat Ihre Mutter diese junge Lady beschrieben?«

»Klein und blond. Irgendwie zart, zerbrechlich.«

Sonora strich sich mit der Hand durchs Haar. »Ihr Name?«

»Den wollte sie nicht nennen.«

»Was dachte Ihre Mutter über sie?«

»Sie war verwirrt, mochte die Fragen der Frau nicht. Sie wollte viel zu viele *persönliche* Dinge wissen, wie meine Mutter es ausdrückte. Sie meint ...«

»Ich kann mir denken, was sie meint. Geschah sonst noch was?«

Keaton legte die Hand auf die Lehne des Sofas. »Das war praktisch schon alles, was ich aus ihr rausholen konnte. Ich sagte ihr, ich käme zu ihr, um mich zu vergewissern, daß mit ihr alles in Ordnung sei, und darüber war sie sehr glücklich. Sie hat es gern, wenn ihre Söhne hinter ihr herrennen.«

Die Verbitterung kam und ging schnell wieder, aber Sonora fragte sich, wann ihm endgültig bewußt wurde, daß die Rolle des großen Bruders und ältesten Sohnes inzwischen ausgespielt war.

»Ich fahre mit Ihnen«, sagte Sonora.

Er nickte zur Küche hin. »Was machen wir mit dem Foto?«

»Wir werden es der Spurensicherung übergeben und untersuchen lassen. Vielleicht stoßen unsere Leute auf irgendwas.«

»Fingerabdrücke?«

»Abdrücke aller Art, Speichelspuren auf der Gummierung des Umschlags, Haare, alles mögliche.«

»Das wäre natürlich toll«, sagte er hölzern.

Ist aber unwahrscheinlich, dachte Sonora. Dieser Killer war zu schlau, die Gummierung mit seinem Speichel anzufeuchten.

In den Medien wurde Mark Daniels' Mörder inzwischen nur noch »Flashpoint-Killer« genannt, eine Bezeichnung, die aus dem Zitat eines Spezialisten vom Brandstiftungsdezernat abgeleitet war, welchen den Reportern den Flammpunkt eines Feuers, hier speziell den Flammpunkt von Benzin, erläutert hatte. Beim Morddezernat hatte sich die Abkürzung »Flash« für den Killer eingebürgert.

Keaton ansehend, fragte sich Sonora, ob noch weitere Fotos geschickt würden – sie könnten noch weitaus schlimmere Szenen zeigen – und wie er das alles durchstehen würde.

Er erwiderte ihren Blick und hielt ihm stand. Etwas änderte sich zwischen ihnen, und sie merkte, daß sie ein wenig zu heftig atmete. Sie fühlte sich plötzlich aufgeregt und nervös.

»Haben Sie Ihre Schlösser inzwischen ausgewechselt?« fragte sie hastig.

»Ja.«

»Nein, das haben Sie nicht.«

»Was? Wieso?«

»Ich bin ein Cop, erinnern Sie sich? Ich merke, wenn Leute mich anlügen.«

»Das muß ja für Ihre Kinder die Hölle sein.«

»Das ist es, und versuchen Sie nicht, vom Thema abzulenken.

Wenn das Auswechseln der Schlösser ein finanzielles Problem ist – ich kenne jemanden, der es für einen reduzierten Preis bestens erledigt. Hören Sie, ich will Ihnen mit dieser Sache bestimmt nicht auf die Nerven gehen, aber es könnte sein, daß die Mörderin Ihren Hausschlüssel hat. Sie hat Sie angerufen, hat Ihnen dieses Foto geschickt, hat wahrscheinlich Ihre Mutter aufgesucht. Ich mache mir Sorgen um Sie.«

Sie meinte es ehrlich, aber sie hatte nicht beabsichtigt, es so persönlich klingen zu lassen.

Er rutschte ein Stück von ihr weg und zuckte mit den Schultern. »Ich hatte die Idee, ich könnte sie mir schnappen, wenn sie herkommt.«

»Das Foto hat Ihre Meinung geändert?«

Er nickte.

»Gut.« Sonora schaute zur Haustür. An beiden Seiten waren schmale Glasscheiben, und damit war klar, daß ein neues Türschloß den Killer nicht aufhalten würde. »Sie sollten sich überlegen, ob Sie eine Alarmanlage installieren lassen.«

»Ich bin nur Mieter in diesem Haus und kann so was nicht ohne Einverständnis des Besitzers machen.«

Sonora lehnte sich gegen den Schreibtisch und sah ihn an. »Ich habe hier etwas, das Sie sich anschauen sollten.« Sie griff in ihre Handtasche aus braunem Vinyl, ein Geschenk liebevollen schlechten Geschmacks ihrer Kinder, für das die beiden lange Zeit gespart hatten. Sie nahm das Phantombild heraus, legte es neben Daniels auf das Sofa und stellte sich dann vor den Schreibtisch.

Der Zeichner hatte lange zwei Stunden mit Ronnie Knapp an dem Bild gearbeitet, und Ronnie hatte seine volle Zufriedenheit mit dem Ergebnis zum Ausdruck gebracht. Sonora hatte sich nachher unter vier Augen bei ihm versichert, daß er es ernst gemeint hatte; in Gegenwart des Zeichners sagten die

Leute oft, das Bild sei gut gelungen, um die Gefühle des Künstlers nicht zu verletzen.

Das Bild zeigte eine Blondine mit ernstem Gesichtsausdruck, aber für Sonora sah sie nicht ätherisch aus. Eine solche Eigenschaft war wohl nur schwer in einer Zeichnung darzustellen. Keaton Daniels runzelte die Stirn, aber in seinen Augen leuchtete Erkennen auf.

»Ich weiß nicht …«, meinte er.

»Schauen Sie genau hin. Sie sagt, sie würde Sie kennen, Sie würden sie aber nicht kennen.«

»Sie *sagt* das?«

»Sie hat mich auch angerufen.«

Er sah aus, als ob ihm plötzlich schlecht wäre, blickte weiter auf das Bild und kaute an der Unterlippe. »Ich bin mir nicht sicher, aber sie kommt mir bekannt vor. Als ob ich sie schon mal gesehen hätte, doch ich kann sie nicht einordnen.«

»Wenn irgendeine Erinnerung auftaucht, lassen Sie es mich wissen. Ich muß mal einen Anruf machen, darf ich Ihr Telefon benutzen?«

»Natürlich. Eines steht da drüben, eines ist in der Küche.«

»Ich erledige das von der Küche aus und räume dann dort ein wenig auf. Sie machen sich für die Fahrt fertig, und dann statten wir Ihrer Mom einen Besuch ab.«

»Glauben Sie, daß sie in Gefahr ist?«

»Nein, das glaube ich nicht, aber ich würde mir gerne anhören, was sie zu erzählen hat.«

Sonora ging in die Küche, nahm das rote schnurlose Telefon von der Halterung an der Wand und schaute, während sie wählte, auf das Foto von Mark Daniels auf dem Tisch. Eversleys Worte bei der Autopsie heute morgen klangen ihr noch in den Ohren:

Wieder mal ein Kodak-Augenblick.

17 Keaton Daniels' Mutter lebte in Lawrencetown, Kentucky, auf der Strecke zwischen Cincinnati und Lexington, in einem Genesungsheim. Das Heim lag mehrere Meilen außerhalb der Stadt an einer zweispurigen Landstraße. Sonora fuhr hinter Keatons Leihwagen her, einem blauen Chrysler LeBaron. Er bog in einen holprigen Kiesweg ab – mehr holprig als Kiesweg – und hielt schließlich vor einem Farmhaus aus Ziegelsteinen, das offensichtlich irgendwann in den sechziger oder siebziger Jahren gebaut worden war.

Keaton führte Sonora zur Seite des Hauses und dann drei Stufen hinauf zu einer Betonterrasse. Neben einem nassen Schrubber stand ein rostiger Grill, von dem die rote Farbe abblätterte. Der Grill war voll Wasser, und Klumpen weißgrauer, angebrannter Holzkohle schwammen in einem rußigen Brei. Alte Gartenmöbel aus schwarzem Schmiedeeisen mit blümchenbedruckten Vinylkissen waren in einer Ecke aufgestapelt. Die Kissen waren abgenutzt, einigen Stühlen fehlten Beine.

Daniels klopfte an eine Fliegentür, die in eine dunkle, unaufgeräumte Küche führte.

»Werden wir erwartet?« fragte Sonora.

»Ich komme immer gern überraschend her.«

Sonora schaute über ihre Schulter auf die Umgebung. Da waren überall Tabakfelder, die noch mit den verwelkten braunen Stengeln der abgeernteten Pflanzen bedeckt waren. Der Rasen am Haus war fleckig und voller Klee.

»Nanu, Keaton! So was!« rief eine Frau mit lauter, schneidender Stimme und stieß einladend die Fliegentür auf. »Keaton, mein Schatz, ich hatte dich früher erwartet. Komm rein! Komm rein, und bring dein Mädelchen mit!«

Keaton trat in die Küche und wurde mit einer unbeholfenen Umarmung empfangen, die er erwiderte, aber die weder ihm noch der Frau von Herzen zu kommen schien.

»Das ist Police Specialist Blair«, sagte Keaton.

»Polizei?«

»Sie ist bei der Mordkommission, Kaylene. Es geht um Mark.«

Die Frau riß den Mund weit auf und zeigte dabei eine lückenhafte Reihe gelblicher Zähne. Einer der Schneidezähne war schwarz. Sie war eine stämmige, kräftige Frau und trug ein lose fallendes Kleid, das sie wie ein Zelt umhüllte; aus den weiten Armlöchern schauten die angeschmutzten Ränder eines Unterhemds hervor. Sie trug keinen Büstenhalter, und die Brüste hingen tief herunter, fast bis zum oberen Rand ihres vorgewölbten Bauchs. Ihr Haar war grau und dünn und zu einem Knoten im Nacken zusammengesteckt. Die Augen waren blaßblau, das Weiße gelblich verfärbt, als wäre es wie ein heller Küchenboden von einer Wachsschicht überzogen. Die Oberlippe zierte ein dünner, aber deutlich sichtbarer Schnurrbart.

Sonora fragte sich, ob das Keaton Daniels' Mutter sein konnte – und wenn ja, ob er sie haßte.

»Mein Schatz, das ist alles so schrecklich, *ächt* schrecklich.«

Sie führte sie durch die düstere Küche in ein Wohnzimmer, das zugleich, nach einem Anbau, auch als Arbeitszimmer diente. Die Familienbilder an der Wand verewigten alle häßlichen ländlichen Stereotypen, die Sonora je gesehen hatte.

»All meine Leute waren entsetzt über die Sache mit deinem

Bruder, Keaton. Wir sind ja eine einzige große Familie hier. Und deine Mama, Schätzchen … Deine Mama wär am liebsten gestorben. Ich wollt, du hättest gleich in dieser Nacht herkommen können.«

Keaton schaute schuldbewußt drein.

»Mr. Daniels mußte die ganze Nacht über für die Polizei zur Verfügung stehen«, sagte Sonora.

Kaylene öffnete den Mund und schloß ihn wieder. »Ach so, ja, natürlich«, sagte sie dann.

Das Zimmer wirkte nicht direkt schmutzig. Es war sogar sauber, stellte Sonora fest. Aber die Möbel waren alt. Die Armlehnen des Sofas mit dem orange-gelben Blumenmuster waren durchgewetzt. Auf der Sitzfläche des grünen Sessels mit dem Fußhocker lagen Zeitungen, über die Kopfstütze war ein schmutziges Häkeldeckchen gebreitet. Ein Wärmestrahler glühte orangegelb in einer Ecke des Raums. Der Kamin war mit Brettern vernagelt, davor thronte ein schwarzer Holzofen. Fotos von zahnlosen Babys mit ungewöhnlich großen Köpfen sowie ein Paar aus Bronze gegossene Babyschuhe standen auf Stapeln von *Reader's-Digest*-Heften auf dem Kaminsims.

Keaton schaute sich um und fragte dann: »Ist meine Mutter in ihrem Zimmer, Kaylene?«

»Ja, das ist sie, mein Schatz. Geh zu ihr, geh, ich weiß, sie wartet schon auf dich.«

Keaton schaute Sonora unsicher an.

»Gehen Sie ruhig erst einmal ein paar Minuten allein zu ihr«, sagte sie.

Er nickte und begab sich nach links in den Flur. Sonora fragte sich, ob dort Kaylenes »Leute« wohnten. Wenn ja, verhielten sie sich ausgesprochen still.

»Kommen Sie, setzen Sie sich, Schätzchen. Oh, ich nehm an, ich muß Detective zu Ihnen sagen.« Kaylene räumte die Zeitungen vom grünen Sessel weg, setzte sich und klopfte auf den Fußschemel davor.

Sonora wußte nicht, ob die Frau erwartete, daß sie sich direkt vor ihre Knie niederließ. Sie rückte zum Rand des Sofas und hoffte, Keaton würde sich beeilen. Bei einem Undercover-Einsatz in der Drogenszene hätte sie sich sicherer gefühlt.

Sonora legte eine neue Kassette in den Recorder. »Seit wann betreiben Sie dieses Heim, Mrs. ...«

»Oh, nennen Sie mich Kaylene. Wenn Sie es jedoch für die Akten brauchen – mein Name ist Barton, mein Geburtsname Wheatly.«

»Kaylene Wheatly-Barton.«

Die Frau bestätigte es mit einem königlichen Nicken. »Schätzchen, möchten Sie einen Eistee oder ein Popsicle-Eis?«

»Nein danke.«

Kaylene nahm einen Fächer in die Hand, der aus aneinander-gereihten Popsicle-Stielen bestand. Er war auf der Vorderseite mit einem äußerst romantischen Bild von Jesus verziert – braunes, lockiges Haar, seelenvolle Augen, grellweißes Gesicht. Schäfchen mit Engelsflügeln und Märchenbuch-Kindlein drängten sich um seine Füße.

»Ich weiß nicht, wie's Ihnen geht, aber ich koche vor Hitze. Ich muß es für meine Leute warm hier drin halten – sie frieren leicht. Das Blut wird dünn, wenn man alt wird, glaube ich. Mr. Barton sagt jedenfalls, das Blut würde dann dünner werden.«

Sonora empfand allmählich eine gewisse Faszination für diese Frau mit den schlechten Zähnen, die ihren Mann *Mister* Barton nannte.

»Seit wann ist Keatons Mutter hier bei Ihnen?«

»Seit mehr als vier Jahren.«

»Was für ein Leiden hat sie?«

»Ich glaube, es sind ihre Bain.«

Das soll wohl Beine heißen, entschied Sonora. Aus der Richtung des Flures drang das Gemurmel von Keaton Daniels' tiefer männlicher Stimme.

»Wie ich gehört habe, hatte sie Besuch.«

»Sie meinen sicher dieses kleine Mädchen, das gestern hier war.«

»Wie war noch mal ihr Name?«

»Großer Gott, Detective, sie hat ihn mir nicht genannt, hat nur erklärt, sie wär eine Freundin und käm zu 'nem Beileidsbesuch. Mr. Barton hat mir heut morgen gesagt, ich hätte sie nicht reinlassen dürfen, aber das konnt ich ja nicht wissen. Sie hat ja auch niemandem was getan. Oh, Mrs. Daniels war allerdings schrecklich aufgebracht hinterher. Ganz schlimm.«

»Was hat die Frau gesagt, als sie an die Tür kam?«

»Sie war vorn an Haustür. Die meisten Familienangehörigen meiner Leute gehen zur Seitentür drüben bei der Küche, kaum jemand benutzt die Haustür. Also, sie kommt und sagt, sie möcht Mrs. Daniels sprechen. Na ja, sie ist ein niedliches Mädelchen. Klein, verstehen Sie, hat ganz blondes Haar, fällt locker fast bis auf die Schultern. Braune Augen, helle Haut, nur die Backen sind hellrot, nein eher scharlachrot, als ob sie Fieber hätt. Ich hab echt gedacht, sie wär krank, und sie hat einen ziemlich scheuen Eindruck gemacht. Ich laß sie also rein und bring sie zu Mrs. Daniels. Ich hab gedacht, sie gehört zur Familie oder so, weil Mark doch umgebracht worden war.«

Sonora nickte.

»Sie ist bei Mrs. Daniels, ich bin in der Küche und mach Maispudding fürs Abendessen. Meine Leute mögen meinen Maispudding. Er ist süß, und das haben sie gern. Das Rezept habe ich von meiner Cousine. Sie hat mal ein Kochbuch geschrieben, mein Schwager hat's im Selbstverlag veröffentlicht.«

Sonora nickte wieder. Geduldig sein, wie immer.

»Und dann hör ich lautes Weinen. Ich hätt's wahrscheinlich in der Küche nicht gehört, aber ich hab durchs Wohnzimmer zu Mr. Remus gehen müssen, um ihm sein Hayley's-Wohlgeschmacks-Müsli zu bringen. Meine Leute haben ihre festen Termine, verstehen Sie, und sie wollen, daß sie eingehalten werden. Es regt sie sonst schrecklich auf.«

Sonora war nicht klar, was genau da terminlich festgelegt war, hütete sich aber wohlweislich, danach zu fragen.

»Ich komm also an Mrs. Daniels' Zimmer vorbei, um Mr. Remus sein Müsli zu bringen, und da sehe ich, daß ihre Zimmertür zu ist. Das ist komisch, denk ich, denn ich will, daß meine Leute ihre Zimmertüren aufstehen lassen, damit ich sie leichter unter Kontrolle hab und so. Aber die Tür ist zu, und ich mein, ich hör was, so ähnlich wie Vogelpiepsen, dann Stimmen. Ich geh weiter und bring Mr. Remus sein Hayley's, und ich bin eine Weile bei ihm drin, denn er sagt, er mag das Müsli nicht mit Pfefferminzgeschmack, er mag es pur, und er kann sich nicht entschließen, ob er's jetzt behalten will oder nicht. Es geht hin und her, und schließlich sag ich einfach, na schön, Mr. Remus, ich laß es hier, und Sie ringen sich inzwischen zu einem Entschluß durch.«

Irgendwas an der Art, wie sie »zu einem Entschluß durchringen« sagte, ließ Sonora an Sam denken, und sie lächelte, Kaylene lächelte zurück, redete weiter, und die Atmosphäre im Zimmer war eitel Friede und Eintracht.

»Ich laß also den kleinen Plastikbecher auf der Anrichte stehn. Ich servier das Müsli immer in diesen kleinen Plastikschalen, wie es sie in den Krankenhäusern gibt, weil ich mir's nicht so bequem machen will, wie sie's in manchen anderen Heimen machen. Ich mach meine Arbeit richtig, obwohl's 'ne Schande ist, was die Lieferanten einem für die Schalen berechnen.« Sie nickte empört und blinzelte heftig.

»Alles wird teurer.« Sonora lehnte sich zurück und öffnete ihre Fäuste. Geduld, Geduld.

»Als ich dann aus Mr. Remus' Zimmer komme, ist Mrs. Daniels' Tür auf, und Mrs. Daniels steht an ihrem Gehhilfegerät, obwohl ich ihr anseh, daß ihre Bain ihr schlimm weh tun. Und die junge Frau will grad gehn, aber sie umarmen sich nicht, gar nichts dergleichen. Und man müßt doch denken, wenn sie eine Nichte wär oder so was, dann würd sie Mrs. Daniels doch umarmen und sie fragen, ob Mrs. Daniels irgendwas braucht. Aber ich kann Ihnen sagen, ich seh sofort, daß was Komisches zwischen den beiden vorgefallen ist. Weil Mrs. Daniels völlig aufgelöst aussieht, und ihre Augen sind rot, und Tränen laufen ihr die Backen runter.« Kaylene drückte die Fingerspitzen auf ihre eigenen Wangen, legte dann den Kopf schief und runzelte die Stirn.

Sonora sah sie erwartungsvoll an.

»Entschuldigung, ich dacht nur, ich hätt einen von meinen Leuten gehört.«

»War die junge Frau auch so durcheinander?«

»Nein, die hat eher nur erregt ausgesehen, würd ich sagen. Ehrlich, sie hat ausgesehen wie unser Hund, wenn er diese rumstreunende Katze in die Enge getrieben hat.«

»Hat sie gelächelt?«

»Nein, glaub ich nicht, aber sie hat sehr zufrieden mit sich selbst dreingeschaut, so würd ich das nennen. War nicht mehr scheu, schien sich über irgendwas zu freuen. Ich hab kein gutes Gefühl gehabt, als ich mir das Mädchen so angeschaut hab. Eher ein böses Gefühl.«

Sonora machte sich Notizen. Sie griff in ihre Handtasche und nahm das Phantombild von Mark Daniels' Mörderin heraus. »Ist dieses Bild ihr ähnlich?«

Kaylene nahm ihr das Bild eifrig aus der Hand.

»Na ja, ich weiß nicht … Könnte sein. Meine Brille liegt in der Küche. Ich muß mir die erst mal holen, um das Bild besser erkennen zu können.«

Sonora folgte Keaton Daniels durch den mit einem dünnen Läufer ausgelegten Flur zu einem Anbau, der offensichtlich erstellt worden war, um Kaylenes »Leute« zu beherbergen. Die Decke war niedrig, und Keaton mußte den Kopf einziehen. Seine Schritte waren kaum zu hören; das ganze Haus wirkte seltsam lautlos, und Sonora sah jetzt, daß Daniels andere Turnschuhe anhatte – Nikes diesmal.

Kaylene Wheatly-Barton war sich nicht sicher gewesen, ob die junge Frau auf dem Phantombild der Besucherin ähnlich sah, aber ihre Beschreibung – klein, scheu, ernst – deckte sich mit der, die Sonora vom Besitzer Cujo's bekommen hatte. Sonora mochte die Gedanken nicht, die ihr über die Mörderin in den Sinn kamen – daß Mark Daniels' Tod nur die Vorstufe zu dem sein könnte, was sie eigentlich vorhatte.

Keaton blieb plötzlich stehen, und Sonora stieß gegen ihn.

»Entschuldigung.« Er legte die Hand auf ihren Arm, und Sonora spürte, wie schwer diese Hand war. Dann senkte er den Kopf und sagte leise. »Sie ist ziemlich schwierig. Ich habe ihr erklärt, daß sie Ihre Fragen beantworten muß, aber ich weiß nicht …« Er kratzte sich im Nacken. »Sie war mal eine ganz normale, typisch amerikanische Mutter.«

Sonora berührte ihn sanft an der Schulter. »Es wird schon gutgehen.« Sie trat in das winzige Zimmer. »Mrs. Daniels?«

Aretha Daniels gehörte zu den großgewachsenen Frauen, und sie war wohl die meiste Zeit ihres Lebens schlank gewesen.

Jetzt hatte sich um ihre Taille ein wenig Fett angesetzt, die Schultern waren nach vorn gesackt, und der hervorstehende knochige Buckel deutete auf fortgeschrittene Osteoporose hin. Ihr Haar war tiefschwarz gefärbt, und sie trug eine dieser Brillen mit schwarzer Fassung, die mit einer »Alte-Damen-Kette« um den Hals gesichert war.

Sie saß auf ihrem Bett, auf der eine verschossene grüne Decke aus billiger Baumwolle lag. Neben dem Bett befand sich ein Stuhl, Plastik mit Nußbaumfurnier und goldgelbem Bezug, eine Art Wartezimmerstuhl. Die Wände waren mit imitiertem Nußbaumholz verkleidet. Das Zimmer hatte kein Fenster. Ein kleiner Tisch stand vor dem Bett, auf dem stapelweise Zeitschriften und Magazine lagen – *Der moderne Haushalt, Das Haushaltsjournal für die Frau von heute, Gesundheitsmagazin für den reifen Menschen*. Eine halbleere Schachtel Puffs blaue Papiertücher und ein Wasserglas mit Lippenstiftspuren am Rand standen auf einem Magazin mit den frischen, intelligenten Gesichtszügen von Hillary Rodham Clinton als Titelbild.

In die Öffnung der Schachtel mit den Papiertüchern waren, offenbar zur sicheren Aufbewahrung, drei graue Plastikpatronen gestopft – Gameboy-Patronen. Ein aufgeschlagenes Kreuzworträtselbuch mit einem stumpfen Bleistift in der Furche zwischen den Seiten lag auf dem Bett. Es roch nach Parfum – White Shoulders – und nach Mentholbonbons.

Aretha Daniels beugte sich, die Füße gegen das Brett am Fußende gestemmt, über einen Gameboy, heftig an einem Hustenbonbon saugend. Sonora sah es auf ihrer Zungenspitze glitzern. Die Daumen der Frau bewegten sich schnell über die Knöpfe des Gameboy.

»*Fireball!*« murmelte sie, auf dem Gesicht den stumpfen Ausdruck intensiver Anspannung, den Sonora als »Videospiel-Grimasse« bezeichnete.

Sonora erkannte den sich ständig wiederholenden Musikfetzen, der von dem Gameboy ausging. Super Mario …

»Mrs. Daniels, ich bin Police Specialist Sonora Blair. Ich gehöre zur Mordkommission vom Cincinnati Police Department und bin mit der Aufklärung des Mordes an Mark beauftragt.«

Die Frau schaute auf. »Sonora? Ungewöhnlicher Name.« Dann wandte sie sich wieder ihrem Spiel zu.

Keaton setzte sich neben seine Mutter auf das Bett. Die betont kontrollierte Bewegung, mit der er den Arm um ihre Schulter legte, zeigte seine innere Anspannung. Kurz vor der Explosion, dachte Sonora.

»Mutter, tu bitte den Gameboy weg und rede mit Detective Blair.«

Sonora blinzelte ihm zu, drehte den Stuhl herum, setzte sich rittlings darauf und legte das Kinn auf die über der Lehne gekreuzten Arme. Aretha Daniels beobachtete sie aus dem Augenwinkel, und Sonora merkte ihr an, daß sie sich über dieses respektlose Verhalten ihr gegenüber ärgerte. Gut so.

»Keaton hat mir gesagt, Sie seien Lehrerin.«

Die Frau richtete sich ein wenig auf. »Ich *war* Lehrerin. Seit dem Tod meines Mannes habe ich keinen Unterricht mehr erteilt. Meine Beine haben mich im Stich gelassen.« Sie klopfte auf ihr Knie und zuckte dabei zusammen.

»Haben Sie Schmerzen? Soll ich Kaylene bitten, Ihnen was dagegen zu bringen?«

»Junge Frau, ich habe in jeder Minute meines Lebens Schmerzen. Ich wollte, es würde überhaupt was geben, das Sie mir dagegen besorgen könnten.«

Keaton Daniels verzog leicht das Gesicht, aber Sonora ignorierte ihn. Seine Mutter legte jetzt den Gameboy auf die Bettdecke und betrachtete Sonora mißtrauisch von der Seite.

»In Ordnung, junge Frau, Sie wollen über Mark mit mir reden. Sehr gut. Wann werden Sie seinen Mörder festnehmen?«

»Wenn wir ihm nicht diese Woche noch auf die Spur kommen, kann es Monate dauern, vielleicht sogar Jahre. Oder wir erwischen ihn nie.«

Mrs. Daniels legte die Hand auf den Gameboy und zog sie dann wieder mit einem Stirnrunzeln zurück. »*Nie* ist nicht akzeptabel.«

»Ich mag diesen Gedanken auch nicht, also helfen Sie mir bitte. Und das können Sie, denn ich glaube, Sie haben gestern mit der Mörderin Ihres Sohnes gesprochen, und ich muß alles wissen, was sie gesagt hat.«

Aretha Daniels gab einen würgenden Laut von sich. »Dieses schreckliche kleine Mädchen, das gestern bei mir war ... Sie hat es getan?«

Die gereizte Mutter-Tonlage war verschwunden. Aretha Daniels' Stimme klang jetzt verschüchtert und alt. Sonora stand auf, drehte ihren Stuhl herum, setzte sich wieder und beugte sich vor, näher zu ihr. Keaton schob sich auf dem Bett dichter an seine Mutter heran, und sie legte ihre Hand auf seine.

Sonora sprach jetzt sehr sanft. »Erzählen Sie mir alles, woran Sie sich erinnern.«

Aretha Daniels streichelte Keatons Handrücken und atmete tief ein. »Sie sei Keatons Freundin, hat sie gesagt.«

Keaton sah seine Mutter angespannt und wachsam an.

»Sie redete über Mark ... Nein, das ist nicht ganz richtig. Sie wollte wissen, welche Empfindungen ich hinsichtlich Marks Tod hätte. Ja, genau das hat sie mich gefragt. Zu diesem Zeitpunkt dachte ich noch, sie sei einfach nur ... unbeholfen in ihrem sozialen Verhalten von Mensch zu Mensch. Aber sie hat so weitergemacht, mir dauernd Fragen gestellt.«

»Was für Fragen?«

»Nun, zum Beispiel, ob es nicht schrecklich sei, wie er sterben mußte. Ob ich glaube, er habe fürchterliche Qualen durchstehen müssen.« Aretha Daniels schluckte und umklammerte Keatons Arm. »Ob ich oft darüber nachdenken, es mir vorstellen würde. Ob ich glaube, er … er …« Tränen schossen plötzlich aus ihren Augen, und sie schluchzte laut.

Keaton zog seine Mutter an sich und riß ein Bündel Papiertücher unter den Gameboy-Patronen aus der Schachtel.

Sie putzte sich die Nase. »Sie wollte wissen, ob ich glaube, er habe geschrien. Ob ich glaube, er habe nach mir *gerufen*.«

Sonora spürte, daß eine Hitzewelle in ihre Wangen stieg, spürte, daß ihr Magengeschwür sich zu den Waffen gerufen fühlte, spürte, daß sich ihre Kinnladen verkrampften, als ohnmächtiger Zorn mit einer gefährlichen Intensität ihre Sinne überflutete – gefährlich zumindest für ihren Magen.

»Und die ganze Zeit hat sie mich angestarrt, beobachtet. Es ist schwer zu erklären … Es war, als ob sie gierig auf das wäre, was ich dazu zu sagen hatte, aber ihre Augen waren … irgendwie seltsam, dieser Ausdruck … Und sie hat nicht ein einziges Mal gelächelt. Nicht einmal bei der Begrüßung.«

Sonora erkannte, daß Aretha Daniels Angst gehabt hatte, daß diese Angst sie aufgewühlt hatte, daß sie darunter gelitten hatte – und daß sie das niemals zugeben würde.

»Was geschah dann?«

»Ich habe sie gebeten zu gehen.«

»Bitte, Mom«, sagte Keaton, »komm mit mir, und bleib eine Weile bei mir.«

»Nein, Keaton, das mache ich nicht. Ich werde dir niemals zur Last fallen.«

»Du fällst mir nicht zur Last, und ich will, daß du mit mir kommst.«

In Wirklichkeit wollte er das nicht, und alle drei wußten es.

»Hat die Frau sonst noch etwas gesagt?«

Aretha Daniels zuckte mit den Schultern, hob die Hand und ließ sie wieder sinken.

»Hat sie Sie auch nach Keaton gefragt?«

»Am Anfang hat sie *nur* über Keaton gesprochen. Ich dachte, sie wäre …« Sie wandte sich ihrem Sohn zu. »Ich dachte, sie wäre eine Freundin von dir. Daß sie vielleicht der Grund dafür wäre, daß Ashley und du …«

»Nein, Mutter.« Keatons Stimme klang gehemmt.

Aretha Daniels schaute Sonora mit einem irgendwie anklagenden Blick an. »Sie haben Kinder, oder?«

»Zwei«, antwortete Sonora.

»Wie alt?«

»Meine Tochter ist sechs, mein Sohn dreizehn.«

»Dreizehn? Kein Wunder, daß Sie müde aussehen. Ich nehme an, sie können vor Sorgen nicht gut schlafen. Halten Sie den Jungen fest am Zügel – die schwierige Zeit geht auch einmal vorbei.«

Sonora lächelte und fühlte sich eigenartig getröstet. »Das will ich hoffen. Im Moment scheint er ein besonderes Problem mit der Algebra zu haben.«

»In diesem Alter ist das meistens ein Mangel an Organisationsvermögen und Fleiß. Sehr wahrscheinlich macht er seine Hausaufgaben nicht. Gehen Sie fest und entschieden mit ihm um, Detective.«

»Ja, Ma'am.«

Aretha Daniels sah sie scharf an, so als witterte sie Sarkasmus.

Sie streichelte Keatons Wange und schob ihn dann sanft von sich.

»Du solltest jetzt gehen, du hast einen weiten Weg nach Hause.«

»Mom, bitte komm für eine Weile mit zu mir.«

Aretha Daniels nahm den Gameboy in die Hand und starrte auf den kleinen Bildschirm.

Dann klopfte sie Keaton aufs Knie. »Paß gut auf dich auf, mein Junge.«

18 Sonora ging die Treppe der Veranda hinunter in den schlammigen Garten und atmete tief durch. Keaton Daniels folgte ihr mit schnellen Schritten, die Hände in die Hosentaschen vergraben.

»Kriegen wir irgendwo in der Nähe was zu essen?« fragte Sonora.

»In der Stadt vielleicht. An der nächsten Ausfahrt der Interstate gibt es ein Dairy Queen.«

»Ich muß dringend mein Magengeschwür füttern. Treffen wir uns doch an diesem Dairy Queen. Wir müssen uns unterhalten. Okay?«

Er nickte, wollte etwas sagen, aber Sonora winkte ihn vorwärts. Sie hatte nur einen Wunsch – weg von hier. Es war ein schlimmer Gedanke, daß man Aretha Daniels in dieser Hölle zurücklassen mußte. Sie stieg in ihren Wagen und fuhr als erste los, wobei die Räder Kiessteinchen hochspritzten. Als sie in die schmale zweispurige Straße einbog, war Keaton nicht hinter ihr, und sie schaute über ihre Schulter zurück. Daniels kauerte immer noch mit gesenkten Kopf hinter dem Lenkrad. Sonora verzog das Gesicht, gab Gas und fuhr die gewundene Straße hinunter zur gesegneten Interstate. Sie behielt den Rückspiegel im Auge; schließlich tauchte Keatons blauer Le-Baron hinter ihr auf.

Als sie auf den bröckligen Asphalt des Dairy-Queen-Parkplatzes fuhr, war ihr fast schlecht vom Geruch im Inneren des Wagens. Sie parkte neben einem unvermeidlichen Pickup;

Keaton hielt neben ihr. Sie nahm ihr Handy aus der Handtasche.

Ja, die Kinder waren zu Hause. Ja, es ging ihnen gut. Ja, ihre Großmutter Baba war unterwegs, um sie abzuholen. Heather fragte wehmütig, wann sie nach Hause komme. Tim fragte, ob sie ihre Waffe dabeihabe und ob sie auch geladen sei, und er sagte, sie solle gut auf sich aufpassen.

Sonora steckte das Handy zurück in die Handtasche, neben die Pistole und ging dann in das Restaurant. Keaton stand schon an der Theke in der Nähe der Kasse und studierte das Angebot an Speisen. Schließlich bestellte er sich Fritten, einen gegrillten Fleischspieß und ein Sprite.

»Zum Hieressen«, sagte Sonora zu dem Mädchen hinter der Theke. »Würstchen mit Chili, Zwiebelringe und eine Cola.« … »Ja, ich möchte Chili zum Würstchen. Gehört ja wohl dazu, wenn das Gericht ›Würstchen mit Chili‹ heißt, oder?«

Keaton sah sie an. »Seien Sie nicht so barsch, Detective, wir sind hier auf dem Land.«

Das Essen wurde auf rote Plastiktabletts gestellt. Es war später Nachmittag, weit nach dem Ansturm zum Mittagessen, und sie konnten sich einen der noch nicht saubergemachten Tische aussuchen.

»Da drüben.« Keaton nahm einen Stapel Papierservietten und wischte eine festgeklebte Salzschicht von einem Tisch in der Ecke.

Von einem Farn in einem Korb über Sonoras Kopf segelte ein Blatt auf den Stuhl neben ihr.

Keaton Daniels steckte eine Fritte in einen weißen Papierbecher mit Ketchup. »Hübscher Ort, um seine Mutter unterzubringen, nicht wahr?«

»Warum ist sie dort?«

»Ihre eigene Wahl. Kaylene ist anscheinend die Cousine einer Cousine, die um zweihundert Ecken mit uns verwandt ist. Und meine Mutter … meine Mutter ist verrückt …«

»Ich nehme an, man hat Sie bei der Auswahl des Heims nicht eingeschaltet?«

»Meine Mutter traf ihre Entscheidung vor dem Hintergrund, daß sie niemandem zur Last fallen wollte. Sie bezahlt alles selbst – bis auf die Tatsache, daß Kaylene mich jeden Monat oder so hinter Moms Rücken anruft und Geld für das fordert, was sie ›Mamas Extras‹ nennt.«

»Und Sie schicken dann das Geld?«

Keaton sah sie schweigend an.

»Ich bin ein Cop und von Berufs wegen neugierig.«

»Manchmal.« Er schob einen großen Bissen von seinem Fleischspieß in den Mund. »Meine Mutter war keinesfalls immer so. Die Frau, die mir einst das Fernsehen streng beschnitten hat, hat jetzt Schmerzen in den Handgelenken vom Gameboy-Spielen.«

Sonora schaute auf ihr Chiliwürstchen und fragte sich, mit einem Zwiebelring spielend, wie ihr Magengeschwür damit zurechtkommen würde.

»Wie war Ihre Mutter denn früher, als Sie ein Kind waren?«

Keaton spießte drei Fritten auf und schob sie als Bündel in den Mund, ohne Ketchup. »Sie war Lehrerin. In unserer Gegend waren damals die meisten Mütter Hausfrauen. Das ist heute anders.«

»Welche Klassen hat sie unterrichtet?«

»Meistens Grundschulklassen. Eine Zeitlang war sie auch an einer Middle-School tätig, war dort sogar Schulleiterin.«

»Das überrascht mich nicht.«

»Ja, sie war eine gute Lehrerin, konnte gut mit Kindern umgehen, ließ sich aber nichts gefallen. Nach der Schule holte sie mich jeden Tag bei meiner Großmutter ab – oder wo auch immer sie mich untergebracht hatte –, und zu Hause sprühte sie vor Energie, war noch von den Geschehnissen des Tages beflügelt. Sie hatte Mark und mir immer lustige Geschichten zu erzählen. Ja, sie kam uns einfach interessanter vor als andere Moms. Ich arbeite jetzt auch mit älteren Lehrerinnen zusammen, und sie erinnern mich immer daran, wie meine Mutter damals war. Die Zeit der idealen Mutter. Ich vermisse sie. Es ist fast, als ob sie …«

Sonora hatte das Gefühl, er wolle »gestorben« sagen. Er steckte drei weitere Fritten in den Mund, lehnte sich zurück und kaute.

»Nun ja … Sind Sie verheiratet?«

Sonora lächelte. »Nein, nicht mehr. Mein Mann ist gestorben.«

Keaton legte den Kopf schief. »Sie sind die erste Frau, die mir begegnet ist, welche lächelt, während sie mir erzählt, ihr Mann sei gestorben.«

»Cop-Humor.«

»Wie auch immer, es fällt einem leicht, mit Ihnen zu reden. Liegt das daran, daß Sie eine Frau sind? Glauben Sie, es ist einfacher, mit einem weiblichen Cop zu reden?«

Sonora zuckte mit den Schultern und wagte einen Biß in ihr Chiliwürstchen.

»Ich bin kein Sexist. Von meinem Beruf her weiß ich, daß Frauen und Männer unterschiedlich sind, unterschiedliche Stärken haben. Ist es für einen Cop besser, männlichen Geschlechts zu sein, werden Männer eher respektiert?«

Sonora dachte über diese Frage nach, dann sagte sie: »Als ich noch im Streifendienst war und auf Notrufe zu reagieren hatte, zum Beispiel wegen verdächtiger Herumtreiber, kam es hin und wieder vor, daß die Leute mich fragten, warum man denn eine so kleine, schmächtige Frau wie mich bei solchen Fällen einsetzte.«

»Ist es schwierig, die einzige Frau in einer bisher Männern vorbehaltenen Domäne zu sein?«

»Ich bin nicht die einzige. Und bei der Arbeit werde ich anerkannt, gehöre sozusagen ›zu den Jungs‹. Nach Feierabend nicht mehr, da werde ich oft ausgegrenzt, aber ich sehe die Kerle ja den ganzen Tag. Ich habe zwei Kinder, es bricht mir nicht das Herz. Und schon gar nicht mag ich es, wenn die Leute denken, ich sei befördert worden, nur weil ich eine Frau bin, eine ›Quotenfrau‹ etwa.«

»Ich verstehe sehr gut, was Sie meinen.«

»So? Woher kommt das?«

»Nun, ich werde eingestellt, *weil* ich ein Mann bin. Ich werde in diverse Komitees abgeordnet, *weil* ich ein Mann bin. Sehen Sie, wenn ich vorankomme, liegt es daran, daß Männer stets bevorzugt behandelt werden. Alle Welt geht wie selbstverständlich davon aus, ich hätte diese Vorteile, weil ich ein Mann und ein Weißer bin.«

»Meinen Sie das ebenfalls?«

»Vielleicht bin ich ja auch nur ein verdammt guter Lehrer.«

»Wie viele Männer gibt es als Lehrer an Grundschulen?«

»An meiner früheren Schule war ich der einzige Mann.«

»Der *einzige* Mann?«

»Ja. Schulleiter, Verwaltungschef – alles Frauen.«

»Ist diese Konstellation gut oder schlecht?« Sonora fing an, sich jetzt ernsthaft mit ihrem Chiliwürstchen zu beschäftigen.

»Beides zugleich. Mir gefiel es, anders als die anderen, die Ausnahme von der Regel zu sein.«

»Und was war schlecht?«

»Sie wissen wahrscheinlich, daß Frauen bei gemeinsamer Arbeit ihre Periode synchronisieren, oder? Wie würde es Ihnen

gefallen, in einem Gebäude mit fünfundvierzig Frauen zusammenzuarbeiten, die alle gleichzeitig ihre Periode haben?«
Sonora verschluckte sich und mußte husten. Keaton beugte sich vor und klopfte ihr auf den Rücken.

Sie aßen jetzt Eis. Sonora war inzwischen so weit, daß der erste Schub Essen lange genug in ihrem Magen war, um den Schmerz des Geschwürs verfliegen zu lassen. Sie fühlte sich gut. Keine Magenschmerzen und heißes Fondant-Eis.
Sie sah Keaton an und schüttelte den Kopf. »Da ist meine Situation aber *wirklich* schwieriger. Die kleinen Dinge, verstehen Sie? In einem meiner Fälle mußten Frauen drei Stockwerke zur Toilette hinaufsteigen. Mit so was müssen Männer sich nicht rumschlagen.«
Er kratzte die Reste seines Limoneneises zusammen. »An meiner alten Schule *gab* es gar keine Männertoilette.«
»Hat man für Sie einen Baum gepflanzt?«
»Nein, man hat die Toilette einfach für geschlechtslos erklärt.«
»Und?«
»Und? Ich geh da rein, und es begrüßt mich ein Tampon-Automat an der Wand. Drei Frauen ziehen gerade ihre Strumpfhosen hoch oder kämmen sich. Meinen Sie, ich sei in so einer Situation willkommen gewesen? Wie soll ich mich da mit meinem Magazin gemütlich aufs Klo zurückziehen können?«

Sonora aß jetzt Fritten, Keaton arbeitete sich durch eine Portion Zwiebelringe in Schlagrahmsoße. Er verzichtete auf den dicken, festen Soßenbrei und aß die Ringe getrennt davon.
»Jedesmal, wenn ein Klavier verschoben werden muß – Mr.

Keaton macht das schon. Wenn eine der Lehrerinnen Hilfe beim Transport irgendwelcher Schachteln braucht – Mr. Keaton macht das schon. Ich bin der Schultrottel.«

Sonora steckte einen Strohhalm in ihren Milchshake. »Männer übertreiben meistens ihre Beschützerrolle. Sam ist seit mehr als fünf Jahren mein Partner, aber selbst jetzt noch will er manchmal in gefährlichen Situationen, daß ich im Auto bleibe.«

Keaton zog die schmückende Schokoladenwaffel von seiner Eisportion. »Hören Sie sich das an: Meinen ersten Job als Lehrer habe ich bald wieder verloren, weil ich nicht bereit war, die Basketballmannschaft der Schule zu trainieren. Von einer Frau hätte man das erst gar nicht verlangt, da können Sie sicher sein.«

Sonora nickte. »Wenn ich befördert werde, macht man sofort Witzchen über mein Liebesleben. Und Männer, die nicht halb soviel Grips haben wie ich, ehrlich, nicht halb soviel, kriegen die tollen Posten.«

»Wie sind Sie zur Mordkommission gekommen?«

»Dafür gibt es viele Gründe. Einer davon ist, daß ich in der Lage bin, gut formulierte Berichte zu schreiben. Die Entscheidung fiel jedoch, als ich auf einen Mistkerl namens McCready stieß.«

»Warum? War er Ihr Vorgesetzter?«

»Nein. Wollen Sie die Geschichte wirklich hören?«

»Ja, gerne.«

»Okay. Also, dann geh ich mal in die Zeit zurück. Ich bin noch bei der uniformierten Schutzpolizei, fahre Streife und kriege einen Anruf. Eine Frau kommt vom Einkaufen zurück, und jemand ist in ihr Haus eingebrochen. Ich bin als erster Cop dort. Ich schaue mir die Sache an. Und diese Frau ist schrecklich aufgeregt, verstehen Sie, unterdrückt aber ein Weinen, denn sie hat ihren kleinen Jungen, er ist vielleicht zwei, auf dem Arm. Und im Haus herrscht ein völliges Durcheinander. Wer auch immer hier eingedrungen ist, er hat alles durchwühlt, das ganze Haus auf den Kopf gestellt, selbst die Unterwäsche der Frau aus den Schubladen gerissen. Und die ganze Zeit, während ich mir das ansehe, habe ich das seltsame Gefühl, daß irgendwas nicht stimmt. Nur so ein Gefühl, eine Intuition, verstehen Sie?«

Keaton nickte und beugte sich vor.

Sonora starrte auf den Senfklecks auf ihrem Teller, sah im Geist jedoch das Haus wieder vor sich, die Frau, bleich wie ein Leintuch, die sich auf die Lippe biß und ihren verschlafenen, zusammengesackten kleinen Jungen im Arm hielt. Sie war gerade vom Supermarkt zurückgekommen, der Kofferraumdeckel ihres Wagens war offen, der Kofferraum noch voller Tüten, als Sonora allein in ihrem Streifenwagen vorgefahren kam. Die Zeit für den Mittagsschlaf des Jungen war überschritten, und Sonora sah wieder vor sich, wie er sich die Augen rieb und sein erhitztes rosa Gesicht an die Schulter seiner Mutter drückte. Diese war noch jung, das blonde Haar zum Pferdeschwanz zusammengefaßt, Nase und Wangen sonnenverbrannt.

Es war Sonora sofort aufgefallen, daß der Täter nichts hatte mitgehen lassen. Der Fernseher war noch da, auch das Radio, selbst ein Häufchen Kleingeld auf der Anrichte in der Küche. Sie war exakt nach Vorschrift vorgegangen, hatte der Frau gesagt, sie solle draußen bleiben, hatte über Funk Unterstützung angefordert und Zimmer für Zimmer das Haus durchsucht. Auch den tolerant-milden Blick des stämmigen schwarzen Streifenpolizisten hatte sie über sich ergehen lassen, der kurz nach ihrer Anforderung eingetroffen war.

Während sie sich Notizen für den Einsatzbericht machte, stieg die Erinnerung in ihr auf, daß ihre beste Freundin an der Grundschule in einem Haus gewohnt hatte, das diesem sehr ähnlich war – und daß es dort eine geheimnisvolle, wenig benutzte Klapptür zum Dachboden in einem Wandschrank in einem der Schlafzimmer gegeben hatte.

Sie hatte das überprüft. Tatsächlich, da war die Klapptür, aber keine schmierigen Fingerabdrücke auf der Oberfläche, und sie war korrekt eingerastet. Ein umgekippter Kinderhocker lag vor dem Wandschrank.

Sonora stellte sich auf den Hocker, konnte die Klappe aber kaum erreichen. Sie bat den Cop – sein Name war Reilly –, ihr einen höheren Stuhl zu bringen. Er war gutmütig, wenn auch recht skeptisch, bot ihr an, statt ihrer hochzusteigen, holte nach ihrer Ablehnung dann aber einen Stuhl aus dem Schlafzimmer. Das amüsierte Glitzern in seinen Augen verriet ihr, daß er sich schon darauf freute, morgen überall mit einer hübschen Story aufwarten zu können.

Sonora zog den Riegel der Klapptür zurück und ließ sie nach unten sinken; Schweiß durchnäßte den Rücken ihrer Uniform, obwohl es kühl im Haus war, da die Klimaanlage auf vollen Touren lief. Der Dachboden war dunkel, nur dünne Lichtstreifen drangen durch ein Ventilationsgitter unter dem Sims.

Auf dem Dachboden hatte sich modrig stinkende Wärme angestaut. Die Luft war stickig, und vor Anspannung lief Sonoras Gesicht rot an. Sie zögerte. Wenn jemand da oben war, würde es gefährlich für sie werden, sobald sie den Kopf durch die Türöffnung streckte. Aber Reilly schien ungeduldig zu werden. Er würde darauf bestehen, die Sache selbst in die Hand zu nehmen, und er würde sie in die Küche schicken, um den Einsatzbericht zu schreiben.

Schweiß lief ihr die Schläfen hinunter, als sie den Kopf durch die Öffnung streckte; ihre Augen brauchten einen Moment, sich der Dunkelheit anzupassen. Sie zog den Revolver aus dem Holster, entsicherte ihn und hielt ihn schußbereit.

Da oben war kein Fußboden, nur ein Skelett aus hölzernen Stützbalken und dicke Polster aus rosa Fiberglas-Isoliermatten. Da entdeckte sie etwas Großes in einer Ecke, flach seitlich ausgestreckt.

Sonora zog mit der linken Hand ihre Taschenlampe aus dem Gürtel und knipste sie an.

Der Lichtstrahl fiel auf einen Mann, der mit einen Revolver auf ihren Kopf zielte. Sie drückten beide gleichzeitig ab. Sein Schuß ging daneben. Das Geschoß aus Sonoras Waffe zerfetzte seine Halsschlagader; er war tot, noch bevor der Krankenwagen eintraf. Sein Blut durchtränkte die Decke im Flur vor den Schlafzimmern.

Es war das erstemal, daß sie bei einem Einsatz einen gezielten Schuß auf einen Menschen abgegeben hatte. Bei dem Toten handelte es sich um einen gewissen Aaron McCready, zur Bewährung auf freiem Fuß, ein HWT mit einem langen Vorstrafenregister wegen Vergewaltigung, Drogenhandel und Erregung öffentlichen Ärgernisses.

Damals war Sonora klargewesen, daß sie Glück gehabt hatte. Psychologisch hatte sie alles gut verkraftet. Und dann, zwei Wochen später, hatte Zack den Unfall gehabt und war gestorben.

»Was heißt das?« fragte Keaton.

Sonora schaute auf.

»Was heißt HWT?«

»Hartnäckiger Wiederholungstäter. Polizeijargon.«

Er lehnte sich zurück. »Was wäre passiert, wenn Sie ihn nicht aufgestöbert hätten? Stellen Sie sich vor, Sie hätten diesen

Kerl mit der Frau und dem Jungen im Haus zurückgelassen.«
Sie schüttelte den Kopf. »Ich denke nicht darüber nach. Ich
habe deswegen Alpträume, aber ich denke nicht darüber
nach.«

»Es ist schwer zu erklären. Die Männer stecken die Köpfe
zusammen wie eine Football-Mannschaft vor dem nächsten
Versuch und brechen in dieses ganz spezielle Lachen aus.
Dann plötzlich sehen sie mich erstaunt an, als ob sie vergessen
hätten, daß ich auch anwesend bin.«
Keaton schob einen Löffel Chili in den Mund. »Oh, ich kenne
diese plötzlich abgebrochenen Gespräche. Nur daß das bei
mir im Lehrerzimmer passiert. Normalerweise geht es dabei
um Männer. Oder Geburten. Die Qualen der Wehen. Über
was anderes können sie sich kaum unterhalten. Mein Gott,
frage ich mich, wie schlimm kann das denn eigentlich sein?«
»Sie sollten es lieber nicht wissen wollen.«
»Wieso nehmen Sie das an?«
»Was?«
»Daß ich es nicht sollte wissen wollen. Die Kolleginnen sehen
mich und stürzen sich eiligst in eine große Diskussion über
Basketball. Als ob ich, weil ich ein Mann bin, über nichts
anderes reden könnte als über Sport.«

»Lassen Sie mich es einfach mal so ausdrücken – meine Kollegen laden mich nicht zu ihren Pokerspielen ein.«
»Seien Sie froh. Ich wiederum bin der einzige Mann in Amerika, der zu diesen sonst ausschließlich Frauen vorbehaltenen
Baby-Geschenkeüberreichungs-Partys eingeladen wird. Und
sie finden die Geschenke, die ich mitbringe, stets komisch,
egal, was ich auch gekauft habe.«

»*Partys?* Wissen Sie, wie viele Männer meine Handschellen sehen wollen, weil sie mir die Polizistin nicht abnehmen?«

»Nun ja, man stilisiert Sie zumindest nicht zu so was wie einer männlichen Madonna hoch. Wenn ich bei einer Party einer Frau erzähle, daß ich Erstkläßler unterrichte, kriegt sie ganz runde Augen. Als ob ich die Mutter Teresa der Grundschule wäre. So was wirkt natürlich lähmend auf jede intelligente Unterhaltung.«

Sonora nahm ein Hähnchenbein, legte es dann aber in die Pappschachtel zurück.

Keaton Daniels schob ein Stück Schweinefleisch in den Mund und kaute halbherzig darauf herum. Die automatischen Schiebetüren des Dairy Queen gingen auf und schlossen sich wieder, Leute kamen herein, und vor der Theke bildete sich eine Schlange. Sonora schaute über die Schulter zu den Leuten hinüber. Keaton sah auf die Uhr.

Sonora dachte mit einer gewissen Dringlichkeit an die Damentoilette. Und wie es wäre, wenn sie dort reinkäme und auf drei Männer stoßen würde, die gerade ihre Hosentüren zumachten. Und an der Wand würden Automaten für Suspensorien hängen.

»Was amüsiert Sie so?« fragte er.

»Nichts. Ich glaube, dieses nährwertlose Zeug bekommt mir nicht.«

Keaton stapelte den Abfall auf ein Tablett. »Wissen Sie, zu Hause esse ich fast nur Salate. Und Früchte und Hüttenkäse.«

»Das klingt nach Verweigerung.«

Die Temperatur war gefallen. Am grauen Himmel ging gerade die Sonne unter. Sie schlenderten schweigend zu ihren Wagen und blieben bei Keatons blauem LeBaron stehen.

Er legte die Hand auf den Türgriff. »Übermorgen ist die

Beerdigung meines Bruders. Ich muß mir wohl einen Anzug kaufen.«

»Sie haben keinen?«

»Nur den Khakianzug. Lehrerkleidung. Für die meisten Kinder, die ich unterrichte, bedeuten Anzüge Scheidungsanwälte. Sie kriegen dann große Augen und werden sehr still.« Er legte den Kopf schief. »Werden Sie zur Beerdigung kommen?«

»Ja. Aber unauffällig.« Sonora hörte die Motorengeräusche von der Interstate und das Rascheln der dürren Blätter, die der Wind über den bröckligen Asphalt fegte.

Keaton stieg in seinen Wagen, schloß die Tür und kurbelte das Fenster herunter. »Schade, daß wir nicht in einem Wagen hier sind. Wir könnten dann zusammen nach Hause fahren.«

Sie hob die Hand und ging zu ihrem Auto. Dabei lächelte sie vor sich hin, war aber auch irgendwie beunruhigt. Sie hatte genau denselben Gedanken gehabt wie er.

19 Sonora nahm den Aufzug zum fünften Stock, in dem die Mordkommission untergebracht war und ihren Angehörigen einen Ausblick auf das Zentrum von Cincinnati bot. Sie lehnte sich gegen die Wand und versuchte nicht an das Völlegefühl in ihrem Magen zu denken, das das Essen im Dairy Queen verursacht hatte.

Jetzt, nach Dienstschluß, war das Empfangspult im Vorraum nicht mehr besetzt, aber eine außergewöhnlich große Zahl von Detectives machte Überstunden – die meisten von ihnen an Sonoras Fall. Als sie den Flur hinunterging, hörte sie jemanden schluchzen.

Sam brachte eine ältere Frau zum Ausgang. Sie war groß und knochig, hatte das Haar in altmodische Wellen gelegt und tupfte mit einem spitzenumrandeten Taschentuch Tränen von ihren Augen.

»Hi, Mrs. Graham.«

»Oh, Detective Blair, wie geht es Ihnen, meine Liebe?«

»Man lebt so. Und wie geht es Ihnen?«

»Wieder besser, nachdem ich mir alles von der Seele reden konnte.« Sie tätschelte Sams Wange. »Sind Sie sicher, daß Sie mich nicht festnehmen müssen?«

»Nein, Ma'am, Mrs. Graham. Ich brauche Sie noch, aber ich weiß ja, wo ich Sie finden kann.« Er zog eine Geldnote aus seiner Brieftasche. »Nehmen Sie das, und warten Sie in der Dunkelheit draußen bitte nicht an einer Bushaltestelle. Kaufen Sie sich was zu essen und steigen Sie in ein Taxi, okay?«

Die Frau streichelte seinen Arm und faltete den Geldschein sorgfältig zusammen. »Meinen Sie, ich müßte das Geld für die Rechtsanwaltskosten aufsparen?«

»Nein, Ma'am, die bezahlt der Staat für Sie.«

Sonora lächelte freundlich und sah Mrs. Graham nach, bis sie im Aufzug verschwand. »Was hat sie diesmal gestanden?«

»Den Mord an Daniels. Schon die dritte heute. Wir haben anscheinend Vollmond.«

Sonora ging zu ihrem Schreibtisch und sah, daß eine Zwei am Anrufbeantworter blinkte. Zwei Nachrichten. Sie drückte den Wiedergabeknopf. Der Lautsprecher war eingeschaltet, und Heathers süßes Stimmchen klang durch den Raum.

»Mama, stell dir vor, ich hab heut gelernt, das Alphabet aufzusagen.«

Mehrere Detectives schauten von ihrer Arbeit auf.

»Sam, hilf mir mal, ich habe vergessen, wie man das abschaltet.«

»Kommt nicht in Frage, ich will das auch hören.«

Beim Z brandete Applaus auf. Sonora verzog das Gesicht und wartete auf die zweite Nachricht. Ein Detective vom Police Department in Atlanta. Sie ließ sich auf ihren Stuhl sinken und wählte die Nummer, die er hinterlassen hatte.

»Detective Bonheur.«

»Police Specialist Sonora Blair, Cincinnati. Sie haben bei mir angerufen?«

»Ja. Wegen des Fahndungsersuchens, das Sie zu diesem Brandstiftungsmord rausgegeben haben. Haben Sie zur Überprüfung gleicher Tatumstände das FBI schon eingeschaltet?«

»Noch nicht.«

»Das Opfer war männlich, weiß, zweiundzwanzig Jahre alt, mit Handschellen ans Lenkrad seines Wagens gefesselt und dann in Brand gesteckt worden, richtig?«

Sonora horchte auf. »Ja. Hatten Sie mal einen ähnlichen Fall?«

»Ganz schön ähnlich, wie Sie gleich hören werden.« Er machte ein grunzendes Geräusch, und Sonora sah vor sich, wie er sich auf seinem Stuhl zurücklehnte. Sie fragte sich, ob in Atlanta die Sonne schien. Man sollte weiter nach Süden ziehen, dachte sie. In Cincinnati war der Himmel meistens bedeckt, meistens grau.

»Ich hatte vor sieben Jahren, fast auf den Tag genau, einen Fall mit ganz ähnlichen Tatumständen. Hat mich jedenfalls stutzig gemacht. Mein Killer hat allerdings keine Handschellen eingesetzt.«

»War es eine Frau?«

»Ja. Das Opfer hat überlebt.«

Sonora rutschte auf die Kante ihres Stuhls. »Erzählen Sie mir die Einzelheiten.«

»Der Mann hieß James Selby, Weißer, war zur Tatzeit sechs- oder siebenundzwanzig und auf ein paar Drinks in einer Bar, kein übler Ort, Yuppie-Treffpunkt. Als er nach Hause fahren wollte, sprach ihn auf dem Parkplatz eine Frau an. Sie sagte, sie habe Probleme mit ihrem Wagen. Selby erklärte mir damals, sie sei ihm bekannt vorgekommen. Ich nehme an, sie war vorher auch in der Bar, und er hatte ihr vielleicht mal zugenickt oder so. Sie wissen ja, wie das bei denen ist.«

Sonora fragte sich, wen er mit »denen« meinte. Yuppies wahrscheinlich.

»Er bot an, sich ihren Wagen mal anzusehen. Sie sagte, sie habe schon einige Zeit Probleme mit dem Getriebe, sei Mitglied beim Automobilclub AAMCO und werde dort anrufen und bitten, daß man sich am nächsten Tag um den Wagen kümmere.«

»Ganz schön clever«, warf Sonora ein. »Niemand holt in so

einer Situation gern einen Werkzeugkasten raus und repariert ein Getriebe.«

»Richtig. Er bietet ihr also an, sie nach Hause zu fahren.«

»Seine Mama hat ihm nicht eingebleut, er soll niemals Fremde im Wagen mitnehmen?«

»Er sagte, es sei eher andersrum gewesen. Daß sie sehr scheu war und Angst zu haben schien, bei ihm mitzufahren, aber zugleich auch Angst hatte, allein auf dem Parkplatz zurückzubleiben. Er hat ihr sogar Geld für ein Taxi geben wollen.«

»Netter junger Mann.«

»Zu nett. Sie hat das abgelehnt und ihn dann doch gebeten, sie nach Hause zu fahren. Sie zeigte ihm den Weg, und sie kamen schließlich in eine abgelegene Neubausiedlung. Erst wenige Häuser waren fertig, die meisten noch im Rohbau – noch viele unbebaute Grundstücke, Bauschutt und kaputte Bürgersteige.«

»Das macht man also in Atlanta auch?«

»Was macht man in Atlanta auch?«

»Erst die Bürgersteige bauen und sie dann wieder kaputtfahren, wenn man die Häuser dahinter baut?«

»Hm …«

»Dieses Opfer, James Selby … Wie beschreibt er die Täterin?«

»Klein, langes blondes Haar, braune Augen, meint er, vielleicht auch grüne.«

»Das könnte mein Mädchen sein. Glauben Sie, er wäre bereit, sich mal ein Phantombild von ihr anzusehen?«

»Wenn er könnte, würde er es wahrscheinlich tun, aber er ist dazu nicht in der Lage.«

»Ich denke, er hat überlebt?«

»Er ist durch das Feuer blind geworden, hat stark beschädigte

Stimmbänder und entstellende Gesichtsnarben sowie schwere Nervenschäden an den Händen. Er kam drei Jahre lang kaum mal aus dem Krankenhaus.«

»Haben Sie Fotos von dem jungen Mann aus der Zeit vor der Tat gesehen?«

»Hat nett ausgeschaut, soweit ich mich erinnere. Groß, kräftig gebaut.«

»Dunkles Haar, braune Augen?«

Bonheur schien überrascht zu sein. »Klingt zutreffend.«

»Hat er was davon gesagt, daß sie Fotos von ihm gemacht hat, nachdem sie ihn gefesselt hatte? Daß sie eine Polaroidkamera benutzt hat, vielleicht eine von diesen Instamatics?« Sonora hörte das Rascheln von Papier.

»Nein, soweit ich mich erinnere, und ich denke doch, daß ich so ein Detail im Gedächtnis behalten hätte. Allerdings wissen Sie ja auch, wie das ist, wenn jemand so schwer verletzt wurde. Er hatte Gedächtnislücken. Er konnte sich nicht entsinnen, wie er aus dem Wagen gekommen ist, und auch nicht an das Teenager-Pärchen, das sich um ihn gekümmert hat, bis der Krankenwagen eintraf. Er hat eine ganze Menge Erinnerungen unterdrückt, man kriegt da nichts raus.«

»War das dann alles? Ich meine, hat sie ihn danach in Ruhe gelassen, ihn nicht mehr belästigt oder versucht, mit seiner Familie in Verbindung zu treten?«

»Nicht daß ich wüßte.«

»Okay. Wenn ich meinem Sergeant die Erlaubnis abringen kann, würde ich gerne zu Ihnen kommen und mich eingehender mit Ihnen darüber unterhalten. Ich würde Ihnen die Akte über meinen Fall zeigen, wenn Sie mir Einblick in die Akte über Ihren Fall von damals geben würden.«

»Ich hätte nichts dagegen.«

»Ob ich auch mal mit dem Opfer sprechen kann?«

»Ich werde Selby anrufen und fragen.«

Sonora machte eine Pause. »Wie hat er es fertiggebracht, aus dem Wagen zu kommen?« fragte sie dann.

»Er hat es geschafft, den Strick aufzuknoten. Sie hat keine Handschellen benutzt, wie ich schon sagte, aber ich gehe davon aus, daß sie inzwischen ihre Technik perfektioniert hat. Wenn es dieselbe Täterin ist. Sie sollten außerdem noch mit Detective Dolores Reese in Charleston, West Virginia, sprechen. Sie hatte auch so einen ähnlich gelagerten Fall, Mord durch Brandstiftung, junger Weißer als Opfer. Vor ungefähr drei Jahren.«

Sonora notierte sich »D. Reese« und »Charleston« auf ihrem Notizblock. Sam rief ihren Namen, im Hintergrund hörte sie die Schritte von Leuten, die auf den Besprechungsraum zueilten.

»Jedenfalls«, sagte Bonheur, »mein Mädchen verwendete einen Strick. Sie hat ihn durchs Lenkrad geschlungen. Ich nehme an, ihr junger Mann in Handschellen hatte wohl kaum eine Chance.«

Sonora dachte an Mark Daniels unter dem grellen Licht der Notaufnahme. »Nein. Nicht die geringste Chance.«

Die Luft war stickig, es roch intensiv nach abgestandenem Kaffee und müden Cops. Sonora versuchte, nicht auf die gepuderten weißen Doughnuts in einer von Fettflecken durchtränkten Schachtel zu schauen. Sam ließ eine Akte auf den Tisch fallen und blickte Sonora prüfend an.

»Sieht aus, als ob du krank wärst, Mädchen.«

»Dairy Queen, und frag nicht nach Einzelheiten, schaff lieber diese Doughnuts aus meinem Blickfeld.«

Sam stellte die Doughnuts zur Seite, setzte sich und wippte mit seinem Stuhl vor und zurück. Er zeigte auf einen kleinen, stämmigen Mann, der Kaffee trank, als stellte das Getränk eine Herausforderung für ihn dar.

»Der Typ von der Brandstiftung«, sagte Sam laut.

»Meine Freunde nennen mich Mickey, meine Kinder nennen mich Dad, meine Frau sagt Spinner zu mir.« Er nahm irgend etwas von seiner Zunge und studierte es im Licht. »Hier habe ich weder einen Namen noch eine Nummer. Hier bin ich ›der Typ von der Brandstiftung‹.«

»Man lege diesem Mann ein Superman-Cape um die Schultern.«

Die Tür ging auf, Crick kam herein und setzte sich wuchtig auf einen Stuhl. »Was haben Sie rausgefunden, Mickey?«

Es wurde still im Raum. Mickey klopfte mit seinem dicken Zeigefinger auf den Tisch, und Doughnuts-Krümel hüpften rum. »Keine Brieftasche, keine Schlüssel bis auf den, den wir auf dem Wagenboden gefunden haben, auf der Fahrerseite.«

»Wagenschlüssel?« fragte Sonora.

»Nein, zu klein.« Mickey zeigte mit Daumen und Zeigefinger die Größe. »Könnte zum Schloß einer Aktentasche passen, zum Sicherheitsschloß eines Aufzugs, zu Handschellen. Wir prüfen das noch.«

Sam kratzte sich am Kinn. »Aus welchem Grund sollte der Schlüssel zu den Handschellen auf der Fahrerseite liegen, wo Daniels saß?«

»Vielleicht hat Flash ihn fallenlassen«, meinte Gruber. »Oder Daniels konnte ihn ihr aus der Hand reißen.«

»Keine Überreste von einem Wagen- oder Hausschlüssel?« wollte Sonora wissen.

»Das haben Sie mich schon mal gefragt. Nein.«

Crick schaute grimmig drein. »Sie hat also die Schlüssel und die Brieftasche an sich genommen und auch die Kleider und die Schuhe.«

»Trophäen«, erklärte Sam. »He, Sonora, hast du dem Bruder gesagt, er soll die Schlösser an den Haustüren auswechseln?«

»Mehr als einmal.«

Das Lachen einer Frau drang aus dem Flur herein, und Molliter machte die Tür zu. Sonora schaute auf die Uhr. Ein Cop, der so spät am Abend glücklich klang, konnte nur ein Cop auf dem Nachhauseweg sein. Sie spielte mit ihrem Kaffeebecher, verschmierte mit dem Finger die Lippenstiftspuren am Rand. Das rote Geschmiere gefiel ihr – das Markenzeichen einer Frau in einem Raum voller Männer. Außerdem hielt das die Leute davon ab, sich ihren Becher auszuleihen.

Crick runzelte die Stirn. »Sanders war heute bei einer Gerichtsverhandlung, und man hat wieder mal die Zeit überschritten, aber sie hat von der Telefongesellschaft die Unterlagen über die Gespräche von dieser Bar namens Cujo's gekriegt. Es geht daraus hervor, daß jemand in der Mordnacht bei Keaton Daniels in seinem Haus in Mount Adams angerufen hat.«

»Uhrzeit?« fragte Sonora.

Crick streckte sich. »Ungefähr einundzwanzig Uhr dreißig.«

»Dann war sie es.« Sonora lehnte sich zurück, schloß die Augen und sah Mark Daniels auf dem Seziertisch vor sich. Sie dachte an Keaton und daran, daß sie den Recorder bei ihrem Gespräch im Dairy Queen nicht eingeschaltet hatte. Sie machte die Augen wieder auf, beugte sich vor und schaute Crick an. »Im Zusammenhang mit dem Bruder gibt es ein Problem. Haben Sie das Foto gesehen, das Flash ihm geschickt hat?«

Crick blickte von seinen Papieren auf. »Es ist noch im Labor, aber ja, ich habe es mir angesehen.«

»Flash hat darüber hinaus einen Besuch bei seiner Mutter gemacht.«

»Bei Mark Daniels' Mutter?«

»Ja, und sie hat sie über *Keaton* ausgefragt. Es besteht für mich kein Zweifel, Sergeant, sie ist hinter ihm her. Sie hat ihn angerufen, ihm das Foto geschickt, Mark in der Bar aufgegriffen, in die Keaton oft ging, und tötet Mark in Keatons Wagen.«

»Wieder mal deine weibliche Intuition, wie?« fragte Molliter.

»Mein Gott, Molliter, ruf dir doch mal die Verhaltensweisen der Mörderin ins Gedächtnis.«

»He, spring mir nicht gleich an die Gurgel, Sonora. Denk du doch mal nach. Sie hat einen perversen Mord begangen, und sie wird dazu getrieben, es wieder zu tun.«

»Na schön, und du willst nichts anderes machen als auf Holz zu klopfen, damit es nicht wieder passiert.«

»Aber sie wird sich nicht wahllos dazu hinreißen lassen, Molliter, das steht für mich fest«, meinte Sam. Er blätterte in einer Akte und sah dann Sonora an. »Was hat sie zu dir am Telefon gesagt? Sie möchte ›bedeutsam‹ sein oder so was?«

»Es ist nicht nur das«, erwiderte Sonora. »Sie sagte, es sei was Besonderes an Keaton, sie wolle ihn nicht töten.«

»Und du glaubst ihr?« fragte Gruber.

Crick wedelte mit der Hand vor seiner Stirn. »Nun besinnt euch mal alle auf euren gesunden Menschenverstand, Leute. Ihr *glaubt?* Diese Frau ist eine manipulierende Soziopathin, sie wird *alles mögliche* sagen, um das zu kriegen, was sie haben will.«

»Das ist der Kernpunkt«, meinte Gruber. »Was will sie haben?«

»Sie will Keaton Daniels haben«, sagte Sonora.

Gruber deutete mit dem Zeigefinger auf sie. »Sie ruft aber *dich* an.«

Crick lehnte sich zurück und verschränkte die Arme vor der

Brust. »Wir werden sein Haus ein wenig im Auge behalten, lassen unseren Nachtdienst regelmäßige Überprüfungsanrufe bei Daniels machen.«

Sonora merkte, daß sie die Luft angehalten hatte, und atmete aus. Sie kannte die Antwort, fragte aber trotzdem: »Warum richten wir nicht eine regelrechte Überwachung für ihn ein? Nachts jemand vor seinem Haus, tagsüber jemand in seiner Nähe in der Schule oder zumindest auf dem Weg zur und von der Schule?«

Crick lächelte dünn und rieb sich den Nacken. »Sonora …«

»Sie ist hinter ihm her, Sergeant, Sie wissen das. Wenn wir *ihn* überwachen, kriegen wir *sie*.«

»Sonora …«

»Sollen wir noch mal so was riskieren? Daß jemand in Flammen steht? Haben Sie die Fotos von Mark Daniels' Autopsie gesehen?«

»Sonora …«

»Ich schiebe dafür gern Überstunden.« Sie wartete auf seine Antwort.

»Sehr schön – endlich komme ich mal dazu, einen Satz zu Ende zu bringen.« Er zählte an seinen Fingern auf: »Erstens, Sie machen schon genug Überstunden. Wollen Sie den Schlaf ganz streichen? Zweitens, so eine Überwachung kann man zeitlich nicht abschätzen. Flash kann heute zuschlagen oder nächste Woche oder erst in einem Monat. Oder sogar erst im nächsten Jahr. Unser Personal reicht dazu nicht aus, und das ist auch Ihnen klar.«

Sonora nickte. Sie wußte um die Arbeitsbelastung, die knappen Geldmittel, den Zwang zur Sparsamkeit. »Das ist alles auf George Bush zurückzuführen.«

Molliter schaute auf. »Wie bitte?«

Sonora sah Crick an. »Aber Sie sind sich auch dessen bewußt, daß Flash Spielchen mag. Sie möchte ›Fangt mich doch, wenn ihr könnt‹ mit uns spielen. Das ist der Grund für ihre Anrufe bei mir.«

Crick lächelte sie heimtückisch an. »Sehr schön, daß Sie das ansprechen. So telegen ich auch bin« – er tätschelte seine linke Wange –, »ich habe mit Lieutenant Abalone darüber gesprochen, und wir sind uns einig, daß Sie, Sonora – ja, Sie – die Pressekonferenz leiten werden, die übrigens noch heute abend, in ungefähr einer Stunde, stattfinden wird.«

Sonora schluckte. »Sehr lustig, Sir.«

»Ich könnte es nicht ernster meinen. Uns gefällt dieser Von-Frau-zu-Frau-Aspekt. Flash scheint ihn ja offensichtlich auch zu mögen. Sie wird zuschauen, und wir möchten gern, daß sie Sie dabei zu Gesicht bekommt. Vielleicht ruft sie dann wieder bei Ihnen an. Für ein kleines Schwätzchen unter Mädchen.«

Sam grinste. »Über die Dinge, die ihr Mädchen so gern beredet.«

»Mir gefällt das«, sagte Gruber.

Molliter sah Sonora prüfend an. »Sie hat einen Fleck auf der Krawatte.«

»Hören Sie, Sergeant, ich kann nicht erkennen, was das mit der Überwachung von Keaton Daniels zu tun haben könnte, und im übrigen geht es mir im Moment nicht besonders gut, und außerdem bin ich mit Auftritten vor Menschenmengen ein absoluter Versager, und …«

Sam schüttelte den Kopf. »Sie wird übernervös sein und sich übergeben müssen. Sie hat eine irre Angst davor, sich vor Leute hinzustellen und zu reden. Sie hebt noch nicht mal bei Elternabenden in der Schule die Hand.«

Gruber zuckte mit den Schultern. »Wir müssen nur aufpassen, daß sie sich übergibt, ehe die Kameras eingeschaltet werden.«

»Machen Sie einen selbstbewußten Eindruck, Sonora. Sagen Sie, Sie hätten eine heiße Spur, es könne in Kürze mit einer Verhaftung gerechnet werden. Seien Sie herablassend. Machen Sie deutlich, daß Flash nicht halb so clever ist wie Sie«, riet ihr Crick.

»Um das hinzubekommen, muß sie ganz schön schauspielern«, ertönte eine Stimme aus dem Hintergrund.

»Soll sie das Phantombild zeigen?« fragte Sam.

»Wir haben es bereits heute morgen, als wir die Medienkonferenz festgelegt haben, an die Fernsehstationen geschickt.«

Sonora schaute auf ihre Krawatte und sah sich dann Sams an. »Deine ist sauber. Zu schade, daß sie so verdammt häßlich ist.«

Er zog den Knoten seiner Krawatte auf und schob sie ihr dann über den Tisch zu.

»Sonst noch was?« fragte Sonora, an Crick gewandt.

»Sagen Sie nichts von der Sache mit den Handschellen und auch nichts von den Schlüsseln – weder von dem kleinen, den wir gefunden haben, noch von denen, die vermißt werden.«

Er stand auf, streckte sich und schaute sie abwesend von oben bis unten an. »Und kämmen Sie sich vorher.«

20 Sonora sah sich einer Menge von Zeitungsreportern, Kameraleuten sowie Fernseh- und Rundfunkreportern, meist recht attraktiven Frauen und Männern mit Mikrofonen in den Händen, gegenüber. Sie schaute an sich herunter auf Sams Krawatte – wirklich scheußlich.

Mokie Barnes, der Pressesprecher des Police Department von Cincinnati, sah sie besorgt an und lächelte aufmunternd, als sie zurückblickte. Sonora hatte durchaus Verständnis für ihn. Wenn sie im Bereich der Public Relations tätig wäre, würde sie sich auch nicht als gute Besetzung betrachten.

Barnes trat vor die Scheinwerfer und Kameras, gab ein paar einleitende Worte von sich, die Sonora aber wegen ihrer Nervosität und der Konzentration auf das, was sie gleich sagen wollte, nicht aufnahm. Dann bat Barnes sie nach vorn.

Die Scheinwerfer heizten den Raum auf. Die Aufmerksamkeit aller Anwesenden konzentrierte sich auf sie. Sie mochte das nicht.

Ihre Kehle war trocken, sie schluckte, und ihre Knie zitterten. Sie dachte an die Bonzen des Police Departments, die sich am Montag morgen mit kritischen Augen eine Aufzeichnung dieser Pressekonferenz anschauen würden. Sie räusperte sich, dann fiel ihr ein, daß Mokie ihr gesagt hatte, dies keinesfalls zu tun. Minuspunkt Nummer eins. Sie hob das Kinn und fing an zu sprechen: »Irgendwann am späten Dienstag abend verließ Mark Daniels, zweiundzwanzig Jahre alt, eine hiesige Bar mit einer unbekannten Frau. Mr. Daniels wurde später von den Patrol Officers Kyle Minner und Gerald Finch in Mount Airy Forest aus einem brennenden Auto gezogen. Mr. Daniels hatte schwere Brandwunden erlitten, an denen er in den frühen Morgenstunden des Mittwoch im University-Krankenhaus starb. Officer Minner zog sich bei dem Versuch, Mr. Daniels aus dem Wagen zu retten, schwere Verletzungen zu.«

»Hat Daniels noch lange genug gelebt, um seinen Killer zu identifizieren?« Tracy Vandemeere – kooperationsbereit, exakt aufs Stichwort, wie man es vorher mit ihr abgesprochen hatte.

Sonora schaute mit ernstem Blick in die Kamera. »Mr. Daniels war noch in der Lage, uns vor seinem Ableben eine genaue Beschreibung des Täters zu geben. Wir rechnen damit, in Kürze eine Verhaftung vornehmen zu können.«

»War die Frau, mit der er aus der Bar ging, seine Mörderin?«

»Ist Ihnen der Name bekannt?«

»Können Sie sie beschreiben?«

»Handelt es sich tatsächlich um eine *Mörderin?*«

Sonora nickte. »Wir gehen davon aus.«

»Wie hat sie ihn umgebracht?«

Sonora machte ein ernstes Gesicht. »Mr. Daniels wurde gefesselt, mit Benzin übergossen und dann in Brand gesteckt.«

»War er bei Bewußtsein?«

»Ja.«

»Hatte er sexuellen Kontakt mit der Mörderin?«

»Davon gehen wir nicht aus.«

»Handelt es sich bei dieser Frau um eine Prostituierte?«

»Wie lange hat es gedauert, bis der Officer ihn aus dem brennenden Wagen ziehen konnte?«

Sonora gab sich Mühe, so zu wirken, als würde sie nur widerwillig auf die Fragen antworten. »Wir glauben nicht, daß die

Mörderin eine Prostituierte ist, schließen es aber auch nicht völlig aus.«

»Können Sie sie beschreiben?«

»Hatte sie bei dem Verbrechen einen Komplizen?«

»Ist Daniels beraubt worden?«

»Hat Daniels die Mörderin gekannt?«

»Wir gehen davon aus, daß Mr. Daniels die Frau am Dienstag abend in einer Bar kennengelernt hat, wenige Stunden vor seinem Tod.«

Angespannte Gesichter. Heftiges Gekritzel bei den Zeitungsreportern.

»Vorher hat er sie nicht gekannt?«

Sonora schüttelte den Kopf. »Wir sind noch dabei, das zu überprüfen.«

»Kennen Sie den Namen der Mörderin?«

»Zum jetzigen Zeitpunkt können wir diese Information noch nicht an die Öffentlichkeit geben.«

»Stammte Daniels aus Texas?«

»Er kam aus Kentucky, nicht wahr?«

»Mark Daniels war Student an der Universität von Kentucky und arbeitete an seinem Abschluß in Sozialpädagogik.«

»Was wissen Sie über die Mörderin?«

»Die Frau, mit der Daniels zuletzt gesehen wurde, ist klein und zierlich. Sie hat braune Augen und gewelltes blondes Haar. Wir haben ein Phantombild von ihr erstellt.« Sonora wartete auf das verabredete Zeichen des Kameramanns. Er nickte ihr zu, und sie fuhr fort: »Jeder, der diese Frau gesehen oder zweckdienliche Informationen zu diesem Verbrechen hat, wird gebeten, umgehend beim Police Departement, Mordkommission, Specialist Blair oder Delarosa, anzurufen.«

»Detective Blair, meinen Sie nicht, daß das für eine Frau ein ausgesprochen gräßliches Verbrechen ist?«

»Ich meine, daß das für jeden, Mann oder Frau, ein ausgesprochen gräßliches Verbrechen ist, und ich werde alles daransetzen, die Mörderin vor die Schranken eines Gerichts zu bringen.« Gut, dachte Sonora. Ich klinge wie Dragnet. Aber Crick hatte gesagt, sie solle es als ihr eigenes Anliegen darstellen.

»Welche Persönlichkeitsstruktur hat ein Mensch, der ein solches Verbrechen begeht?«

Sonora dachte an die Schlüsselworte – emotionsgesteuert, geistige Funktionsstörung. »Wir haben es offensichtlich mit einer emotionsgesteuerten Persönlichkeit mit extremer Unfähigkeit zu sozialen Kontakten zu tun …«

Im Hintergrund des Raums lachte jemand laut auf. »Das will ich meinen.«

»… mit einem Menschen mit schweren geistigen Funktionsstörungen.« Sonora atmete tief durch. Sie war alles losgeworden, was sie sagen wollte. Sie schaute in die Runde und spürte Erleichterung. Schön, daß ihr zufrieden seid und auf die Tische klopft, aber jetzt verschwindet. Sie nickte den Leuten zu, ohne zu lächeln, dankte für ihre Aufmerksamkeit und ging. Jemand rief ihren Namen. Tracy Vandemeer lächelte maliziös. »Was für eine tolle Krawatte, Sonora.«

21 Mark Daniels' Vater war in Donner, Kentucky, geboren, aufgewachsen und beerdigt. Zumindest im Tod würde Mark in seine Fußstapfen treten.

Sonora saß am Steuer, Sam brütete über der Straßenkarte. Er duftete leicht nach Rasierwasser, und seine frisch rasierten Wangen glänzten rosa. Er hatte sich am Tag zuvor die Haare schneiden lassen und sah jünger aus denn je – und irgendwie fremd in seinem besten Anzug.

Er legte die Karte zusammen, klappte die Sonnenblende nach unten, schaute in den Spiegel und fingerte an seiner Krawatte herum.

»Ich weiß nicht, Sonora. Gelb? Was sagst du dazu?«

»Ich mag sie irgendwie, Sam.«

»Ich hasse alle Krawatten, die ich mir nicht selbst aussuche. Benutzt du einen neuen Lippenstift?«

»Ja.«

»Zu dunkel.«

Sonora schaute in den Rückspiegel.

»He, paß auf!«

Sie sah nach vorn und stieg auf die Bremse.

»O Gott!« stöhnte Sam. »Dein Lippenstift ist wunderschön.«

»Du spielst den sichtbaren Cop«, sagte Sam, als sie langsam neben der Backsteinkirche fuhren. Weiße Säulen verliehen dem Gotteshaus eine gewisse Eleganz und Würde. »Hier, hier, park doch hier!«

»Ich mag dieses verdammte rückwärts Einparken nicht.«

»Jetzt komm aber, Sonora!«

Sie brachte den Wagen parallel zu einem weißen Lincoln Continental zum Stehen, um hinter ihm einzuparken.

Sam rutschte auf seinem Sitz nach vorn. »Molliter und Gruber sind sicher schon da und schauen sich die Leute an. Flash wird der Versuchung, hier aufzukreuzen, wohl kaum widerstehen können.«

»Ich werde in der Nähe von Keaton bleiben. Er wird mir ein Zeichen geben, wenn ihm jemand verdächtig oder auch nur irgendwie seltsam vorkommt. Du behältst die jungen Frauen in den Kirchenbänken im Auge, besonders die, die herzerweichend heulen oder irgendwie blasiert dreinschauen, oder Marks Freundin Sandra wütend anstarren, oder den Blick nicht von Keaton wenden können.«

»Okay, okay.«

»Was ist das für ein Ton, Sam? Du meinst doch nicht etwa, Keaton wäre irgendwie in die Sache verwickelt?«

»Nein, nein. Sein Wagen war viel zu schön. Er hätte es niemals zugelassen, daß er in Brand gesteckt wird.«

Autos fuhren in einem ständigen Strom vor, umkreisten den Parkplatz der Kirche oder suchten auf der Zufahrt nach einem Platz. Sonora schaute über die Schulter, drehte das Lenkrad ganz nach rechts und stieß rückwärts in die Parklücke.

Sam tat so, als wischte er sich Schweiß von der Stirn, und sagte dann: »Wenn man sich den Lack dieses Lincoln ansieht, könnte man tatsächlich meinen, Lincoln persönlich hätte ihn sich gekauft.«

»In diesem Taurus hat man eine schlechte Sicht, Sam.«

»Wir brauchen klitzekleine Autochen für klitzekleine Cops.« Er löste den Sicherheitsgurt und machte sich am Funkgerät zu schaffen. »Ich wette, Molliter ist schon seit mindestens einer halben Stunde hier. Er ist immer überpünktlich.«

»Er leidet an Harnverhaltung.« Sonora lehnte den Kopf gegen die Kopfstütze. Sie hatten keinen Stopp für ein Mittagessen eingelegt, und ihr Magengeschwür meldete sich wieder. Sie schaute Sam an, der die Funkverbindung zu den anderen Detectives überprüfte, klopfte mit der Spitze eines Zeigefingers auf das Lenkrad und erwartete, daß er sich zu dem dunklen Nagellack äußerte.

Ein blauer Chrysler LeBaron, ein Leihwagen, kam die Zufahrt herunter und hielt im Parkverbot. Die Fahrertür wurde aufgestoßen, und Keaton stieg aus. Er trug die unvermeidliche Khakihose, ein blau-weiß gestreiftes Hemd, eine dunkle Krawatte und ein Sportjackett. Und diesmal Reeboks, die wie neu aussahen.

Sonora lachte leise vor sich hin. »Er hat sich also keinen Anzug gekauft. Gut gemacht, Keaton.«

Er öffnete die Beifahrertür und half seiner Mutter aus dem Wagen. Sie stützte sich schwer auf zwei Stöcke und machte langsame, kurze, vorsichtige Schritte. Keaton blieb dicht bei ihr, schaute in beide Richtungen, ehe sie über die Straße gingen, trat dabei vor seine Mutter und stoppte die ankommenden Fahrzeuge, bis die beiden die andere Straßenseite erreicht hatten.

Sie waren schon auf dem Bürgersteig, als er Sonora entdeckte. Er lächelte, sie lächelte zurück, und sie sahen sich einen langen Augenblick unverwandt an, bis er sich wieder seiner Mutter zuwandte, sie unter dem Arm faßte und die Betonstufen hinaufführte.

Sam schaltete das Funkgerät aus. »Nanu, was hatte das denn zu bedeuten?«

»*Was* hatte *was* zu bedeuten?«

Sam schaute von Sonora zu Keaton hinüber und dann wieder Sonora an. »Du weißt genau, was ich meine.«

Sonora strich ihr Haar zurück und stieß die Wagentür auf. »Schaff deinen Hintern aus dem Wagen, Sam. Da ist nichts, was dich beunruhigen könnte.«

»Na, Mädchen, mir machst du doch nichts vor.«

Der Friedhof lag am Rand der Stadt, und die Rasenflächen hätten dringend einmal gemäht werden müssen. Es gab nur wenige Bäume in weitem Abstand voneinander, und Grabsteine standen dicht an dicht auf den sanften Hügelwellen dieser Gemeinschaft der Toten.

Sonora sah einen Grabstein mit dem Namenszug *Gefreiter Ronald Daniels*. Er war nur neunzehn Jahre alt geworden. Sie schaute auf das Jahr und den Monat des Todes. Vietnam, Tet-Offensive. Eine kleine amerikanische Flagge steckte an einem Stab in der Erde neben dem rosafarbenen Marmorstein.

Vielerlei Aktivitäten fanden statt. Gebrechliche ältere Männer und Frauen wurden zu aufgereihten Stühlen geführt. Keaton Daniels ging von einer Gruppe zur anderen. Seine Mutter saß auf einem Stuhl in der Mitte der ersten Reihe und tupfte ihre Augen mit einem ordentlich gefalteten Taschentuch. Molliter, Sam sowie andere Detectives notierten sich unauffällig Nummernschilder von Autos und schauten prüfend auf die Gesichter in der Trauergemeinde.

Die Zeitungen hatten berichtet, daß Mark Daniels noch lange genug gelebt hatte, um seine Mörderin zu beschreiben. Flash würde sich hüten hierherzukommen.

Es wurde kühler, als der Wind auffrischte. Einige Hüte wirbelten durch die Luft, die Leute zogen die Köpfe und Schultern ein, teils sicherlich aus Trauergefühlen, vor allem aber wohl wegen des Windes, der an ihren Kleidern zerrte und ihre

Haare zerzauste. Sonora grub die Hände in die Jackentaschen und fluchte leise, als der Wind die Krawatte über ihre Schulter wehte, ihr Hemd ausbeulte und ihre Beine entblößte. Die Trauergemeinde gruppierte sich noch einmal neu und stand dann reglos da, als die Zeremonie am Grab begann. Sonora fragte sich, ob es überhaupt noch etwas zu sagen gab, was nicht schon in der Kirche gesagt worden war.

Ein Wagen mit der Aufschrift TV-Kanal WKYC – Live aus Carlysle« fuhr dreist auf einem asphaltierten Seitenweg vor, und Sonora wunderte sich, daß eine so kleine Stadt einen Fernsehsender und ein eigenes Nachrichten-Team hatte. Die *Cincinnati Post* hatte einen Fotografen geschickt, der vor der Kirche ein paar schnelle Aufnahmen von Trauergästen gemacht hatte und dann verschwunden war.

Sonora fragte sich, ob ein einheimischer Opportunist einen Bericht über das Begräbnis für eine Fernsehstation in Cincinnati machen wollte. Wenn man über die Beerdigung berichtete, würde der Produzent Flash auf jeden Fall eine große Ehre erweisen. Vielleicht war er ein Bekannter von Flash.

Als die Reporterin aus einiger Entfernung das Zeremoniell mit einer Videokamera zu filmen begann, wurde sie von der Trauergemeinde ignoriert, das Mißfallen über diese Störung durch steif ihr zugedrehte Rücken deutlich zum Ausdruck gebracht. Nur die Kinder schauten offen in die Kamera.

Ein Angestellter des Beerdigungsinstituts ging zu der Frau mit der Kamera, lächelte angespannt-höflich, gestikulierte, sie wohl auffordernd, einen größeren Abstand zur Trauergemeinde einzuhalten. Die Frau schien uneinsichtig zu sein und stemmte die Füße in den Rasen. Ihr dickes blauschwarzes Haar wehte im Wind. Schließlich zuckte sie mit den Schultern, ging ein paar Schritte zurück und hob wieder die Kamera.

Komisch, daß sie ihre Arbeit allein macht, dachte Sonora.

Der Pfarrer bat zum Gebet. Alle Köpfe senkten sich – bis auf Sonoras. Sie behielt Keaton im Auge, dessen Sportjackett im Wind flatterte – und stellte fest, daß sie nicht die einzige war, die ihn beobachtete.

Die Reporterin hielt die Videokamera fast ausschließlich auf Keaton gerichtet, Sonora drehte sich um und sah sich die Frau erstmals genauer an.

Diese beugte sich vor und hielt die Kamera mit steifen Armen vor die Augen. Selbst aus der Entfernung bemerkte Sonora, daß ihr heller Teint in einem unnatürlichen Kontrast zu dem perfekt fallenden schwarzen Haar stand.

Und plötzlich fiel es ihr wie Schuppen von den Augen – eine fremde Frau mit einer schwarzen Perücke auf dem Kopf, die ohne Team mit einer Videokamera filmte und fortlaufend Keaton anvisierte …

Flash.

Sonora bewegte sich auf sie zu, sich zwingend, nicht zu laufen. Mach es langsam und unauffällig; verschreck sie nicht.

Die Frau war zierlich und klein, etwa einsfünfundfünfzig, und sie sah enttäuschend durchschnittlich aus. Gerade als Sonora sich fragte, was sie eigentlich erwartet hatte – etwa eine körperliche Manifestation von Blutgier? –, löste sich die Kamera zögernd von Keaton, richtete sich auf seine Mutter und seine Frau, bewegte sich weiter, machte einen Schwenk über die Menge und blieb schließlich an Sonora hängen.

Die Frau ließ die Kamera sinken, und für einen langen Augenblick sahen sich die beiden an. Sonora blieb abrupt stehen, und wenn es noch einen Zweifel gegeben hatte, verschwand er jetzt. Der Wind drückte schwer gegen ihre Brust, ihr Mund wurde trocken. Flash klemmte die Kamera unter den Arm und drehte sich um.

Ich kriege dich, dachte Sonora.

Flash ging geradewegs mit schnellen Schritten auf ihren Wagen zu, lief jedoch nicht. Sonora bewegte sich jetzt ebenfalls schneller, aber ihre hohen Absätze gruben sich in den feuchten Rasen und behinderten sie, und sie dachte dauernd an ihre so praktischen flachen Schuhe auf dem Boden des Wandschranks zu Hause neben den Schneestiefeln.

»Scheiße«, fluchte sie. »Verdammte Scheiße.«

Flash ging noch schneller und umrundete das Heck ihres Wagens. Sonoras Handtasche rutschte von der Schulter. Sie ließ sie fallen, schleuderte die Schuhe von den Füßen und rannte los. Dabei entging ihr nicht, daß einige der Trauergäste sich umdrehten und zu ihr herüberstarrten, und es war ihr klar, daß sie, wenn sie sich irrte, Mark Daniels' Beerdigung grundlos gestört hatte, wie ein Idiot dastehen und wahrscheinlich einen gewaltigen Anschiß von ihrem Sergeant bekommen würde. Durch die dünnen Nylons an ihren Füßen wirkte das feuchte Gras wie ein kalter Schock, und es schoß ihr durch den Kopf, daß sie in Zukunft wohl Bestechungsgelder annehmen mußte, wenn sie es sich zur Gewohnheit machte, Zehn-Dollar-Strumpfhosen zu tragen.

»He, Freundin, warten Sie!«

Flash zögerte einen Moment, schlüpfte dann auf den Fahrersitz ihres Wagens und warf die Tür zu. Sonora dachte an ihre Pistole, die zusammen mit dem anderen Kram in ihrer Handtasche steckte, und die wiederum lag zusammen mit ihren Schuhen irgendwo hinter ihr auf dem Rasen. Sie war bei der Mordkommission. Dort gewöhnte man es sich ab, immer eine Waffe zur Hand zu haben. Tote schossen nicht auf einen.

Lose Kieselsteine bohrten sich in ihre Fußsohlen, als sie auf den Asphalt kam. Der Motor von Flashs Wagen sprang in dem

Moment an, als sie die Seitentür erreichte. Sie riß am Türgriff – verriegelt.

Einen kurzen Moment schauten die beiden Frauen sich in die Augen. Dann preßte Flash die Lippen zu einem dünnen Strich zusammen, gab Gas und setzte den Wagen so schnell zurück, daß der Türgriff aus Sonoras Fingern gerissen wurde.

Schmerz zuckte durch ihr Handgelenk. Sonora taumelte nach vorn und fiel auf die Knie. Sie hörte ein Schaltgeräusch, ein Aufheulen des Motors und versuchte wieder auf die Beine zu kommen, aber dazu blieb keine Zeit.

Sonora warf sich zur Seite, irgendwie noch mitkriegend, daß jemand – Sam? – ihren Namen schrie. Sie sah den linken Kotflügel des Wagens auf sich zurasen und nahm Rostflecke in der Lackierung wahr. Dann schloß sie die Augen und bereitete sich auf den Aufprall vor.

Doch das einzige, was sie spürte, war ein Luftzug. Die Räder rasten um wenige Zentimeter an ihrem Kopf vorbei. Sie lag reglos da und merkte, daß Feuchtigkeit ihre Jacke und ihren Rock durchtränkte.

Das war knapp, schoß es ihr durch den Kopf, und sie dachte das Undenkbare – Tim und Heather als Waisen schutzlos dieser Welt ausgeliefert. Und dann fragte sie sich noch, ob ihre Lebensversicherung hoch genug war.

Dieser Fall entwickelte sich zu einer verdammt persönlichen Auseinandersetzung.

22 Um sie herum war plötzlich alles voller Beine, und mehrere Stimmen riefen ihren Namen. Jemand schrie: »Angriff auf einen Polizisten!«, und als Sonora hochschaute, sah sie in Sams Gesicht, der neben ihr kauerte. Sie setzte sich auf und spürte stechende Schmerzen in den Knien.

»Hat sie dich erwischt?«

»Es war Flash, Sam, mach dich auf die …«

»Läuft alles schon, Mädchen, oder meinst du, du wärst die einzige hier mit dem nötigen Grips? Ich habe sofort Alarm ausgelöst, als ich dich losrennen sah. Bist du okay?«

Sonora schaute auf ihre Beine. Nylonfetzen hingen von großen Löchern in der Strumpfhose, ihre Kniescheiben waren aufgeschürft, und kleine Blutstropfen perlten auf den Wunden. Ihre Kinder kamen oft mit schlimmeren Schürfwunden nach Hause, und sie klebte ihnen dann große Pflaster drauf, und alles war in Ordnung.

Irgendwie war sie enttäuscht.

Eine andere Stimme ertönte. Gruber. »Was für eine Solojagd hast du denn da veranstaltet, Blair? Wenn du uns verständigt hättest, wär sie nicht aufgeschreckt worden.«

»Sei so gut und spar dir das für die Besprechung mit den Bossen am Montag morgen auf«, sagte Sam. »Sonora, willst du den ganzen Tag auf deinem Hintern sitzen bleiben?«

Sonora griff nach Sams Hand, und ein stechender Schmerz fuhr durch ihr rechtes Handgelenk. Gruber schob ihr von hinten die Arme unter die Achseln und hob sie auf die Füße.

Sam, Gruber und Molliter waren bei ihr. Über Sams Schulter fiel ihr Blick auf Keaton Daniels, der aus etwa drei Metern Entfernung zu ihr herüberschaute. Er winkte ihr zu. Sie winkte mit der Hand, die nicht weh tat, zurück.

In der Ferne jaulten Martinshörner.

Sonora saß seitlich auf dem Beifahrersitz des Taurus und versuchte mit der linken Hand einen Berichtsbogen auszufüllen. Die Tür stand offen, und ihre Beine baumelten nach draußen. Sie zitterte. Ihr Hemd war naß. Es wurde immer kälter.

Im Lautsprecher des Funkgeräts knisterte es, und die Stimme des örtlichen Einsatzleiters bildete einen beruhigenden Hintergrund zu ihrer Tätigkeit. Sam hockte auf der Motorhaube eines Wagens der Staatspolizei von Kentucky und redete freundlich mit einem großen Mann, dessen Smokey-Hut ihn als Highway-Streifenpolizist auswies.

»Es war die Mörderin, nicht wahr?« Keaton Daniels legte den Ellbogen auf den Rahmen der Wagentür. An den Fingern seiner rechten Hand baumelten Sonoras Schuhe und ihre Handtasche. Er gab ihr beides.

»Ja, sie war es.« Sonora drehte die Schuhe um und schaute sich die hohen Absätze an.

»Sie hat es gefilmt. Sie hat das Begräbnis meines Bruders gefilmt.« Keaton sagte das mit zusammengebissenen Zähnen.

»Sie hat *Sie* beim Begräbnis Ihres Bruders gefilmt. Das ist ein Unterschied, und es gefällt mir nicht.«

»Ich dachte, Sie seien rechtshändig«, sagte er und schaute auf den Stift in ihrer linken Hand.

Sie zeigte ihm ihr rechtes Handgelenk, das angeschwollen war und anfing, sich bläulich zu verfärben.

»Ich hatte befürchtet, sie hätte Sie mit dem Wagen erwischt.

»Sie hat ihr Bestes gegeben, es zu schaffen.«

»Aber Sie sind okay, oder?«

»Ja, es ist alles in Ordnung.«

Er gab ihr einen gelben Zettel. »Ich gehe zurück zum Haus. Zum Haus meiner Großtante. Hier ist die Adresse und die Telefonnummer.«

»Die ganze Sache tut mir sehr leid, Keaton. Sobald ich etwas erfahre, lasse ich es Sie wissen.«

Ihr schmutziger Blazer hing über der Rückenlehne des Sitzes. Er strich sanft mit den Fingern über den zerrissenen Aufschlag.

»Passen Sie auf sich auf, Detective.«

Er drehte sich um und ging, und sie schaute ihm nach, bis Schritte auf dem Asphalt sie ablenkten. Sam kam auf den Taurus zu, nicht gerade freundlich hinter Daniels herschauend.

Er wippte auf den Fußballen vor und zurück. »Eben ist die Nachricht durchgekommen.«

»Sie haben sie erwischt?«

»Nein, sie hat *ihn* erwischt. Einen Wachmann von der WKYC-Fernsehstation drüben in Carlysle. Er hat mehrere Schußwunden im Rücken. Seine Leiche ist in der Nähe eines in Brand gesteckten Müllcontainers gefunden worden. Und der Reporterwagen der Station wird vermißt.«

Er nahm ein Taschentuch aus der Tasche, spuckte darauf und wischte Schmutz von ihrem Kinn.

»Na, na, Sam, das ist aber nicht fein. Haben die zuständigen Leute in Carlysle was dagegen, wenn wir uns das mal ansehen?«

»Sie sagten, wir können vorbeikommen. Was ist mit deiner Hand? Sollte sich das nicht ein Arzt ansehen?«

»Nein. Du fährst, auf geht's. Weißt du den Weg?«

»Nein.«

»Gott behüte uns, wenn wir auf dein Orientierungsvermögen angewiesen sind!«

Die Straße führte in einer dichten Folge von Haarnadelkurven durch Ackerland. Sonora bewunderte die Einheimischen, die wahrscheinlich regelmäßig die auf dieser Strecke erlaubten fünfundfünfzig Stundenmeilen ausnutzten und dennoch am Leben blieben.

Ihr Handgelenk klopfte schmerzhaft, und sie verlagerte den Unterarm in eine bequemere Position. Draußen zog der By-Bee-Wohnwagenpark vorbei. Der dazugehörige Kinderspielplatz lag verlassen und verwahrlost da – Schaukelsitze fehlten an den A-förmigen Gestellen, ein kleines Drehkarussell hing gefährlich schief in den Angeln, nur eine der Balkenschaukeln war noch intakt, aber auch von ihr blätterte die rote Farbe ab.

Die Wohnwagen waren durchweg alt und rostig, und auf dem Parkplatz standen fast ausschließlich Pickups – Trans Ams und Camaros. Unter den Fenstern eines Wohnwagens hingen Blumenkästen, aber es waren keine Blumen darin. Ein gelber Hund trottete mit der Nase am Boden unter den Schaukeln hindurch.

Die Geschwindigkeitsbegrenzung ging von fünfundfünfzig auf fünfundzwanzig Meilenstunden herunter. Carlysle war klein – ein Tierfuttergeschäft, ein Laden mit Lebensmitteln vom Bauernhof, eine Bruwers-Bäckerei, ein Super-America-Markt. Ein kleiner Lebensmittelladen machte Reklame für Marlboro Lights und Videos. Dann kamen sie an einer Kirche der Gemeinde der Gottesjünger vorbei. In einem Haufen Bierdosen der Marke Pabst Blue Ribbon unter einem gelben Warnschild vor gefährlichen Kurven glitzerten Sonnenstrahlen. Sam fuhr an die Seite und studierte die Karte.

»Es ist doch nur ein kleines Städtchen, Sam.«

»Na und?«

»Schau mal, da drüben über dem Hügel blitzen Warnlichter, wie sie Polizeiwagen und Krankenwagen haben. Was meinst du, wie viele Notfälle die hier pro Nachmittag haben?«

»Höchstens einen oder zwei.«

WKYC-TV war in einem geduckten, würfelförmigen Geschäftsgebäude aus Beton untergebracht. Der Bau war mit einem fast vier Meter hohen Gitterzaun, der oben zusätzlich mit Stacheldrahtrollen gesichert war, vom Parkplatz dahinter abgegrenzt. Sonora und Sam parkten an der Straße vor einem H&R-Block und einem Yen-Yen-Chinarestaurant.

»Ich hätte Lust auf eine Frühlingsrolle«, sagte Sonora.

»Wir schauen uns lieber vorher den Toten an. Man kann nie wissen, was passiert, wenn du es riskierst, in einer Kleinstadt wie dieser chinesisch zu essen.«

Sam stieg aus und ging zu dem Polizisten, der anscheinend hier das Sagen hatte. Sonora lehnte sich zurück und wartete darauf, daß Sam mit seinem Hallo-alter-Junge-Charme den Weg für sie ebnete.

Sie schlüpfte wieder in die Stöckelschuhe, glättete den Rock, der so zerknittert und verdreckt war, daß er sicher alle Augen auf sich zog, richtete die Krawatte und fuhr mit dem dunklen Stift, den Sam nicht mochte, über ihre Lippen.

Sam winkte ihr mit dem Finger. An die Arbeit, befahl sie sich. Wieder einmal Zeit für eine Leichenschau.

»Deputy Clemson, das ist meine Partnerin, Specialist Sonora Blair.«

Sonora bewegte sich steif auf den Deputy zu und streckte ihm automatisch die rechte Hand entgegen. Clemson hatte einen festen Händedruck, und sie stöhnte vor Schmerz auf, biß sich auf die Lippe und zog schnell die Hand weg.

»Sonora kam demjenigen, der den Wagen von diesem Park-platz gestohlen und den Wachmann erschossen hat, ein wenig zu nahe.«

Clemson schaute sie von oben bis unten an und legte die Hand an den Rand seines Hutes. »Tatsächlich? Ich möchte meiner-seits dem Mistkerl auch gerne mal nahe kommen. Lassen Sie uns nach hinten gehen.« Er führte sie zu einer Gruppe von Männern, die am Rand der Zufahrt standen und gedämpft miteinander redeten. »Geht mal ein Stück zur Seite, laßt uns durch.«

Ein anderer Deputy forderte mit dezenten Zeichen die Män-ner ebenfalls zum Zurückweichen auf, was diese dann auch höflich taten.

Man geht hier wenigstens freundlich miteinander um, dachte Sonora. Doch dann, weiter hinten, sah sie, daß von freund-lichem Umgang miteinander nicht die Rede sein konnte.

Die Seitentür des Leichenwagens stand auf; man hatte die Leiche bereits auf der Bahre hineingeschoben. Neben einem Müllcontainer, aus dem Wasser und Löschschaum tropfte, stand ein Feuerwehrlöschfahrzeug mit der Aufschrift FREI-WILLIGE FEUERWEHR CARLYSLE. Sonora warf einen Blick auf die dickflüssige, ölige Blutlache, die sich auf den Asphalt neben dem Container ausgebreitet hatte. Sie ging zum Leichenwagen und schaute Deputy Clemson über die Schul-ter.

»Darf ich?«

Er nickte.

Sie holte Gummihandschuhe aus ihrer Handtasche, streifte sie über und zog das blutbefleckte Leichentuch zur Seite.

Der Mann sah aus wie jedermanns Großvater. Die blaßblauen Augen waren weit aufgerissen und starrten ins Leere. Sonora ließ die Finger durch das dichte weiße Haar gleiten und bemerkte dabei die gelben Tabakflecken in dem breiten Schnurrbart. Sie untersuchte die Schädeldecke und stieß auf eine Einbuchtung an der linken Schläfe. Stammte wahrscheinlich vom Aufschlag des Kopfes, als er umgefallen war.

Die Leichenstarre hatte noch nicht eingesetzt, aber der Körper war kalt und schwer, und es war schwierig, ihn zu bewegen. Sonora war sich bewußt, daß die Männer sie beobachteten. Einer von ihnen – ein Deputy, noch jung – trat zu ihr und half ihr, die Leiche umzudrehen.

»Danke«, sagte sie.

Er blieb bei ihr stehen, offenbar in der Absicht, aus der Nähe zu sehen, was sie machte.

Der alte Mann trug eine braune Uniform und eine Lederjacke, die mit langsam eintrocknendem Blut durchtränkt war. Sonora strich sanft über den Rücken, dann sah sie zwei Löcher in der Mitte der linken Schulterhälfte. Sie hob eine der schlaffen, schweren Hände der Leiche hoch. Keine Verletzungen an den Handflächen oder Fingern. Kein Blut. Er hatte nicht gekämpft, hatte wohl keine Zeit mehr zu irgendeiner Reaktion gehabt, und das hieß, daß der erste Schuß ihn wahrscheinlich getötet hatte.

Sonora zog das Tuch wieder über die Leiche, schaute hoch und traf Sams Blick.

»Nun, Sonora?«

»Klar, er ist erschossen worden. Schwer zu sagen bei all dem Blut, Sam, aber es sieht nach zwei Schüssen mit einem Zweiundzwanziger durch die Hohlvene aus. Er hat nicht gespürt, was mit ihm passiert ist, konnte sich nicht zur Wehr setzen. Leuchtet ja auch ein. Sie ist eine kleine Frau, sie wird es nicht darauf anlegen, in einen Kampf mit einem Mann verwickelt zu werden.«

Clemson öffnete den Mund und schloß ihn wieder. Dann fragte er: »Haben Sie *sie* gesagt?«

Sam machte eine abweisende Handbewegung. »Laut Deputy Clemson hat der Wachmann die Feuerwehr alarmiert und ging dann nach draußen, um nachzusehen, was da los ist. Dabei ließ er das hintere Tor offenstehen.«

Clemson verlagerte sein Gewicht. »Was ich nicht kapiere – warum hat er, ich meine *sie*, überhaupt dieses Feuer gelegt? Sie hat doch damit nur unnötige Aufmerksamkeit auf sich gezogen.«

Sam steckte die Hände in die Taschen. »Der Wagen, den sie gestohlen hat, war drüben auf der anderen Seite des Parkplatzes abgestellt, und dort hat man ja auch die Leiche gefunden, richtig? Sie setzt den Müllcontainer zur Ablenkung in Brand, um ungestört den Wagen klauen zu können, nur entwickelt es sich so, daß der Wachmann, statt das Feuer zu löschen, die Feuerwehr alarmiert, das Feuer Feuer sein läßt und sich auf dem Parkplatz umschaut. Er kommt ihr zu nahe, und sie erschießt ihn.«

»Warum hier bei uns?«

Sonora hob die Hand. »Weil die Einheimischen in Donner, wo die Beerdigung stattfand, sie nicht kannten und sie auf die Idee gekommen wären, daß sie mit dem Fernsehwagen nichts zu tun haben konnte. Um ehrlich zu sein, es wundert mich, daß so ein kleines Städtchen wie Carlysle überhaupt eine Fernsehstation hat, ja, sogar einen eigenen Reporterwagen mit großartiger Aufschrift.«

Clemson drückte seinen Hut fester auf den Kopf. »Er gehört dem Sohn des Besitzers der Fernsehstation, einem jungen Schnösel, der gern angeberisch mit der Aufschrift der Station auf der Wagentür durch die Gegend fährt.« Er schaute auf die Leiche und drehte dann das Gesicht zur Seite. »Dieser Mann hat noch im Zweiten Weltkrieg gekämpft. Er hat vier Enkel. Seine Frau ist seit fünf Jahren schwer krank. Diese Sache wird sie unter die Erde bringen.«

»Wie heißt er?« fragte Sonora.

»Sein Spitzname war Shirty. Shirty Sizemore. Das ist sie, die Frau da drüben. Seine Witwe.«

Die Frau war klein, hatte eine breite, plumpe Figur und hängende Schultern. Das Fluidum eines vom Leben besiegten, erschöpften Menschen ging von ihr aus, ein Zustand, in den man erst nach vielen Jahren permanenter Nackenschläge gerät. Sonora sah die Frau an und bemerkte in ihren Augen Schock, Klugheit und, seltsamerweise, auch Erleichterung. Der gleiche Ausdruck, den Sonora in der Nacht von Zacks Tod im Spiegel gesehen hatte.

Eine weitere trauernde Witwe.

Sonora lehnte sich gegen den Leichenwagen. »Seine Waffe steckt noch im Holster.«

Sam sah sie an. »Was geht dir durch den Kopf, Sonora?«

»Ich habe an Bundy gedacht.«

»Ted Bundy? Theodore Bundy?«

Sie nickte. »Das gleiche Muster. Entwickelt über Jahre hinweg ausgeklügelte Pläne, aber dann geht eine Veränderung mit ihm vor, eine Initialzündung setzt ein, und er startet plötzlich einen Blitzkrieg, nimmt große Risiken auf sich, wütet durch ein Studentinnenheim in Florida, während die Cops im Norden ihm bereits auf der Spur sind.«

»Meinst du, sie legt jetzt in gleicher Weise los?«

»Ich mache mir Sorgen, Sam, echte Sorgen. Sie alle tun das früher oder später. Wenn sie jetzt durchdreht, kommt einiges auf uns zu.« Sonora rieb ihren Nacken. »Irgendein Hinweis auf die Mordwaffe?«

Sam schüttelte den Kopf. »Sie untersuchen den Müllcontainer, sobald er ausgekühlt ist. Der Sheriff sagt, die Autopsie werde in Louisville durchgeführt, er lasse mir das Ergebnis zukommen. Und man hat uns offiziell aufgefordert, unsere Mörder bitte schön im Norden zu behalten, wo sie herkommen, und inoffiziell hat man uns gebeten, an der Aufklärung dieses Mordes wenn irgend möglich weiter mitzuarbeiten.« Er gähnte. »Hast du immer noch Lust auf eine Frühlingsrolle?«

23 Sonora fuhr nach Hause und duschte, ehe sie sich auf den Weg machte, die Kinder abzuholen. Sie zog ein schwarzes T-Shirt, Jeans und ausgelatschte Stiefel an und streifte dann ein altes Flanellhemd über, um unter der Manschette die blau unterlaufene Schwellung an ihrem Handgelenk zu verstecken. Wenn die Kinder die Verletzung sehen und nach der Ursache fragen würden, würde sie nicht lügen, aber es war am besten, ein Gespräch darüber gar nicht erst aufkommen zu lassen.

Als sie die Kinder abholte, drückte ihre Tochter sich fest an sie, wollte sie gar nicht mehr loslassen, und sogar Tim umarmte sie. Sie gaben ihrer Großmutter einen Abschiedskuß und kletterten dann schnell auf die Rückbank des Wagens. Sie stanken nach Zigarettenrauch und wirkten eingeschüchtert.

Sonora winkte ihrer Schwiegermutter zu. Baba stand mit einer Zigarette zwischen den Lippen vor der Haustür und sah ihnen nach. Ihre drei kleinen Hunde sprangen an der Fliegentür hoch und kratzten am Gitter.

Enkel waren aufregend.

»Was gibt's zum Abendessen?« fragte Heather.

»Was wir unterwegs auftreiben können.«

Sie hatten sich einen Videofilm ausgeliehen, und Heather und Tim machten es sich auf dem Boden vor dem Fernseher bequem, während Sonora ein Feuer im Kamin anzündete. Als es richtig brannte, setzte sie sich mit zwei Pizzastücken, einer

Bierflasche und einem Heizkissen für das Handgelenk auf die Couch. Clampett legte den Kopf auf ihren Schoß und leckte am Boden der Bierflasche. Sonora schob seine Schnauze weg. »Seid ihr zwei sicher, daß ihr euch nicht als erstes *Witness* ansehen wollt? Das ist ein echter Klassiker.«

Tim rollte mit den Augen. »Mom, wir haben diesen Film schon so oft gesehen, daß wir alle Dialoge auswendig kennen.«

»Dürfen wir Popcorn machen?« fragte Heather.

Sonora fütterte Clampett mit einem Pilz von ihrer Pizza. »Von mir aus, aber ihr müßt euch selbst darum kümmern, ich stehe nicht mehr auf.«

Es läutete an der Haustür, dreimal schnell hintereinander.

Tim lachte. »Da haben wir's. Soll ich gehen?«

»Nicht nach Einbruch der Dunkelheit, das weißt du.«

»Ist ja vielleicht nur eine Lady mit einem Benzinkanister in der Hand.«

Sonora schob den Hund zur Seite und warf ihrem Sohn einen strengen Blick zu. Sie schaltete das Verandalicht an und schaute durch den Spion in der Holztür mit dem Rundbogen.

Chas stand auf der Treppe vor der Tür, auf den Fußballen vor und zurück wippend. Er trug neue Jeans, ein Hemd, das er offensichtlich gerade erst aus der Lieferschachtel gepackt hatte, und einen Trapperhut mit einer Feder im Hutband.

Sonoras erste Reaktion war, die Tür nicht aufzumachen.

Chas stellte eine große Einkaufstüte ab, verschränkte die Arme, verlagerte sein Gewicht auf ein Bein und preßte die Lippen zusammen. Es war wirklich erstaunlich, wie sehr er sie an Zack erinnerte.

»*Mama!*« Heathers Stimme klang schrill. »Clampett frißt deine Pizza auf!«

Sonora seufzte und öffnete die Tür. »Hallo, Chas.«

Er nahm den Hut ab und strich sein glattes schwarzes Haar, das an den Schläfen grau wurde, zurück. Er hatte vorstehende Wangenknochen, dunkle Gesichtshaut und blaue Augen. »He, Baby. Du hättest dich für mich nicht so rauszuputzen brauchen.«

Sonora sagte nichts.

»Darf ich reinkommen?« Er fragte das mit einer so unterwürfigen Höflichkeit, daß Sonora sich schuldig fühlte.

Darin ist er gut, dachte Sonora, Schuldgefühle zu vermitteln. Sie stieß die Fliegentür auf, und er trat ein. Im selben Moment kam Clampett angelaufen, dicht gefolgt von Heather.

»Chas!« Heather schlang die Arme um seine Hüfte. Clampett scharrte mit den Pfoten, wackelte wie wild mit dem Schwanz und sprang dann an der Wand hoch.

Chas trat einen Schritt zurück, tätschelte unbeholfen Heathers Kopf und schob sie dann sanft von sich. Er sah Sonora an. »Wir müssen miteinander reden – allein.«

Heather ließ den Kopf sinken. Sie schob die Brille auf ihre Knopfnase hoch, und Clampett leckte an ihrem Ellbogen.

Sonora ging neben ihrer Tochter in die Hocke, blinzelte ihr zu und umarmte sie. »Geh, schau dir euren Film an, Heather. Und nimm Clampett mit.«

»Kommst du auch?«

Aus dem Augenwinkel sah Sonora, daß Chas das Gesicht verzog. Er sieht so verdammt gut aus, dachte sie. Und ist so ein Mistkerl.

»Später, Liebes, geh du schon vor.«

Sonora schaute ihrer Tochter nach, wie sie mit gesenktem Kopf und dem Hund auf den Fersen zum Fernsehzimmer stapfte. Alle Zweifel, die sie vielleicht tief im Innern noch gehabt haben mochte, verflogen. Chas beugte den Kopf, um ihr einen Begrüßungskuß zu geben, aber sie drehte ihm schnell den Rücken zu, und sie gingen die Stufen hinauf ins Wohnzimmer.

»Setz dich, wenn du willst.«

Er blieb neben dem Sofa stehen. Heather und Tim hatten mit Tims Miniaturspielzeug eine Szenerie aus Gipsbergen, Bäumen, bunt bemalten Bogenschützen und Drachen auf dem Boden aufgebaut. Eines der Kissen auf dem Sofa zeigte deutliche Bißspuren, und Clampett war neben dem Tisch ein feuchtes Mißgeschick passiert.

Sonora setzte sich in eine Ecke des Sofas – mit steifem Rücken, in königlicher Haltung, eine Königin in ihrem Reich. Gott helfe mir, dachte sie. »Willst du dich nicht setzen?«

Chas verzog den Mund. »Du mußt irgendwas mit dem Hund unternehmen.«

Sonora spürte, daß ihr Blut in die Wangen stieg. »Er wird eben alt.«

»Vielleicht wird es Zeit, ihn von seinem Elend zu erlösen.«

Chas setzte sich dicht neben sie auf das Sofa und lächelte sie selbstbewußt an. Er hatte schon immer die Angewohnheit, sich zu nahe zu ihr zu setzen, zu nahe bei ihr zu stehen, sie am Arm zu greifen. »Du bist mir aus dem Weg gegangen, Sonora.«

Zeit für eine dramatische Pause, dachte Sonora.

Chas runzelte die Stirn, lehnte sich zurück und schloß die Augen. »Ich hatte einen verdammt schweren Tag, Baby. Zum Teufel, ich hatte eine verdammt schwere Woche. Ich bin todmüde und total gestreßt.«

»Oje.«

Er öffnete die Augen und verschränkte die Arme vor der Brust. »Okay, du scheinst sauer auf mich zu sein. Ich habe mit Sam und deinem Dad gesprochen. Sogar mit deiner Schwiegermutter.«

»Du hast mit meinem Dad gesprochen?«

»Ich weiß, daß dir das nicht paßt, Sonora, aber ich wollte ihn meine Absichten wissen lassen.«

»Und welche sind das?«

Er kramte in seiner Tüte herum, zog einen Schokoriegel heraus und lächelte.

Nein, fand Sonora, er lächelt nicht, er grinst dämlich.

»Schokolade. Aber ich habe noch was Besseres als Schokolade. Diamanten.« Chas hielt ein schwarzes Samtkästchen hoch, gerade außerhalb ihrer Reichweite. »Mach mich glücklich, Sonora.«

»Erwartest du, daß ich mich jetzt da draufstürze?«

Er preßte die Lippen zusammen und beugte sich vor. »Hör endlich auf, Witzchen zu machen, Sonora, und sage mir, wie du dazu stehst.«

Sonora atmete tief ein. »Ich mag dich nicht, ich liebe dich nicht, und ich respektiere dich nicht.«

Er öffnete den Mund, schloß ihn wieder, schluckte und grinste dann erneut. Er hatte sich entschlossen, amüsiert zu sein. »Ist das alles?«

»Du erinnerst mich an meinen toten Ehemann. Und das ist kein Kompliment.«

»Vielleicht ist er als Toter besser dran.«

»Vielleicht bin ich dadurch besser dran.«

Er schüttelte langsam den Kopf. »Ich dachte, du wärst glücklich, wieder heiraten zu können – nein, ich weiß, daß es so wäre. Irgendwas geht mit dir vor, von dem du mir nichts sagst.«

»Vielleicht mag ich ja die Feder an deinem Hut nicht. Oder daß du dauernd diese Melodie aus *Carmen* vor dich hinpfeifst. Vielleicht mag ich es auch nicht, daß du an Frisbee-Wettbewerben teilnimmst.«

»Was ist an Frisbee auszusetzen?«

»Eigentlich nichts, nur daß du es *absolutes* Frisbee nennst und es todernst betreibst.«

»Sag es mir, Baby. Es ist diese Geschichte mit dem Wagen, hab ich recht?«

»Das ist ja wohl auch Grund genug, meinst du nicht auch?«

»Ich verspreche dir, ich *verspreche*, so was wird nie mehr vorkommen.«

»Nein, es wird nie mehr vorkommen, da hast du recht.«

»Es war doch aber keine so schlimme Sache, Sonora.«

Sie beugte sich vor und sah ihm fest in die Augen. »Es *war* eine schlimme Sache. Du hast durchgedreht. Ohne Grund, aus heiterem Himmel, hast du hinter dem Steuer durchgedreht. Du hast diesen Volvo *absichtlich* gerammt und dann die absolute Frechheit besessen, dem Fahrer zu sagen, es sei *meine* Schuld, weil ich dich … verrückt gemacht hätte. Du hast den Wagen wie eine Waffe benutzt und …«

»Oh, ich will gar nicht glauben, was ich da höre. Du hältst dich also für mißbraucht?«

»Geh, Chas. Ich bin müde.«

Er stand auf, machte drei Schritte, drehte sich wieder um und strich sein dichtes schwarzes Haar, seinen ganzen Stolz, glatt. »Du hast einen anderen Mann kennengelernt, nicht wahr?«

»Ich betrachte unser Gespräch als beendet.«

Er warf ihr das Samtkästchen vor die Füße. »Du willst nicht mal reinsehen?«

»Nein.«

»Ich habe Champagner in der Tüte. Willst du ihn behalten, um deine Einsamkeit heute abend damit zu begießen?«

»Behalt ihn, und geh endlich.«

Er nahm die Tüte und das Samtkästchen, nicht aber den Schokoriegel, der zwischen den Kissen in der Mitte des Sofas lag. Sonora folgte ihm zur Tür.

Er sah über die Schulter zu ihr zurück. »Wir könnten ein tolles Paar sein.«

Sie deutete mit dem Kopf in Richtung Fernsehzimmer, wo die Kinder waren. »Ich bin aus dem Ehepaar-Zustand rausgewachsen, Chas. Ich bin Mitglied in einer Familie.«

»Sei ruhig wählerisch, wenn du das für richtig hältst, Sonora. Aber es wird nicht leicht für dich sein, jemanden zu finden, der bereit ist, sich mit einem rumpinkelnden Hund und zwei Kindern rumzuschlagen.«

»Es wird schwierig sein, jemanden zu finden, der dieses Privileg verdient hat.«

Sonora schob ihm die Tür vor der Nase zu – und hörte Beifall. Sie drehte sich um und sah Tim und Heather am Fuß der Treppe stehen. Heather kam zu ihr gelaufen und legte die Arme um ihre Taille.

Tim schüttelte den Kopf. »Gut gemacht, Mom. Unter solchen Umständen heiratest du besser nicht wieder.«

Sonora hörte den Donner und spürte den leichten Klaps auf ihrer Schulter. Ein Blitz zuckte und erleuchtete das Zimmer. Heather stand neben dem Sofa, die Augen weit aufgerissen, den Daumen im Mund. Sie hatte den Gürtel ihres weißen Bademantels mit den rosa Rosenknospen ordentlich zugeknotet, und an den Füßen trug sie ihre Lieblingspantoffeln mit den Kätzchen, die ihr inzwischen zwei Nummern zu klein waren. Anscheinend war sie schon seit einer Weile mit ihrer Lieblingsdecke im Schlepptau im Haus herumgelaufen.

Der Blitz verlosch, und das Zimmer war jetzt nur noch vom Glimmen des Fernsehschirms und den kleinen grünen Lichtern am Videorecorder erleuchtet. Auf dem Bildschirm reparierte Harrison Ford gerade ein Vogelhäuschen.

Sonora schob Clampett von ihren Füßen, nahm den halb aufgegessenen Schokoriegel von ihrem Schoß und hob die Quiltdecke an, damit ihre Tochter darunterschlüpfen konnte.

»Ein bißchen Angst vor dem Gewitter?«

Heather nickte, kletterte auf das Sofa und legte den Kopf auf Sonoras Schulter.

»Mommy?«

Sonora gähnte und schloß die Augen. »Hm?«

»Bist du zu Hause, wenn ich morgen früh aufwache?«

Das Telefon klingelte, und Clampett riß die rotgeränderten braunen Augen auf. Sonora zog den Arm aus dem Kokon, den sie aus dem Heizkissen um ihr Handgelenk gebildet hatte, griff nach dem schnurlosen Telefon und merkte, daß ihre Hände zitterten. Rief Flash wieder an? Wer sonst zu dieser nachtschlafenden Zeit. Die Anschlüsse vom normalen Telefon zum Kassettenrecorder waren in Ordnung. Sonora schluckte und schaltete den Recorder ein.

»Sonora Blair«, meldete sie sich.

»Entschuldigen Sie, Sonora, ich weiß, es ist spät, aber ich war bis jetzt unterwegs.«

Sie erkannte die Stimme sofort, erkannte auch den Anflug von Panik darin. »Keaton? Was ist los?« Sie schaute auf die Uhr. Ein Uhr dreißig.

»Ich bin gerade ins Haus zurückgekommen und finde wieder so einen Umschlag. Wie der andere, verstehen Sie?«

»Ich verstehe, Keaton.« Nenne ihn beim Vornamen. Beruhige ihn. Sie zog Heather dichter an sich.

»Er fühlt sich so an, als ob diesmal zwei Fotos drin wären.«

»Sie haben ihn noch nicht geöffnet?«

»Nein.«

»Machen Sie das auch nicht, okay? Keaton?«

»Okay.«

»Hören Sie, ich komme zu Ihnen, unternehmen Sie nichts. Ich komme so schnell wie möglich.« Sie legte auf.

Heather nuckelte mit stoischem Ausdruck in den blauen Augen an ihrem Daumen. »Du mußt wieder weg, Mommy?«

»Ja. Aber ich hole Onkel Stuart her, damit er bei diesem Gewitter auf euch aufpaßt.«

»Mom?«

Sonora schaute auf und sah Tim auf der Treppe stehen, immer noch in seinen Jeans. »Warum bist du noch nicht im Bett?«

Clampett ging wedelnd die Stufen hoch und leckte Tims nackte Füße. Der Junge kraulte ihn hinter den Ohren.

»Du mußt weg zur Arbeit, Mom?«

»Ja, leider.«

»Vergiß deinen Revolver nicht.«

»Nein, ich denke dran. Ich hole Stuart her.«

»Ich kann doch auf uns aufpassen.«

»Das weiß ich. Aber ich hole ihn trotzdem her.«

Tim nickte und schien froh zu sein. Er ist noch so jung, dachte Sonora. Und es ist mitten in der Nacht.

Und Flash war da draußen. Irgendwo.

24 Das Haus war dunkel, nur auf der Rückseite war ein schwacher Lichtschein zu erkennen. Sonora stellte den Wagen am Bordstein ab, stieg aus und drückte leise die Tür ins Schloß. Die Häuser entlang der Straße lagen still und dunkel da. Im Hintergrund hörte man das Röhren der Automotoren auf dem Highway.

Die Absätze ihrer Stiefel klickten laut auf dem Bürgersteig. Die Haustür stand offen, die Fliegentür war zu. Sie läutete, wartete und drückte dann den Türgriff runter. Die Tür war nicht verschlossen, und sie ging ins Haus.

Keaton Daniels hatte eine Spur hinterlassen. Eine Segeltuchtasche stand mitten im Flur, eine aufgeknotete Krawatte hing über dem Treppengeländer, das sich im Bogen zum Wohnzimmer hinunterschwang. In der Küche brannte Licht. Auf dem Tisch lagen ein Stapel Post und eine gerollte Zeitung, daneben sah sie eine Gin-Flasche und ein halb gefülltes Glas. Die Post bestand aus einem Sammelsurium verschiedener Sendungen: Zeitschriften wie *Das Gesundheitsmagazin für den Mann*, *Gentlemen*, *Das Schönste für Kinder*. Eine Rechnung von Master Charge, gute Nachrichten von Ed MacMahon, Pizza-Gutscheine, ein sehr offiziell wirkender Brief von der Anwaltskanzlei Lyon, Golibersuch, Darling und Reynolds und daneben ein billiger aufgerissener weißer Umschlag.

Er hatte doch nicht warten können. Sonora schaute auf die Uhr und sah, daß es inzwischen zwei Uhr vierzig war. Sie hatte ihn zu lange allein gelassen.

Auch diese Fotos waren mit einer Polaroidkamera aufgenommen worden. Eines der beiden war zerknittert, und Sonora mußte gegen die Versuchung ankämpfen, es glattzustreichen. Sie schaute sich die Aufnahmen an, und ein Frösteln überlief sie. Sie ließ sich langsam auf einen Stuhl sinken und stützte den Kopf in die Hände. Dann sah sie wieder hin.

Auf dem linken der beiden Fotos kämpfte Mark Daniels mit den Handschellen. Schweiß lief ihm von den Schläfen runter. Sonora schaute genau hin und bemerkte, daß er etwas zwischen den Fingern hielt.

Das andere Foto war das schlimmere, aufgenommen, als die Flammen am oberen Rand des Wagenfensters leckten und Mark Daniels dem Tod ins Auge blickte. Sein Mund war geschlossen. Er schrie nicht.

Sonora ging zur Hintertür und sah hinaus auf den kleinen, abfallenden Garten, der von einem über zwei Meter hohen Sichtzaun umgeben war. Sie machte das Verandalicht an. Keaton Daniels stand mit dem Rücken zu ihr da, die Hände tief in den Hosentaschen vergraben, und schaute über den unter ihm liegenden Zaun auf die Lichter der Stadt.

Es regnete nicht, aber über ihnen drängten sich dunkle Gewitterwolken zusammen. Sonora ging über den Rasen zu Keaton.

»Keaton?« machte sie sich leise bemerkbar.

Er schien sie nicht zu hören. Sie berührte ihn an der Schulter, und er legte seine Hand auf ihre und drückte sie fest.

»Sagen Sie bitte nichts.« Seine Stimme klang belegt, als ob er geweint hätte.

Sonora nahm seine Hand in ihre und trat vor ihn hin.

Eine subtile Veränderung war mit ihm vorgegangen, eine Veränderung, die Sonora beunruhigte – so, als wäre er bisher nicht er selbst gewesen, als ob erst jetzt der *wahre* Keaton zum Vorschein kommen würde. Die Beerdigung, gerade wenige Stunden vorbei, schien Meilen und Jahre zurückzuliegen. Sie drückte seine Hand und kam nahe zu ihm, ganz nahe, so nahe, daß ihre Körper sich fast berührten. Er wich ihr nicht aus. Sie nahm sein Gesicht in ihre Hände, stellte sich auf die Zehenspitzen und küßte ihn.

Er zögerte, und ihr Magen verkrampfte sich. Dann aber riß er sie fest an sich, küßte sie wild, und die Bartstoppeln auf seinen unrasierten Wangen fühlten sich an wie Schmirgelpapier. Und sie spürte auch die weiche, kühle Nässe seiner Tränen.

Als sie sich von ihm löste, hielt er ihre Hand fest. Sie schob ihre Finger zwischen seine und drückte zu.

»Sie sollten nicht allein bleiben, Keaton. Kann ich Sie irgendwo hinbringen?«

»Nein«, antwortete er.

»Sind Sie sicher?«

»Ja.«

»Ich gehe noch mal kurz in die Küche. Bleiben Sie hier.«

Sie eilte ins Haus zu ihrem Wagen, fischte eine Papiertüte aus all dem Kram im Kofferraum und steckte die Fotos samt Briefumschlag hinein. Dann lief sie zurück, schob die Post auf dem Küchentisch zusammen und schaute in den Garten. Er stand immer noch mit dem Rücken zu ihr oberhalb des Zauns. Als sie auf halbem Weg zu ihm war, drehte er sich um.

»Sie fahren weg?«

Sie nickte. Ihr fielen keine tröstlichen Worte ein, keine Worte, die seinen Schmerz hätten lindern können. »Ich rufe Sie an.«

»Ja, sicher.«

Sie blieb mit der Hand am Türgriff stehen und schaute zurück. Er sah ihr nach. »Ich werde sie kriegen«, versprach sie.

25 Sonora nahm die Papiertüte mit ins Büro der Mordkommission im fünften Stock des Elections Building. Sie sah, daß in Cricks Büro Licht brannte, und winkte Sanders zu, die Schichtdienst von acht Uhr abends bis vier Uhr morgens hatte, Sonoras Lieblingszeit.

»Was Neues?« fragte Sanders.

»Weitere Fotos.«

Sanders lehnte sich zurück und strich mit zitternden Fingern eine Haarsträhne aus der Stirn. »Von Flash?«

Sonora nickte.

»Schlimm?« fragte Sanders.

»Ja, schlimm. Ist noch jemand im Labor?«

Sanders schüttelte den Kopf.

Sonora ging zur Schwingtür, die zum Dezernat Kriminaltechnische Untersuchungen führte. »Ich lasse die Fotos besser dort als im Kofferraum meines Wagens. Sagst du bitte Crick Bescheid?«

Sie legte die Polaroidfotos mit einer Notiz auf Terrys Schreibtisch und wollte gerade wieder gehen, als Crick und Sanders hereinkamen.

»Sonora?« sagte Crick.

»Drüben auf Terrys Schreibtisch, Sergeant.« Sie schob sich an ihm vorbei, denn sie hatte keine Lust, noch einmal einen Blick auf den gemarterten, tapferen Mark Daniels zu werfen. Sie schaute auf die Uhr, kurz nach drei. Das Licht an ihrem Anrufbeantworter blinkte.

Eine Nachricht von Dolores Soundso in Erwiderung auf Sonoras inzwischen erfolgte Kontaktaufnahme. Eine andere von einem Cop in Memphis vom Dezernat Ungelöste Mordfälle in Verbindung mit Brandstiftung. Sonora notierte sich den Namen und die Telefonnummer des Anrufers.

»Sonora?«

Sie zuckte zusammen, obwohl die Stimme höflich geklungen hatte. Crick sah schlechtgelaunt aus – wie immer. Sonora brauchte diesmal nicht zu denken, er solle seine Krawatte lockern, weil er sie bereits abgenommen hatte. Sie stützte den Ellbogen auf die Tischplatte und legte das Kinn in die Handfläche.

»Sie sind immer noch hier?« fragte er.

»Ich bin eben ein Supercop. Haben Sie sich die Aufnahmen angesehen?«

Er verzog das Gesicht. »Ich frage mich, wie viele solcher Fotos sie noch auf Lager hat.«

Sonora zuckte mit den Schultern. »Und ich bin nicht sicher, ob Keaton Daniels noch viele von dieser Sorte ertragen kann.«

Crick wiegte auf den Fußballen vor und zurück. »Ich bin mir nicht sicher, ob *ich* das kann. Vielleicht findet Terry diesmal einen Fingerabdruck. Und, Blair, Sie gehen jetzt am besten nach Hause, Sie sehen fürchterlich aus.«

»Sir, ich habe eine Nachricht von einem Cop von der Mordkommission in Memphis. Vor drei Jahren hatten sie dort einen Mord, der dem an Mark Daniels sehr ähnlich ist.«

»Und Sie meinen, das sei ebenfalls Flash gewesen, wie?«

»Noch eindeutiger als bei dem Mord in Atlanta, nur daß das Opfer in Memphis nicht überlebt hat. Der Mord wurde von einer Frau begangen, und sie hat Handschellen benutzt.«

»Und jetzt wollen Sie nach Memphis fliegen, nicht wahr?«

»Ich stehe auch in telefonischer Verbindung mit einer Dolores Soundso in West Virginia.«

»*Noch* ein ähnlicher Mord?«

»Ja, Sir.«

Er legte die Hand auf die Stuhllehne, und das Holz knackte.

»Haben Sie die Sache schon mit dem FBI abgecheckt?«

»Noch nicht. Meinen Sie, wir sollten eine Stimmenanalyse machen lassen?«

»Um was zu erfahren? Daß sie eine mordgierige Irre ist? Daß sie gefährlich ist? Daß sie auf den Höhepunkt ihrer Mordgier zustrebt?«

Sonora biß sich auf die Lippe. »Sie haben recht.«

»Entschuldigung, ich wollte Ihren Vorschlag nicht einfach vom Tisch wischen, Sonora. Moment ...« Er ging in sein Büro, die Tür offenlassend. Sie hörte, wie er eine Schublade aufzog, einen Fluch ausstieß und die Schublade wieder zuschob. Aber nicht ganz – da war nicht das charakteristische Klicken beim Einrasten. Und das nervte sie. Sie stand auf und ging zur Tür.

Crick wedelte ihr mit einem dicken, zusammengehefteten Papierstapel entgegen. »Da haben wir die Antragsformulare für das Einschalten des FBI.«

»Die Schublade ist nicht ganz zu.«

»Was?«

»Die Schublade.« Sie trat zum Aktenschrank und schob die Schublade, die zweite von unten, mit der Fußspitze zu, hörte das Klicken und fühlte sich besser.

»Sind Sie jetzt zufrieden?« fragte Crick.

Sie zeigte auf die Formulare. »Sie wissen es, und ich weiß es auch, das FBI wird sich erst einschalten, wenn wir den Namen, die Adresse und ein richterlich abgesegnetes Fahndungsersuchen wegen Mordverdacht präsentieren können. Warum halten Sie mir dann um drei Uhr morgens diese Formulare unter die Nase?«

»Okay, gehen Sie nach Hause, und lassen Sie mich allein. Auch wenn das FBI in diesem Stadium eine Unterstützung ablehnt, es würde uns jedenfalls Rückendeckung verschaffen, zeigen, daß wir alles versucht haben.«

»Ich weiß eine Menge über sie, Sir. Sie stammt vom Land, ist wahrscheinlich in einer Kleinstadt aufgewachsen – irgendwo in Kentucky, wo man ›euereins‹ und ›unsereins‹ sagt. Ich nehme an, sie ist irgendwann in ihrem Leben mal bei einem Ladendiebstahl erwischt worden. Sie hat als Teenager, vielleicht sogar schon früher, damit begonnen, zur sexuellen Befriedigung Brände zu legen. Als Kind hat sie nur so zum Spaß Tiere gequält, und es macht ihr ein perverses Vergnügen, die Angehörigen ihrer Opfer leiden zu sehen. Ich wette meinen letzten Penny, daß sie hinter Keaton Daniels her ist, und ich sage noch mal, wir sollten uns wie Kletten an diesen Mann hängen.«

»Wie wär's mit Flashs Adresse, Blair? Haben Sie die?«

»Werden wir durch das Ausfüllen dieser Formulare ihre Adresse kriegen?«

»Das weiß man erst, wenn man's versucht hat.«

»Ich mache Ihnen einen Vorschlag: Ich fülle diese Formulare aus, und Sie verschaffen mir dafür die Genehmigung zu einer Dienstreise nach Memphis und Atlanta.«

»Sie füllen diese Formulare aus, dann sehen wir weiter.«

Sie blieb stur und schaute ihn mit festem Blick an, um ihn mit ihrer Willenskraft zur Zustimmung zu zwingen.

Er knurrte nur: »Noch was, Specialist Blair?«

»Nein, Sir.«

»Dann können Sie gehen.«

26 Der Parkplatz war hell erleuchtet und leer. Sonora stieg in den Wagen und verriegelte die Türen. Sie hatte ein irgendwie ungutes, unheimliches Gefühl, und sie drehte sich schnell um. Alles leer. Ich hätte vor dem Einsteigen nachschauen sollen, dachte sie.

Sie startete den Motor, sah auf die beschlagene Frontscheibe und bemerkte, daß auf der Fahrerseite jemand eine Drei in den Dunst gemalt hatte.

Flash?

Wie aufs Stichwort piepste das Autotelefon. Sonora nahm es aus der Halterung.

»Hallo, Freundin, wie geht es Ihnen? Ist meine Sendung heil bei Keaton angekommen?«

Sonora schaltete die Scheinwerfer ein und schaute in den Rückspiegel. Nichts zu sehen. Niemand in unmittelbarer Nähe. Aber Flash war irgendwo da draußen, nicht allzuweit weg, beobachtete sie wahrscheinlich.

»Ja, wir haben sie bekommen.« Sonora fuhr los, bog hinter dem Parkplatz links ab in Richtung Fluß und überlegte, wo Telefonzellen in der Gegend waren.

»Wir?« Eine Pause. »Komisch, nicht wahr, daß Sie mich auf diesem Friedhof gestern fast sofort erkannt haben. Sehen Sie, ich glaube, wir sind irgendwie miteinander verbunden, Sie und ich. Ich glaube …«

»Wie sind Sie an diese Telefonnummer gekommen?«

»Reden wir nicht darüber. Vielleicht haben Sie sie mir gegeben. Vielleicht bin ich Sie, vielleicht bin ich Ihre dunkle Hälfte. Vielleicht haben Sie die Morde begangen und erinnern sich nur nicht daran. Vielleicht sind Sie die Sechs, und ich bin die Drei.«

»Was soll denn das bedeuten? Würden Sie mir das mal erklären?« Sonora suchte mit dem Blick die Straße ab. Leer. Schweigen am anderen Ende. Dann: »Okay, Mädchen, also reden wir jetzt mal über Sie.«

Ein neuer Ton in der Stimme, dachte Sonora. Änderung der Taktik? Drücken auf neue Knöpfe?

»Es war kein Schlaganfall, nicht wahr, an dem Ihre Mama gestorben ist?«

Sonora stieg auf die Bremse und hielt am Bordstein an. »Wovon reden Sie da?«

»Wissen Sie, meine Mama ist auch tot. Sie starb, als ich noch sehr klein war. Sie waren wenigstens schon erwachsen.«

»Woran ist Ihre Mutter gestorben?«

»Wir reden jetzt über *Ihre* Mama, Detective. Die Ärzte waren sich nie ganz sicher, was eigentlich passiert war, das stimmt doch, oder? Zu viele Pillen, oder was war die Ursache? Sie hätten das klären lassen können, aber nein, keine Autopsie bei *Ihrer* Mama. Meinen Sie immer noch, sie hätte diese Pillen selbst eingenommen, oder meinen Sie, Ihr Daddy hätte sie ihr eingeflößt? Oder hat er vielleicht das Kopfkissen auf ihr Gesicht gedrückt, als sie mit Tabletten vollgestopft war? Meinen Sie, Ihre Mama hatte es gewußt, als es passiert ist? Sie sollten mal die Gesichter der Leute sehen, wenn sie wissen, daß sie sterben müssen. Der Ausdruck ist echt komisch, kann ich Ihnen sagen.«

27 So früh am Morgen war es noch kalt im Besprechungsraum. Der Duft von frischem Kaffee wirkte tröstlich. Sonora biß ein kleines Stück von einem Doughnut ab, das Stimmengewirr um sie herum kaum wahrnehmend. Sie hatte nicht geschlafen. Sie hatte sich ins Bett gelegt und die Augen geschlossen und Mark Daniels vor sich gesehen – ans Lenkrad des Wagens gefesselt, von Flammen umzüngelt. Und sie hatte ihre tote Mutter im Sarg vor sich gesehen, ihr mürrisches, trauriges Gesicht.

Sonora zupfte an ihrer Unterlippe und sah Sam zu, der mit seinem dicken Zeigefinger über eine Landkarte fuhr.

»Genau entlang des Big South Fork. Und in diesem Teil des südlichen Kentucky, besonders in der Nähe der Grenze zu Tennessee. Ich meine, für viele Leute ist es nur ein Scherz, aber in einigen dieser ländlichen Ecken sagen sie im Ernst ›euereins‹, wo wir einfach ›ihr‹ oder ›ihr alle‹ sagen.«

Jemand wickelte knisternd einen Snicker aus.

»Wir?« Gruber grinste.

»Weiter südlich sagen sie auch ›unsereins‹. Und im übrigen, *all ihr alle* könnt mich am Arsch lecken, was eine andere Redewendung ist, die wir im Süden gern gebrauchen.«

Sanders, der Neuling im Team, jung und dünn, mit kurzem, widerspenstigem Haar, fragte: »Meinst du, sie kommt vielleicht aus …«

Die Tür ging auf. Sergeant Crick kam herein, die schwarzen Schnürschuhe auf Hochglanz poliert, den Oberkörper in einen grauen Pullover gezwängt. Eine düster dreinblickende Terry folgte ihm. Sie trug einen verschmutzten Arbeitskittel, und eine Strähne hatte sich aus ihrem Pferdeschwanz gelöst. Crick setzte sich ans Kopfende und hob die Hand. »Terry?«

Sie rückte die Brille auf der Nase zurecht. »Wir haben einen Fingerabdruck auf einem der Fotos gefunden.«

Sonora schaute auf. »Soll das heißen, daß Flash keine Handschuhe getragen hat?«

Terry schob die Haarsträhne hinters Ohr. »Ich bin ziemlich sicher, daß sie Handschuhe anhatte. Aber dünne. Sie hat jedoch stark ausgeprägte Kammlinien an den Fingerspitzen, und sie hat die Oberfläche eines der Polaroidfotos berührt, die ihrerseits sehr porös ist. Dazu kommt, daß wir wegen des vielen Regens in letzter Zeit eine hohe Luftfeuchtigkeit hatten und es für diese Jahreszeit ziemlich warm ist. Das ist hilfreich für uns. Wir haben Glück gehabt.«

»Ist es ein guter Abdruck?« fragte Sam.

Terry lächelte nur.

Sonora beugte sich vor. »Wo hat sie den Abdruck hinterlassen? An welcher Stelle auf dem Foto?«

»Auf Mark Daniels' Gesicht.«

Crick sah Gruber an. »Sie sind jetzt dran.«

»Wir haben noch mal in der Nachbarschaft rumgefragt, vor allem bei den Häusern, wo wir am Tag des Mordes niemanden angetroffen hatten. Sanders hat dabei eine Lady aufgetan, der ein brauner Pontiac am Straßenrand in der Nähe des Parks aufgefallen ist. Die Lady meint, der Wagen habe den ganzen Tag vor dem Mord an Daniels dort rumgestanden. In unmittelbarer Nähe, am Shepherd Creek, liegt ein kleiner Picknickplatz.

Also, die Lady wohnt auf der anderen Straßenseite, und der fremde Wagen fällt ihr auf. Wir sagen uns, okay, wenn Flash den Wagen dort abgestellt hat, um ihn in der Nacht zur Flucht zu benutzen, wo ist sie hingegangen, nachdem sie ihn abgestellt hatte? Ein Stück die Straße runter liegen ein Dairy Mart und eine BP-Tankstelle, beide mit Telefonzellen. Wir lassen uns von der Telefongesellschaft die Gesprächsunterlagen geben, und es zeigt sich, daß jemand an diesem Nachmittag vor dem Mord an Daniels von der Tankstelle aus ein Taxi angefordert hat. Wir reden mit den Angestellten der Tankstelle, und einer erinnert sich, daß eine Blondine von der Zelle aus einen Anruf gemacht hat. Er schildert ihr Haar allerdings anders als auf dem Phantombild, sagt, sie habe kurze, komisch aussehende Ponyfransen gehabt, struppig und ungerade geschnitten. Mit dieser Beschreibung konnten wir den Taxifahrer auftreiben, der sie abgeholt hat. Er hat sie in die Stadt gefahren, und zwar zu Shelbys Antiquitäten.«

»Wie weit ist es von dem abgestellten Wagen bis zu der Stelle, an der Daniels ermordet wurde?« fragte Sam.

Gruber wollte antworten, aber Molliter hob die Hand. Seine Stimme klang lustlos.

»Vielleicht sollte ich die Antwort geben, denn ich habe die Strecke abgeschritten.« Er zeigte mit einem sommersprossigen Finger auf die Landkarte. »Bei flottem Gehen braucht man acht Minuten, um vom Tatort zu dem abgestellten Wagen zu kommen.«

»Bei Dunkelheit und in hohen Absätzen länger«, meinte Gruber.

Sonora runzelte die Stirn. »Vorausgesetzt, sie ist über die Straße gegangen.«

Molliter sah sie geduldig an. »Sie wird sich ganz bestimmt nicht in Schuhen mit hohen Absätzen diesen Hügel runter durchs Gebüsch geschlagen haben.«

Terry nahm ihre Brille ab und rieb über die beiden roten

Abdrücke auf ihren Nasenflügeln. »Sie hat die Schuhe gewechselt.«

Sonora nickte.

»Nun kommt aber, Mädchen. Hatte sie etwa Wanderschuhe in ihrer kleinen Handtasche?«

»In ihrer *großen* Handtasche«, sagte Sonora. »Sie hatte eine ganze Menge Zeug zu transportieren. Und ihre Füße sind nicht so groß wie deine, Molliter.«

Gruber nickte. »Überlegt mal, sie hatte doch das Seil und die Kamera dabei, warum dann nicht auch Turnschuhe?«

Sam hob die Hand. »Das Benzin hat sie aus dem Tank von Daniels' Wagen genommen. Ihr habt doch ein Stück geschmolzenes Plastik von einem Schlauch neben dem Einfüllstutzen des Tanks gefunden, nicht wahr, Mickey?«

Mickey schaute auf. »Stimmt. Macht ja auch Sinn, den Sprit aus dem Tank zu saugen statt ihn ranzuschleppen.«

»Konnte was über die Marke des Seils rausgefunden werden?« fragte Crick.

»Es war eine einfache Wäscheleine für den Garten. Die kann man in jedem Haushaltwarengeschäft in der Stadt kaufen.«

Sam rieb sich über den Nasenrücken. »Wie ist sie aber zum Cujo's gekommen, wenn ihr Wagen in der Nähe des Parks abgestellt war? Auch mit dem Taxi? Mit dem Bus?«

Gruber riß die Augen auf. »Gute Frage!«

»Prüft das nach«, sagte Crick.

Ein Klopfen an der Tür führte zu einer Unterbrechung. Crick hob die Augenbrauen, und Molliter ging hin, murmelte irgend etwas, kam zurück und legte ein kleines Päckchen vor Sonora auf den Tisch.

Sonora blickte von ihren Notizen auf. Sie schüttelte das Päckchen, zog den Klebestreifen ab und riß dabei das Geschenkpapier ein, was zur Folge hatte, daß sich alle Augen auf sie richteten. Mickey unterbrach kurz und machte dann mit seinen Ausführungen weiter.

»Tickt es?« flüsterte Sam ihr über die Schulter zu.

Sonora sah sich an, was unter dem Geschenkpapier zum Vorschein kam. Ein Zettel, dazu ein kleines, quadratisches, in Butterbrotpapier eingewickeltes Päckchen. Sie nahm es auf den Schoß und versuchte es lautlos zu öffnen, indem sie langsam die beiden eingeknickten Ecken aufzog.

Toast – zwei aufeinandergelegte Scheiben. Weizentoast, leicht gebräunt, dünn mit Butter bestrichen, die Kruste abgeschnitten. Sonora kratzte sich am Kinn und schaute auf den Zettel – ein dünnes graues, liniertes Blatt aus einem Schreibheft für die zweite Klasse.

Die Schrift – dicker schwarzer Filzstift – war kräftig und fiel steil nach rechts ab. Sonora blinzelte und hielt das Blatt dicht vor ihre Augen.

ICH HÄTTE IHNEN FRÜHSTÜCK GEMACHT. K.

Sam schaute ihr über die Schulter. »Was ist es, Mädchen? Du wirst ja ganz rot um die Nase.«

Er griff nach dem Zettel, aber Sonora stopfte ihn schnell tief in ihre Jackentasche.

»Nichts.« Es war plötzlich still im Raum. Als Sonora aufschaute, traf sie Cricks Blick. »Entschuldigung, ich habe hoffentlich nichts verpaßt.«

»Mickey von der Brandstiftung sagt, der Schlüssel, den sie im Wagen gefunden haben, sei ein Schlüssel für Handschellen, aber er passe nicht zu denen, mit denen Mark Daniels ans Lenkrad des Wagens gefesselt war.«

Sonora ließ die Toastscheiben samt Verpackung auf ihrem Schoß liegen und dachte kurz nach. »Das macht keinen Sinn. Sind Sie ganz sicher, Mickey?«

Mickey kratzte sich am Kinn. »Der Schlüssel, den wir gefunden haben, paßt absolut nicht zu den Handschellen an Daniels' Handgelenken. Ganz anderes Fabrikat.«

»Auf einem der Fotos, die sie Keaton Daniels geschickt hat, kann man sehen, daß Mark etwas zwischen den Fingern hält. Man kann es nicht deutlich erkennen, aber er hält was zwischen Daumen und Zeigefinger.« Sonora hob die rechte Hand und drückte die Spitzen von Daumen und Zeigefinger zusammen. »Und der eine Polizist, Finch heißt er, hat gesagt, Mark habe immer wieder ›Schlüssel‹ geschrien.«

Sam legte den Kopf schief. »Er hätte demnach einen Handschellenschlüssel in der Hand gehabt, aber einen, der nicht zu denen um seine Handgelenke paßte?«

»Das macht doch keinen Sinn.« Molliter strich sein Haar zurück. »Für mich paßt das alles nicht zusammen.«

Sonora dachte an das Foto von Mark, auf dem das Feuer sich entlang des Seils, das um seinen nackten, schutzlosen Körper geschlungen ist, vorarbeitet, an den schrecklichen Ausdruck des Erkennens der Ausweglosigkeit auf seinem Gesicht.

Gruber hüstelte, Sonora sah ihn an und wußte sofort, daß er gerade auf denselben Gedanken gekommen war wie sie.

Sie räusperte sich. »Wie wär's damit: Flash gibt Daniels einen Handschellenschlüssel, und er meint, er könnte sich damit befreien, meint das bis zur letzten Sekunde, als er den Schlüssel ins Schloß steckt und feststellen muß, daß er nicht paßt.«

»Moment mal, daß ich das auch richtig auf die Reihe kriege. Sie fesselt ihn mit Handschellen ans Lenkrad …«

»Wieso läßt Daniels das zu?« Gruber zerbröselte ein Stück von einem gefrorenen Karamel-Doughnut zwischen den Fingern.

»Könnte eine Sex-Sache sein«, warf Sam ein. »So nach dem Motto: Ich kette dich an und bumse dich dann.«

»Welche Sorte von Mann würde da denn mitspielen?« Molliters Gesicht war gerötet, Schweißperlchen standen auf seiner Oberlippe.

»Fast jeder. Neun von zehn Männern würden darauf anspringen«, sagte Gruber.

Sonora schnaubte wütend. »Was meinst du mit ›welche Sorte‹, Molliter? Willst du damit sagen, er hätte bekommen, was er verdient, wenn er für ein Mädchen, das er kurz vorher aufgegabelt hat, die Beine breit macht? Willst du das etwa damit sagen?«

»Genug, Schluß damit«, griff Crick ein.

»Er hat Bemerkungen wie diese auch schon bei weiblichen Verbrechensopfern gemacht. In diesem Fall ist es mal andersrum. Wie siehst du es jetzt, Molliter? Ist es was anderes?«

»Nun hör mal, Blair …«

»Ich sagte Schluß!« Cricks Stimme klang beeindruckend autoritär. Sonora nahm sich vor, sie nachzuahmen, wenn sie wieder einmal wütend auf ihren Sohn war. Mit Crick-Stimme auf ihn einreden – etwas, das man kultivieren sollte.

Sanders biß sich auf die Unterlippe. »Wir dürfen nicht vergessen, daß sie auf Daniels geschossen hat. Steht doch so im Autopsiebericht, oder?«

Sonora nickte. »Richtig. Sie bedroht ihn mit einer Schußwaffe, er macht nicht, was sie will, und sie schießt ihm ins Bein. Laß die Handschellen zuschnappen, Junge, oder ich schieß dir auch ins andere Bein.«

Molliters Gesicht war jetzt hellrot. »Aber was soll das alles? Der Schlüssel paßt doch nicht. Warum kriegt er sie dann?«

Sonora hob die Hand. »Irgendwie bringt sie Daniels dazu, ihr seine Brieftasche und die Kleider zu geben, und schafft es, daß er ans Lenkrad gefesselt ist. Und, ganz klar, Männer fühlen sich von so einer kleinen Frau wie Flash nicht bedroht, nehmen sie nicht ernst. Wahrscheinlich muß sie auf sie schießen, um ihre Aufmerksamkeit zu erregen. Sie ist clever. Sie richtet eine Waffe auf sie und hat sie damit in der Hand, noch ehe sie überhaupt begreifen, daß sie in Schwierigkeiten sind.«

»Es hat also nichts mit Sex zu tun.« Molliter klang erleichtert.

»Nicht für die Männer«, sagte Sonora.

Sanders hob die Hand. »Um auf diese geographische Sache zurückzukommen …«

»Ich dachte, es sei eine *porno*graphische Sache«, fuhr Gruber dazwischen. »Und ich weiß nicht, wie es den anderen Männern hier geht, aber diese Geschichte nimmt einem allen Spaß daran, schnell mal irgendwo eine Frau aufzureißen.«

Sanders lächelte und räusperte sich. »Ich frage mich …«

»Mit den Zeugen am Tatort, den beiden Polizisten, kommen wir nicht weiter?« unterbrach Gruber.

Sanders' Gesicht rötete sich, und sie ergriff das Wort. »Sam, gibt es in der Gegend von Kentucky, die wir im Auge haben, nicht mehrere kleine städtische Colleges? In den Orten, die du eben auf der Karte gezeigt hast?«

Sam nickte ihr ermutigend zu.

»Dann frage ich mich doch … Vielleicht ist sie auf so ein College gegangen. Wir könnten überprüfen, ob es an einem dieser kleinen Colleges mal Fälle von Brandstiftung gegeben hat oder …«

Gruber winkte ab. »Sie kann *überall* auf ein College gegangen sein, Sanders, wenn sie überhaupt eines besucht hat.«

Sam schüttelte den Kopf. »Wenn sie aber ein College besucht hat, könnte Sanders recht haben. Die Kinder auf dem Land bleiben für die ersten zwei Collegejahre gern in der Nähe ihres Elternhauses. Zum einen ist das billiger, zum anderen bleiben sie mit ihren alten Freunden zusammen, statt sich in der Fremde an einer großen Universität wegen ihrer ländlichen Herkunft dem Naserümpfen der Leute auszusetzen. Und dann sind sie entweder mit einem Zweijahresabschluß zufrieden und gehen ab oder machen an einer anderen Universität weiter, die allerdings ihre bisherige Ausbildung nicht voll anerkennt.«

Sanders sah Sonora an. »Du hast davon gesprochen, daß du dir ein Bild von ihren frühen Lebensjahren machen wolltest. Wenn sie ein College besucht hat, könnte es dort doch ungeklärte Brandstiftungsfälle gegeben haben. Wir könnten uns an die Campus-Polizei der in Frage kommenden Universitäten wenden.«

Crick begann seine Papiere zusammenzuklauben. »Gute Idee, Sanders. Machen Sie sich heute noch an die Arbeit.«

»Was aus dem Mund der Kindlein kommt«, sagte Gruber.

Sonora schaute Sanders an, sah ihr gerötetes Gesicht und wartete auf eine Reaktion, aber Sanders sortierte mit niedergeschlagenen Augen ihre Papiere.

»Okay«, sagte Crick. »Gruber, sie bleiben an der Taxi-Sache dran, kümmern sich um die Transportfrage zum Cujo's. Sehen Sie zu, daß Sie Flashs Spur nach dem Antiquitätenladen wieder aufnehmen können. Sonora, Sie und Sam sehen sich mal in dem Laden selbst um. Molliter …«

Molliter schaute demonstrativ auf seine Uhr. »Ich muß eine möglicherweise verdächtige Person verhören. Bin schon spät dran.«

»So früh am Morgen und schon spät dran?« fragte Sam.

Gruber grinste. »Ist 'ne Nutte, auf dem Weg von der Arbeit nach Hause.«

Molliter wurde rot. »Sie könnte sich als Informantin bezahlt machen. Es ist ja durchaus möglich, daß die Mörderin eine Prostituierte ist.«

»Okay, machen Sie sich an die Arbeit.« Crick kratzte sich im

Nacken. »Haben Sie weitere Telefonanrufe gekriegt, Sonora, sofort wieder aufgelegte Hörer oder irgend so was?«

Sonora schaute zu Boden. War sie bereit, Crick und den anderen zu erzählen, was Flash über ihre Mutter gesagt hatte? Sie fragte sich, wie Flash an ihre Telefonnummer gekommen war und wie sie die Dinge herausgefunden hatte, die sie nicht wissen durfte.

»Nein, Sir.«

Es war die erste vorsätzliche Lüge ihrem Vorgesetzten gegenüber, eine fromme Lüge, die sie aussprach, um den Bereich ihres Bewußtseins zu schützen, der ihr ganz privates Geheimnis bleiben mußte.

28 Sonora hörte das Schluchzen ihrer Tochter am anderen Ende der Leitung.

»Es ist das Teegeschirr, das der Weihnachtsmann mir gebracht hat. Das ich für die Ponys benutze.«

Sam kam vorbei, murmelte »Antiquitätenladen« und deutete auf seine Uhr. Sonora nickte ihm zu. Okay, okay. Ihre Nackenmuskeln schmerzten.

»Wann hast du das Geschirr denn zum letztenmal benutzt, Heather? Vielleicht steckt es im Wandschrank bei all dem anderen Spielzeug.« Wenn das der Fall ist, dachte Sonora, wird man es unter dem ganzen Zeug wohl nie mehr wiederfinden.

»Ich habe auf der hinteren Veranda damit gespielt. Jemand hat es gestohlt.«

Gestohlen, dachte Sonora. »Siehst du, so was passiert, wenn du dein Spielzeug nicht wegräumst, Heather.« Sie schaute auf und sah, daß Sam vorwurfsvoll den Kopf schüttelte. Rabenmutter. Sonora schloß die Augen und schluckte gegen die aufsteigende Übelkeit an. Eigentlich war es noch zu früh für ihr Magengeschwür, aber es meldete sich trotzdem. Schlafmangel. Es sei denn, es war etwas anderes, zum Beispiel … Nein, nein. Das konnte es nicht sein. Sonora warf einen Blick auf den Kalender vor sich auf dem Schreibtisch und sah, daß ihre Periode überfällig war.

»Mommy?«

»Hör zu, Heather, es tut mir leid, daß du traurig bist. Ich bin

255

jetzt im Dienst, aber wenn ich nach Hause komme, kümmern wir uns beide zusammen darum, okay? Schau unter deinem Bett und im Wandschrank nach. Vielleicht hast du das Geschirr gar nicht draußen stehenlassen.«

Im Hintergrund hörte sie Tims Stimme. »Ich wette, es liegt unter deinem Bett. Komm, du Knallkopp, ich helf dir suchen.«

Sonora legte auf. Sam setzte sich auf die Kante ihres Schreibtischs. »Können wir jetzt gehen?«

»Ich bin soweit, aber Sanders ist gerade drüben beim Kaffee-Automaten. Gib mir bitte noch ein paar Minuten für ein Kindlein-Training.«

»Kindlein-Training?«

»Bin gleich zurück.«

Sonora lehnte sich gegen die Wand in der Damentoilette und verschränkte die Arme vor der Brust. Sanders sah sie nervös an, wandte sich dann dem Spiegel zu und kramte aus ihrer Handtasche eine Haarbürste und einen Lippenstift hervor. Es schmerzte Sonora, daß sie diese Frau offensichtlich nervös machte.

Sie dachte an Flash und das Mädchen-Gerede mit ihr am Telefon und verzog das Gesicht. Aber das ist *nicht* das gleiche.

Sanders drehte sich zu ihr um und verschränkte ebenfalls die Arme vor der Brust.

»Ich würde sagen, setzen wir uns, aber aus offensichtlichen Gründen würde sich keine von uns beiden dabei wohl fühlen.«

Sanders lachte und biß sich auf die Unterlippe.

»Ich weiß, es klingt aggressiv, Sanders, aber du hast keinen Penis, oder?«

»Wie *bitte?*«

»Nun, du könntest dir einen Penis in einem der Läden kaufen, mit denen die Sitte dauernd zu tun hat, aber es wäre nicht dasselbe, nicht wahr? Also erspar dir Verwirrung und verletzte Gefühle. Du wirst nie ›einer von den Jungs‹ sein. Ich will kein Von-Frau-zu-Frau-Zeug mit dir reden, ich will dir ganz einfach nur dasselbe sagen, was mein Sergeant vor acht Jahren zu mir gesagt hat, okay? Laß es nicht zu, daß Typen wie Gruber dich alle zwei Sekunden unterbrechen. Wenn du es zuläßt, werden sie dich niemals ernst nehmen.«

»Ich will nicht grob sein.«

»*Sie* sind grob.«

»Du meinst also, ich soll eine Beschwerde schreiben?«

»Willst du eine Beschwerde schreiben, weil man dich dauernd beim Reden unterbricht?«

Sanders hob die Hände. »Was soll ich denn sonst machen?«

»Du läßt es dir nicht mehr gefallen, und am besten ab sofort, denn wenn du das nicht tust, wird es immer schlimmer. Zieh eine feste Linie, und laß es nicht zu, daß irgend jemand sie überquert, und mach das selbstbewußt, nicht verbiestert. Oh, und noch was, Sanders. Wenn du bei Besprechungen zu einem bestimmten Thema Stellung beziehst, gewöhn es dir ab, dauernd zu lächeln.«

»Lächeln?«

»Nach meinen Beobachtungen lächeln Frauen dauernd, egal, was gerade zur Debatte steht. Ich wette, Bundys Opfer haben noch gelächelt, kurz bevor er sie abgeschlachtet hat. Du bist ein Cop. Lächle nicht, wenn Leute dir weh tun.«

»Du hast mir eine Menge gesagt, über das ich nachdenken muß.«

»Sehr gut. Das ist einer der Gründe, warum ich gern mit Frauen zusammenarbeite. Sie können denken.«

29 Ein hölzernes Karussellpferd war der Blickfang im Schaufenster von Shelby's Antiquitätenladen. Der weiße Lack war brüchig, zum Teil abgeblättert, die um den Hals gemalten roten und blauen Rosen verblichen. Zum erstenmal in ihrem Leben verspürte Sonora den dringenden Wunsch, eine Antiquität zu kaufen.

Ein Glockenbündel über der Eingangstür klingelte hell, als sie und Sam den Laden betraten. Sonora ging schnurstracks zu dem Pferd und schaute auf das Preisschild, das um seinen Hals hing. Ihr dringender Wunsch nach einer Antiquität verflog auf der Stelle.

Der Laden war groß und vollgestopft mit Möbelstücken und Regalen, in denen Puppen und allerlei Krimskrams ausgestellt waren – Flohmarkt-Zeug, das Sonora stets als billigen Ramsch betrachtete. Der modrige Geruch der alten Sachen war ihr unangenehm. Da waren Zinntabletts mit der Aufschrift »Coca-Cola«, Betty-Boop-Postkarten, kleine farbige Glasfläschchen, Spielkarten von New York City, alte Cola-Flaschen, verschimmelnde Bücher, Orden aus dem Zweiten Weltkrieg, Porzellanpüppchen, Plastikpüppchen, ein klitzekleines Teeservice und vieles mehr. Das meiste Zeug stammte aus den vierziger und fünfziger Jahren, und es sah so heruntergekommen aus, daß es auf Sonora deprimierend wirkte. Sie kam zu einem Ständer mit weißen Gaze-Kleidern, die zu flattern begannen, als sie zu dicht an ihnen vorbeiging. Sie strich über das kleinste der Kleider und spürte die zarte Baum-

wolle, das vergilbte Satinband und die Reihe kleiner Perlen-
knöpfe zwischen den Fingern.

»Blue-Willow-Teller!« Sam begab sich an einem Bücher-
stapel vorbei zu einem Tisch. »Shelly hat einen von ihrer
Großmutter geerbt. Du kennst ihn, er hängt in unserer Küche
an der Wand. Shelly würde dieser Laden gefallen. Sie würde
sich jedes einzelne Stück genußvoll ansehen.«

Sonora ging über die verzogenen Holzdielen weiter in den
Laden hinein. Auf der rechten Seite sah sie eine Victrola-
Musikbox und einen Stapel Langspielplatten in verschlissenen
Hüllen. Obenauf lag *Carmen*.

Hinter der Ladentheke stand eine Frau bei einer großen polierten Messingkasse. Sie hatte ihr sehr dunkles, mittellanges
Haar, das sich nach innen bog, durch einen Mittelscheitel
geteilt. Für eine Frau in den Fünfzigern hatte sie eine recht
schlanke, hübsche Figur. Die Lippen waren mit einem dunklen Stift geschminkt, und sie hatte dichte braune Augenbrauen. Eine Brille hing an einer Kette um ihren Hals. Sie war
mit einem Papierstapel beschäftigt und machte sich mit einem
Füllfederhalter Notizen. Sonora hätte sie unter anderen Umständen für eine promovierte Geisteswissenschaftlerin gehalten, die an einer der Elite-Universitäten im Osten der USA
Anthropologie oder Mittelalterliche Literatur lehrt.

Die Frau schaute auf, lächelte, und Sonora holte ihren Ausweis aus der Handtasche.

»Guten Morgen. Ich bin Specialist Blair vom Cincinnati Police Department, und der Mann da drüben, der gerade die
Blue-Willow-Teller bewundert, ist Specialist Delarosa. Wir
möchten Ihnen ein paar Fragen stellen.«

Die Frau setzte die Brille auf, nahm sich viel Zeit, Sonoras
Ausweis zu studieren, legte dann den Kopf schief und musterte Sam.

Sonora schaltete der Recorder ein. »Wir sind von der Mordkommission und untersuchen einen Mordfall.«

»Einen Mord?«

Sonora nickte. »Entschuldigung, wie ist Ihr Name bitte?«

»Shelby Hargreaves. Ich bin Mitbesitzerin dieses Ladens.«

»H-A-R-G-R-E-A-V-E-S?«

»Ja.«

»Waren Sie am vergangenen Dienstag hier? Wir möchten gerne wissen, ob Sie am Nachmittag dieses Tages eine bestimmte Frau bedient haben. Ich habe eine Zeichnung von ihr. Es müßte etwa um …« Sonora schaute auf ihre Notizen »… um zwei, vielleicht auch drei Uhr gewesen sein. Waren Sie zu dieser Zeit im Laden?«

»Ich war den ganzen Tag hier. Ich kam früh, schon um sieben, und bin erst abends um neun gegangen.«

»Diese Lady ist blond, zwischen fünfundzwanzig und fünfunddreißig und zierlich. Hier ist die Zeichnung, aber sie ist nicht hundertprozentig zutreffend.«

»Sie könnten eben sich selbst beschrieben haben, Detective.« Sonora verzog das Gesicht.

Shelby Hargreaves sah sich mit gerunzelter Stirn das Phantombild an und legte dann den Zeigefinger an die Wange. Der Nagel des Fingers war kurz geschnitten, der klare Lack glitzerte. »Ja, könnte sein … Ja, das ist wahrscheinlich die, die ich vor Augen habe. Ich habe sie selbst bedient. Sie ist mit dem Taxi gekommen.«

Sonora behielt ihre Gesichtszüge unter Kontrolle. »Das ist Ihnen aufgefallen?«

»Ist ja ungewöhnlich, finden Sie nicht auch? Die meisten Leute fahren mit dem Wagen her, kommen zu Fuß oder manchmal auch mit dem Bus. Aber kaum einer nimmt ein Taxi zum Shopping.«

»Und wie war es, als sie ging?«

»Das habe ich nicht genau gesehen. Sie hat nicht gefragt, ob sie das Telefon benutzen darf, um sich ein Taxi zu bestellen. Sie ist einfach aus dem Laden gegangen und schlug die Richtung zum Stadtzentrum ein, da bin ich ziemlich sicher.«

»Zum Stadtzentrum also«, wiederholte Sonora nachdenklich. Sie würden die Busfahrpläne überprüfen und bei den Taxi-Unternehmen nachforschen müssen. »Wie lange war sie bei Ihnen im Laden?«

»Lange. Anderthalb, vielleicht sogar zwei Stunden. Sie war eine echte Rumschnüfflerin. Ich nehme an, sie war vorher schon mal bei uns, denn sie steuerte gezielt bestimmte Bereiche an, als ob sie wüßte, wo wir die Sachen haben, die sie interessieren.«

Shelby Hargreaves nahm die Brille ab und rieb sich die Augen. »Diese Frau, so hatte ich den Eindruck, war sehr in ihre eigene kleine Welt versunken. Sie kam forsch rein und ging dann ganz langsam durch die Gänge – wie eine verzauberte Prinzessin. Die Magie der Antiquitäten.«

Sam kam jetzt zu ihnen herüber, immer wieder links und rechts auf Dinge schauend, die seinen Blick fesselten. »Beobachten Sie alle Ihre Kunden so aufmerksam?« fragte er.

Hargreaves schüttelte den Kopf. »Normalerweise nicht. Aber sie hatte diesen süchtigen Blick. Sie war ganz wild auf manche Sachen, nahm sie in die Hand, verhielt sich wie ein verwöhntes kleines Mädchen an einem Süßwarenstand. Ich nenne das immer ›gierige Finger‹.«

Sam grinste, und Hargreaves schenkte ihm ein ganz spezielles Lächeln.

»Welche Art von Dingen hat sie sich denn vor allem angesehen?« fragte Sam.

Hargreaves stützte beide Ellbogen auf die Theke. »Puppen

schienen sie besonders zu faszinieren. Außerdem das, was ich
›Miniaturen‹ nenne. Puppenhausmöbel und Puppenhaus-
geschirr. Das kleine Teeservice drüben gefiel ihr besonders.
Haben Sie es gesehen?«

Hargreaves kam hinter der Theke hervor und führte sie zu
einem kleinen Kinder-Teeservice.

Sonora runzelte die Stirn. Irgend etwas beunruhigte sie.

»Dieses Service ist im Größenverhältnis zu den Puppen, die
sie im Auge hatte, viel zu klein, aber sie hat sich nicht für ein
größeres interessiert.« Hargreaves führte sie weiter den Gang
hinunter. »Diese Puppen da hat sie sich sehr lange angeschaut.«

Sie waren auf einem Mahagonisideboard ausgestellt – Porzel-
lanpuppen, kostbar gekleidet, mit blauen Murmelaugen unter
dichten dunklen Wimpern und Lidern, die sich schließen
konnten. Einige der Puppen trugen Ohrringe, und eine mit
zarten roten Porzellanbäckchen balancierte einen spitzenumrandeten Sonnenschirm.

»Meine Tochter würde die da sehr mögen«, sagte Sonora.

Hargreaves nickte und verzog das Gesicht. »Aber es sind ja
nur Erwachsene, Sammler, die heutzutage solche Puppen besitzen. Man erinnert sich kaum mehr daran, daß sie einmal für
Kinder gemacht worden sind.« Sie zeigte auf einen Puppenbuben in einem braunen Samtanzug und Spitzenbesatz aus
dünnen Elfenbeinplättchen an den Manschetten und am Kragen. »Diese Puppe hat sie besonders lange betrachtet. Sie ist
fast zu aufwendig, finde ich. Ein echter deutscher Porzellan-
Puppenjunge. Von Simon & Halbig. Eine naturgetreue Cha-
rakter-Puppe – sehen sie die handgemalten Augen? Aber die
Frau wollte sie nicht kaufen. Das Haar gefiel ihr nicht. Es ist
blond, und sie wollte einen Puppenbuben mit dunklem Haar.
Ich habe ihr schließlich einen anderen aus dem Untergeschoß

geholt. Er war nicht in bester Verfassung – ein Arm fehlte, und die Wangen waren abgeschabt. Und die Puppe hatte kein Markenzeichen, so daß ich über den Hersteller nicht hundertprozentig sicher sein konnte, was selbstverständlich den Wert mindert.« Sie schob sich dichter an Sam heran. »Die meisten Menschen mögen es natürlich nicht, wenn den Puppen Gliedmaßen fehlen, und sie benutzen das dann als wichtigstes Argument, um den Preis runterzuhandeln. Wenn sie nicht selbst Reparaturarbeiten an Puppen machen, kaufen sie sie normalerweise nicht. Aber diese Frau schien das nicht zu stören.«

»Ich wollte, ich könnte sie sehen«, sagte Sonora.

»Ich habe noch eine ähnliche, allerdings ein Puppenmädchen. Kommen Sie mit, ich zeige sie Ihnen.«

Sie gingen in den anschließenden Raum, der mit größeren Objekten angefüllt war – Möbeln, Spinnrädern, Wandschränkchen. In der Mitte des Raums führte eine breite Treppe ins Untergeschoß. Sam ließ Sonora den Vortritt und folgte ihr dann dichtauf.

Unten roch es muffig, und es war recht kalt. Was dort gestapelt war, war nicht erste Wahl. Eine Menge Bücher – alte Nancy-Drew-Bände in blauem Umschlag und Hardy-Boy-Abenteuer – sowie vielerlei militärische Utensilien. Hargreaves ging zielstrebig an einer uralten verstaubten Nähmaschine vorbei, und ihre Absätze klickten laut auf den gelben Fliesen. Vor einem offenen Schrank, der mit Puppen vollgestopft war, blieb sie stehen. Vielen der Puppen fehlten Gliedmaßen, anderen die Haare oder gar der ganze Kopf, und es gab keine einzige, die nicht zerbeult oder irgendwie verschlissen war – die auf der Strecke gebliebenen.

»Es ist eine sehr ungewöhnliche Puppe, die sie sich da ausgesucht hat.« Hargreaves nahm ein ungefähr fünfundvierzig

Zentimeter großes Puppenmädchen aus dem Schrank. Es trug ein blaukariertes Kleid, und ein Satinband war irgendwie an dem aufgemalten Haar befestigt. »Diese Puppe hat ein Markenzeichen. Sie ist in Brooklyn von der Modern Toy Company irgendwann zwischen 1914 und 1926 hergestellt worden. Ich gehe davon aus, daß es eine frühe Arbeit aus der Zeit von 1915 oder 1916 ist.« Sie gab Sonora die Puppe.

Auf dem Brustlätzchen des Kleides war ein brauner Fleck, aber die weißen Kniestrümpfe waren erstaunlich sauber, und auch die gelben Schuhe. Die Arme der Puppe waren seltsam muskulös, wirkten wie Hähnchenschenkel, und die Haarsträhnen sowie das rundliche kleine Gesicht waren aufgemalt. Die Puppe sah irgendwie ölig aus, was Sonora nicht gefiel.

Sam nahm Sonora die Puppe aus der Hand und bewegte die kleinen Arme. »Sägemehl.«

»Richtig. Der Kopf und der Körper sind aus Kork geformt, die Gliedmaßen jedoch mit Sägemehl ausgestopft. Sie sind paarig miteinander verbunden.« Shelby Hargreaves zog der Puppe das Kleid bis zum Kopf hoch. »Sehen Sie hier? Lamellengestänge in der Schulter und der Hüfte.«

»Wie hat die Frau bezahlt?« fragte Sonora.

»Bar«, antwortete Hargreaves.

»Hat sie noch was anderes gekauft?«

»Verschiedenen Kleinkram zum Basteln und zur Reparatur von Puppen. Ich habe eine Kiste mit solchem Zeug im Raum da hinten.« Sie deutete mit dem Kopf auf zwei schwere Schwingtüren. »Ich habe sie die Kiste durchkramen lassen, und sie hat sich ein paar Sachen rausgesucht. Kommen Sie, ich zeige sie ihnen.«

Sonora nahm Sam die Puppe ab und zog ihr das Kleid wieder über die Knie.

Der hintere Raum hatte einen unebenen Betonboden und war

dunkel und zugig. Dünne Sonnenstrahlen fielen durch Risse in einer Falttür, durch die anscheinend neue Ware hereingebracht werden konnte. Die Tür war fest verschlossen und mit Vorhängeschlössern gesichert. Eine nackte Glühbirne hing von der Decke und verbreitete einen düsteren Lichtkegel, der viel Dunkelheit und Schatten übrigließ.

Sonora schaute auf die freiliegenden elektrischen Leitungen, den Staub und die brüchigen, ausgetrockneten Möbelstücke. Feuergefahr, schoß es ihr durch den Kopf.

Fast alles, was sich in diesem Raum befand, sah demoliert und nicht mehr brauchbar aus, unter anderem ein altes metallenes Kinderbett mit gefährlich weit auseinanderstehenden Streben im oberen Teil und engeren im unteren, ein eisernes Bettgestell, eine hölzerne Indianerfigur und ein großes Coca-Cola-Schild. Shelby Hargreaves beugte sich über eine arg mitgenommene dunkelgrüne Truhe, zog den Riegel des Schnappschlosses zurück und öffnete den Deckel. Sonora schaute über ihre Schulter.

Eine makabre Sammlung, dieses Konglomerat aus Puppenaugen, mit Sägemehl gefüllten Gliedmaßen, kleinen Händen, Puppenköpfen. Eine vergilbte Babyhaube lag neben einem zerfetzten kleinen Sonnenschirm und einer winzigen Brille, Puppenschuhe zwischen Filzsachen und Pinseln sowie Gußformen für Puppenköpfe. Sam langte in die Truhe und nahm ein seltsames Werkzeug heraus, das aussah wie eine Tootsie-Schokoladenrolle.

»Wozu braucht man das denn?«

Shelby Hargreaves legte die Fingerspitzen auf das graue Metall. »Das ist eine Augen-Fräse, hergestellt von einer Firma in Connecticut. Man benutzt sie, um Augenhöhlen in Rohlinge von Puppenköpfen einzuschneiden. Wir haben noch eine bessere.« Sie suchte in der Truhe nach ihr. »Ich *weiß*, daß noch eine andere da war. Vielleicht hat Cecilia sie verkauft oder woanders hingelegt. Sie kann ja nicht von selbst aus der Truhe gesprungen und wegmarschiert sein.«

Sonora und Sam wechselten verstohlen einen Blick.

»Also das ärgert mich jetzt aber«, sagte Hargreaves. »Ich muß das mit Cecilia klären. Sie wird sie verkauft haben.«

»Hat die Frau irgendwas aus diesem Sortiment genommen?« fragte Sam.

»Ja, ein Augenpaar, braune Augen. Blaue sind beliebter, aber sie wollte ausdrücklich die braunen haben. Ich habe versucht, ihr was zu verkaufen, mit dem man diesen Arm reparieren kann.« Sie hielt einen leer herunterhängenden Puppenarm hoch. »Den hätte man wieder in Ordnung bringen können, doch sie hatte kein Interesse daran.«

Oben erklang das schwache, aber unmißverständliche Läuten der Glocken über der Eingangstür.

»Entschuldigen Sie mich, ich muß hoch.«

Sam lächelte sie an, was sie leicht erröten ließ.

Während sie Staub von ihrem Rock klopfte, sagte sie: »Schauen Sie sich um, soviel sie wollen, Detectives. Wenn Sie fertig sind, schließen Sie bitte wieder den Deckel der Truhe.«

Sonora wartete, bis sie das Klicken ihrer Absätze auf der Treppe hörte, beugte sich dann über die Truhe, nahm einzelne Sachen in die Hand und legte sie wieder hin.

»Keine Augen-Fräse.«

»Du nimmst an, Flash hat sie mitgenommen?« fragte Sam.

»Daran habe ich keinen Zweifel.«

30 Als sie aus Shelby's Antiquitätenladen kamen, wurde Sam über sein Handfunkgerät angerufen. Sonora stemmte die Füße gegen den Bordstein und lehnte sich an den Taurus. Sie schaute durch das Fenster auf das Karussellpferd. Sam hängte das Funkgerät zurück an den Gürtel.

»Was ist los?« fragte Sonora.

»Crick. Der Sheriff von Carlysle hat bei ihm wegen des Wachmanns angerufen. Sie haben heute morgen die Autopsie in Louisville gemacht. Definitiv ein Zweiundzwanziger, zwei Geschosse. Und sie haben den Wagen gefunden, den sie geklaut hat.«

»Wo?«

»Weit abseits abgestellt, an einem Feldweg namens Kane's Mill. Sie vermuten, daß sie dort ihren eigenen Wagen versteckt hat, dann zu Fuß die Eisenbahnlinie überquert und die sechs Meilen bis zur Stadt und zur Fernsehstation marschiert ist. Wahrscheinlich hat sie in einem McDonald's die Kleider gewechselt und die Perücke aufgesetzt. Könnte sein, daß man Zeugen dafür auftreibt. Sie muß wegen der Videokamera eine große Tasche mit sich rumgeschleppt haben. Nach dem Auftritt auf dem Friedhof hat sie die Verfolger auf den unübersichtlichen Wegen außerhalb der Stadt abgehängt und ist zu ihrem Wagen zurückgefahren, hat sich wieder in die Blondine verwandelt und ist verschwunden. In der Fahrertür des Wagens waren Strähnen von synthetischem schwarzem Haar eingeklemmt, und der Fahrersitz war so weit wie nur möglich nach vorne geschoben – genau richtig für Gartenzwerge wie Flash und dich.«

»Vielen Dank, Sam. Hättest du was dagegen, kurz mal deine Handgelenke in diese Handschellen zu stecken?«

Er grinste. »Sie hat versucht, ihre Fingerabdrücke in dem Fernsehwagen zu verwischen, aber sie haben zwei sicherstellen können, wenn auch keine guten. Und sie haben ein Schnitzmesser im Wagen gefunden, das niemand von der Fernsehstation vermißt. So ein Ding, wie es Hobbyschnitzer benutzen.«

»Nun, wir wissen ja, welches ihr Hobby ist. Hast du Crick gesagt, daß unser Mädchen gern mit Puppen spielt?«

»Er meint, es sei sehr interessant, daß es ihr wichtig war, nur Stunden vor dem Mord an Daniels eine neue Puppe zu kaufen. Zudem einen Puppenjungen. Und daß ihr dies *so* wichtig war, daß sie sogar Taxigebühren dafür in Kauf genommen hat. Als ob es zu einem kleinen Szenario gehören würde, welches sie sich ausgedacht hatte.«

Sams Funkgerät plärrte wieder los. Er hob die Augenbrauen, Sonora aber zuckte nur mit den Schultern. Da war etwas, das sie beunruhigte, ein Gefühl, als hätte sie irgendeine wichtige Sache nicht richtig aufgenommen.

Sie spulte die Kassette zurück und hielt sich den Recorder ans Ohr. Hargreaves Stimme war klar und angenehm, sie würde sich gut als Rundfunksprecherin eignen.

»… das, was ich ›Miniaturen‹ nenne. Puppenhausmöbel und Puppenhausgeschirr. Das kleine Teeservice drüben gefiel ihr besonders. Haben Sie …«

Eine Hand legte sich auf Sonoras Schulter, und sie zuckte zusammen.

»He, Mädchen, bist du okay?«

»Ja, natürlich. Was war jetzt schon wieder los?«

Sam runzelte die Stirn. »Feuer in einem Müllcontainer bei der Schule, an der ...«

»Keaton?«

Er nickte. »Offensichtlich war Flash hinter einem der Lehrer her.«

Sie stiegen eilends in den Wagen. Während sie den Sicherheitsgurt anlegte, fragte sie: »Und was ist passiert?«

»Das war alles, was man mir gesagt hat. Daniels hat selbst bei uns im Büro angerufen. Die Typen von der Blue-Ash-Schulpolizei wollten nicht, daß wir eingeschaltet werden.«

»Wann ist es geschehen?«

»Vor ungefähr zwei Stunden. Sie ist längst über alle Berge, und Crick ist stocksauer.«

»Das bin ich auch. Besten Dank, ihr Armleuchter von der verdammten Schulpolizei!«

»Du darfst nicht zuviel von ihnen erwarten, Sonora. Für sie ist das nur ein alltägliches Feuer im Müll.«

»Es gibt keine alltäglichen Feuer, wenn Keaton Daniels betroffen ist.«

»Warum taucht sie bei dieser Schule auf, Sonora? Das ist doch mordsmäßig gefährlich für sie.«

»Kannst du mit dem Wort Besessenheit, was anfangen? Warum erschießen Exehemänner ihre Exehefrauen auf der Straße? Bei Gott, ich wünschte, Crick würde jemanden zu seinem Schutz abstellen.«

»Du mußt auf dem Teppich bleiben, Sonora.«

31 Der ausgebrannte Müllcontainer stand am Ende des Schulhofs der *Pioneer Elementary School*. Sonora war auf die Motorhaube eines Wagens der Schulpolizei geklettert und schaute in den Container hinein. Das Feuer hatte die oberste Schicht des Mülls verkohlt. Sie wünschte, Mickey vom Brandstiftungsdezernat wäre hier. Wenn sich das Feuer an einer Stelle tief in den Müll hineingefressen hatte, war es wahrscheinlich ein Schwelbrand gewesen, der von einer glühenden Zigarette ausgelöst worden sein konnte. Wenn aber ein Brandbeschleuniger benutzt worden war …

Sie hörte ein bekanntes Klicken und schaute nach hinten.

»Lassen Sie Ihre Hände genau dort, wo sie jetzt sind.« Eine weibliche, vor Aufregung zitternde Stimme. Sonora warf aus dem Augenwinkel einen schnellen Blick auf die Frau.

Die Beamtin der Blue-Ash-Schulpolizei war eine zierliche, schlanke Schwarze, und sie sah eher nach Lehrerin als nach Cop aus. Ihre Uniform war wie aus dem Ei gepellt.

Sonora bewegte wohlweislich ihre Hände nicht um einen Zentimeter. »Entschuldigen Sie, Officer, ich kann leider von hier aus den Namen auf Ihrem Schild nicht genau lesen. Bradley?«

»Brady.«

»Officer Brady, was zum Teufel meinen Sie, was ich hier tue, daß Sie Ihre Waffe auf mich richten? Wenn das Ihr Wagen ist, so versichere ich Ihnen, daß ich den Lack nicht im geringsten beschädigt habe.«

»Identifizieren Sie sich bitte.«

Es dämmerte Sonora, daß die Schulpolizei inzwischen nach einer kleinen Blondine suchte. Das konnte natürlich zu Mißverständnissen führen.

»Die Frau, nach der Sie suchen, ist schlanker als ich, so ungern ich das auch zugebe. Und ihr Haar ist kürzer und heller als meines.«

Die Polizistin schaute sich nach Hilfe um, doch niemand war in der Nähe. Sie zog ihr Handfunkgerät aus der Halterung am Gürtel.

Sonora lachte sie an. »Kommen Sie, Brady, bitte bringen Sie mich nicht derart in Verlegenheit. Ich bin Detective bei der Mordkommission vom Cincinnati Police Department. Und der Mann, der da drüben vor dem Eingang der Schule mit Ihren Kollegen spricht, ist mein Partner. Kennen Sie ihn? Sam Delarosa?«

»Zeigen Sie mir Ihren Ausweis.«

»Er ist an meinem Gürtel befestigt.«

»Behalten Sie die Hände oben.«

»Wenn ich auf den Hintern falle, geht das sozusagen auf Ihre Kappe.«

Ohne zu lächeln, richtete Brady weiterhin die Waffe starr auf Sonora. Diese drehte sich jetzt mit erhobenen Händen zur Seite. Sie hoffte, Sam würde sie nicht in dieser Lage sehen; sein Gespött würde kein Ende mehr nehmen. Brady machte ein paar Schritte auf sie zu und schaute auf den Ausweis.

»Sollten Sie mit dem kleinen Plastikbildchen zufrieden sein, würde ich es begrüßen, wenn Sie Ihre Waffe ins Holster zurückstecken würden.«

»Entschuldigung.«

»Na ja, man kann ja nie wissen.« Sonora setzte sich auf die Motorhaube und schwang die Beine zur Seite.

Brady nickte bedrückt. Sie trug ihr Haar ganz kurz, und ihr Gesicht spiegelte die ganze Unsicherheit einer noch sehr jungen Polizistin wider.

»Sind Sie schon lange hier?« fragte Sonora.

»Ich war bei denen, die sofort nach dem Anruf hergefahren sind.«

»Und was hat sich nun hier abgespielt?«

Brady lehnte sich gegen das Auto und begann zu berichten.

Der Anruf war kurz nach zwei eingegangen. Brady schaute in ihrem Notizbuch nach. Vierzehn Uhr zwölf, um präzise zu sein, und Sonora nahm ihr ohne weiteres ab, daß sie zu den präzisen Cops gehörte. Für zwei erste Klassen stand Gymnastik auf dem Stundenplan, und sie fand auf dem Schulhof statt. Sonora schaute sich um. Eine hübsche, gepflegte Schule, und so, wie die gesamte Anlage aussah, schien sie von einer betuchten Elternschaft unterstützt zu werden. Eine Karte aller fünfzig Staaten der USA war auf den Asphalt gemalt – ein erzieherisches »Himmel-und-Hölle-Hüpfkästchen«. Es gab eine Rutsche und eine Schaukel sowie ein Klettergerüst, frisch angemalt in kräftigen Schattierungen aller Primärfarben, und der Boden darunter war mit einer Mulchdecke aus Zypressenholzspänen gepolstert.

Es waren also zwei Gruppen auf dem Schulhof gewesen. Eine der beiden hätte Daniels' Klasse sein sollen, aber man hatte mit Miss Vancouvers Klasse getauscht, um die Vorstellung eines reisenden Puppentheaters miterleben zu können. Statt also draußen zu sein, sahen sich Mr. Daniels und seine Schüler drinnen *Rumpelstilzchen* an.

Miss Vancouver hatte eine Frau bemerkt, die sich am Rand des Schulhofs herumtrieb, und sie wollte gerade zu ihr gehen und fragen, was sie hier suche, als eines der Kinder vom Klettergerüst fiel. Nachdem sie sich um das Gott sei Dank unverletzte Kind gekümmert hatte, sah sie, daß die Frau näher gekommen war und einen der kleinen Jungen ansprach. Miss Vancouver stellte sie zur Rede. Die Frau ging auf sie los, zerkratzte ihr das Gesicht, stieß sie zu Boden und lief weg.

Sonora runzelte die Stirn. Der Schulhof lag jenseits des Parkplatzes der Schule, ein Stück von den Hauptgebäuden entfernt, und er war nicht völlig von der Umgebung abgeschlossen. Der Komplex insgesamt war auf zwei Seiten von Wohnhäusern umgeben und an der Rückseite mit einem etwa anderthalb Meter hohen Zaun gegen einen kleinen Hügel und einen schmalen Baum- und Buschstreifen abgegrenzt. Dahinter verlief eine Zufahrt zum Highway. An der linken Seite aber gab es keinen Zaun. Leichter Zugang, dachte Sonora, man braucht nicht mal über den Zaun zu klettern.

»Haben Sie rausgekriegt, was die Frau zu dem Jungen gesagt hat?«

»Sie wollte wissen, wer sein Lehrer sei. Er antwortete, das sei Miss Vancouver, und die Frau fragte, ob er denn nicht in Mr. Daniels' Klasse sei. In diesem Moment kam dann die Lehrerin dazu.«

»Ist sie verletzt?« Es war kein Krankenwagen zu sehen, aber er konnte natürlich inzwischen schon wieder weggefahren sein.

»Nein, nicht schlimm, sie ist nur ziemlich mitgenommen.«

Sonora schaute zu Sam hinüber. Er hielt die Schultern gerade und ruderte mit den Armen in der Luft herum. Die Seitentür des Schulgebäudes schwang auf, und Keaton Daniels kam heraus, begleitet von einem Mann, dessen zerknitterter Anzug und Ausstrahlung von Autorität den Polizisten verrieten. Hinter den beiden folgte ein kleiner Mann, der die Hose unter dem Bauch festgeschnallt und sein dünnes schwarzes Haar mit irgendeinem fettigen Zeug an den Kopf geklebt hatte. Der

Schuldirektor, vermutete Sonora. Doch wer er auch war, er machte keinen glücklichen Eindruck.

Das traf ebenfalls auf Keaton zu. Sein Gesicht zeigte den argwöhnischen, wachsamen Ausdruck, den Sonora bereits bei ihm kannte. Sie ließ sich von der Motorhaube des Wagens gleiten.

Der Cop in dem Anzug schaute auf Sonoras Ausweis am Gürtel und sah sie streng an. Sie kannte ihn nicht. Bei manchen Mordfällen hatte sie schon mit Leuten von der Blue-Ash-Polizei zu tun gehabt, aber diesem Mann war sie noch nicht begegnet.

Der Cop räusperte sich. »Entschuldigung, Miss ...«

»Specialist Blair.« Sonora hob die Hand und deutete auf Sam. »Sie müssen sich an ihn halten, ich gehöre nur zu den Hilfstruppen. Mr. Daniels, darf ich Sie einen Moment sprechen?«

Jetzt sah der Cop Keaton streng an. »Wir bleiben in Verbindung.«

Das Lächeln des Direktors wirkte angespannt. »Denken Sie über das nach, was ich Ihnen eben gesagt habe, Mr. Daniels. Wir sprechen morgen früh noch einmal darüber.«

Keaton nickte kurz und unfreundlich, dann gingen die beiden davon.

»Sie möchten nicht, daß ich weiterhin in die Schule komme. Wissen Sie das schon?« Er schaute sie von der Seite an. »Ich wolle das doch sicher selbst nicht, meinen sie. Ich könne ja meine Kinder nicht beschützen. Wenn ich hier draußen gewesen wäre, hätte ich sie mir schnappen können. Mein Gott, es wäre so einfach gewesen.«

Nicht so einfach, wie du denkst, ging Sonora durch den Kopf. Aber es war jetzt nicht der richtige Zeitpunkt, das auszusprechen.

Sie liefen über den Schulhof, vorbei an dem Klettergerüst und den Basketballkörben. Keaton sah nach rechts, dann nach links.

»Wonach halten Sie Ausschau?« fragte Sonora.

Keaton kratzte sich am Kopf. »Eines der Mädchen aus meiner Klasse sagt, es habe vor zwei Tagen drüben bei der Pfütze eine Frau gesehen, die uns bei der Gymnastik zugeschaut hat. Ich versuche mir vorzustellen, was zum Teufel sie … es kann doch wohl nicht sein, daß sie …« Er ging um das Ende des Zauns herum auf die Baumreihe zu, die sich zwischen der Rückseite der Schule und der Zufahrt zum Highway hinzog, und blieb vor einer tiefen Schlammpfütze stehen. Sie hatte einen Durchmesser von etwa einem Meter und lag im Schatten einer Gruppe hoher Eichen. Keaton schaute auf das modrige Wasser. »Halten Sie es für möglich, daß sie tatsächlich etwas Böses vorhatte?«

Sonora zuckte mit den Schultern und suchte mit den Augen den Boden nach Fußspuren ab. »Alles ist möglich, Keaton.«

Er starrte sie an. »Sie wird es nicht schaffen, daß ich davonlaufe. *Ich* nicht, du Miststück. Ich werde weder meine Kinder im Stich lassen noch meinen Job aufgeben, noch mein Leben einschneidend ändern.«

»Können sie das machen? Sie an der Schule rausschmeißen?«

Keaton schaute zum Schulgebäude hinüber. »Sie müssen natürlich bestimmte Vorschriften einhalten, mir zum Beispiel irgendeinen administrativen Job in der Stadt anbieten, aber selbst dann glaube ich nicht, daß sie mich dazu zwingen können, diesen Job anzunehmen. Wenn der Direktor daraufhin wütend wird und gemein sein will, kann er mir ein paar negative Sachen in die Beurteilung schreiben, aber das geht natürlich erst nach einiger Zeit.« Er hob das Kinn. »Meinen Sie, ich hätte Unrecht? Meinen Sie, ich würde das Wohlergehen meiner Kinder aufs Spiel setzen? Ich kann sehr gut auf sie aufpassen, Sonora. Wenn sie hierher zurückkommt, soll mir das nur recht sein.«

Sonora nickte. »Hat die Schule ein automatisches Feuermeldesystem?«

»Natürlich.«

»Und Ihr Apartment?«

Er steckte die Hände in die Taschen. »Vier Sensoren – nach dem Stand von gestern abend.«

»Ich bin inzwischen bei fünf in meinem Haus.«

»Aha.«

»Ist eigentlich schizophren. Aber ich habe zwei Kinder, wie Sie sich bestimmt erinnern. Haben Sie Ihre Türschlösser auswechseln lassen, Mr. Daniels?«

»Mr. *Daniels?* Wo ist der Keaton geblieben?«

»Was ist mit den Türschlössern geschehen?«

»Jetzt lassen Sie wohl ihre Mom-Stimme auf mich los, Detective?«

»Glauben Sie, daß sie Ihnen nicht gefährlich werden kann, Keaton?«

»Ich glaube, daß ich mit ihr fertig werden kann.«

»Ihr Bruder ist nicht mit ihr fertig geworden.«

32 Sonora nahm einen Schluck aus der Cola-Dose, während sie auf ihren Schreibtisch zueilte. Das blinkende Licht an ihrem Telefon zeigte an, daß eine Nachricht auf dem Anrufbeantworter vorlag. Chas, kein Zweifel. Standhaft, berechenbar – und lästig. Sie hatte zweimal seine Anrufe beantworten wollen, aber er schien nie zu Hause zu sein.

Sie erinnerte sich, wie sie Zack an Abenden, an denen er angeblich länger arbeiten mußte, angerufen hatte – nur um festzustellen, daß er nicht an seinem Arbeitsplatz war. Rat mal, wo ich bin, Sonora? Ich sage es dir geradewegs ins Gesicht. Nur daß diesmal solche schmutzigen Tricks nicht klappten, denn diesmal war es ihr egal.

In ihrem Magen ging eine Veränderung vor sich – die Übelkeit wurde zu Schmerz. Magengeschwür? Oder gar etwas anderes? Sie hatte gestern in einem Drugstore einen Schwangerschaftstest gekauft. Früher oder später würde sie den Mut aufbringen müssen, ihn durchzuführen.

Sonora lehnte sich gegen den Schreibtisch und drückte auf den Wiedergabeknopf. Doch zu ihrem Erstaunen war es nicht Chas, sondern ihr Bruder Stuart, und er klang verstört.

»… seltsame Sache mit deinem Telefon. Hast du neuerdings eine automatische Weiterleitung der bei dir eingehenden Gespräche zu mir einrichten lassen oder so was? Die singende Frau ruft mich nämlich inzwischen hier im Club an. Normalerweise würde mir das nichts ausmachen, aber sie singt nicht besonders schön, verstehst du, und ›Love Me Tender‹ gehört nicht zu meinen Lieblingssongs.«

Sonora kaute an ihren Fingernägeln. Konnte es sich bei diesem irren Anrufer um Flash handeln? Warum rief sie an und sang dieses Lied? Flash beschäftigte Sonora über Gebühr, und vielleicht sah sie sie nun überall. Allerdings gab es keine anderen fremden Frauen, die bei Sonora anriefen, und warum gerade jetzt? Es existierten keine Zufälle bei der Untersuchung von Mordfällen, nur paranoide Cops bei der Mordkommission.

Sam kam aus Richtung Toilette und fummelte noch an seinem Hosengürtel rum. »Molliter knöpft sich gerade seine Nutte vor. Möchtest du nicht zuhören?«

Sonora sah ihn an, runzelte die Stirn und murmelte: »Ich habe keinen Auftrag zur Gesprächsweiterleitung gegeben.«

»Oh, wirklich? Jetzt konzentrier dich aber bitte mal, Sonora. Gruber und Molliter sind mit ihr im Verhörzimmer.«

»Du meinst Vernehmungsraum.«

»Ich meine wichtige Zeugin. Gruber sagt, sie kenne die Mörderin vielleicht.«

»Danken wir Gott für die gute Zeugen-Fee, die sich da plötzlich einschaltet.«

»Sei doch nicht so zynisch, Sonora. Dein Problem ist, daß du Molliter nicht ausstehen kannst. Komm, laß uns mal reinschauen.«

Sie gingen zum Flur vor den Vernehmungszimmern und blickten durch einen Spiegelspion auf die Szene.

Die Zeugin war klein und dünn wie eine Bohnenstange. Sie hatte sich seitlich auf den Stuhl gesetzt und die Füße gekreuzt darunter geschoben. Sie rauchte mit eckigen, ruckartigen Bewegungen, und ihre Finger zitterten. Ihre Jeans waren von oben bis unten eingerissen; darunter trug sie rote Lycra-Radlershorts. Ihre schmutzigen Cowboystiefel waren aus braunem Wildleder und mit Quasten verziert, an den Fersen zeigten sich pyramidenförmige Abnutzungsspuren. Sie hatte ein rot-schwarz kariertes Schottenhemd an und Augen-Make-up aufgelegt, und das strohfarbene Haar war fettig.

Molliter saß neben dem Kassettenrecorder, einem dunkelgrünen Monstrum, das die ganze rechte Ecke des Tisches einnahm. Gruber murmelte etwas von Kaffee und ging aus dem Zimmer. Sam und Sonora fingen ihn im Flur ab.

»Hat sie was Interessantes zu sagen?« fragte Sam.

Gruber goß Kaffee in einen Styroporbecher. »Sie sagt, sie wolle ihn schwarz mit sechs Stück Würfelzucker.«

Sonora nickte. »Das wird ihr bestimmt guttun, ihre Hände zittern ja jetzt schon wie verrückt. Sie braucht was, das ist klar, aber dabei geht's nicht um Zucker.«

Gruber hob die Schultern. »Sie ist Dealerin, Sonora, und sie ist eine Weiße, da bleibt so was nicht aus, verstehst du? Natürlich, wenn sie nicht besser in diesem Job ist als du damals, als wir noch bei der Sitte waren, dann …«

»Was sagt sie über die Mörderin?«

»Eine Nutte namens Shonelle, mit der sie befreundet ist und die gern mit Handschellen arbeitet. Sie erzählt Molliter gerade alles darüber. Ich gehe besser zurück, bevor er zu sehr in Verlegenheit gerät.«

»Paßt die Beschreibung auf Flash?«

»Nicht mal annähernd. Größer, anderer Teint, stammt aus ›Nooord‹ Carolina.«

»Und wieso landet diese Shonelle dann als Nutte in Cincinnati?« fragte Sam.

Sonora schob eine Haarsträhne aus den Augen. »Vielleicht ist sie ein Fan der Cincinnati Bengals.«

Gruber lächelte sie schief an. »Hat was mit einer *Brandstiftung* zu tun. Keine Verhaftung, was nicht überraschend ist bei der geringen Aufklärungsquote. Ich nehme an, man hat diese Shonelle ganz schön drangsaliert und jedesmal, wenn ein Feuer ausbrach, eingebuchtet. Also entschloß sie sich, einen Ortswechsel vorzunehmen, und entschied sich für Cincinnati.«

Sam sah Sonora und dann wieder Gruber an. »Wie seid ihr auf sie gekommen? Kam sie einfach zu euch reinmarschiert?«

»Ich erwähnte doch schon, daß Molliter sie aus seiner Zeit bei der Sitte kennt. Sie sagt, sie und Shonelle seien mal Freundinnen gewesen. Aber wenn man ihr zuhört, klingt das nicht nach großer Freundschaft, versteht ihr?«

Sonora nickte.

»Sie sagt, Shonelle habe erzählt, sie stecke ihren Freiern oft die Hosen in Brand.«

Sonora verzog das Gesicht. »Oh, natürlich. Wie auf Bestellung. Locht die beiden ein, und laßt mich in Ruhe.«

Gruber hob die Hände. »Erspar dir deinen Spott, ich erzähle ja nur, was sie so von sich gibt. Sie sagt, sie sei mißtrauisch geworden, als Shonelle ihr einen ihrer Stammkunden ausgespannt hat und dieser Typ, der bisher etwa alle zwei Wochen zu ihr kam, sich nie mehr bei ihr sehen ließ. Und als Sheree – ihr Name ist Sheree La Fontaine …«

»Ach du lieber Gott!« rief Sonora aus.

»So steht ihr Name sogar auf dem Führerschein. Jedenfalls, als Sheree ihre Freundin Shonelle nach diesem Freier fragt, macht die ein komisches Gesicht, lacht noch komischer und erklärt, sie habe sich ein für allemal um ihn gekümmert, habe ihn geröstet.«

»Sie hat das tatsächlich so gesagt? Ihn geröstet?«

Gruber nickte.

»Hat Sheree euch eine Beschreibung von dieser Shonelle gegeben?«

»Eine sehr genaue, Baby, bis hin zur Tätowierung einer Fuchsien-Orchidee auf dem linken Schulterblatt.«

»Und wie sieht sie aus?«

»Sie ist eine Schwarze mit rotem Haar, groß und kurvenreich. Tolle Brüste – Sheree schwört, sie seien falsch. Oh, und sie hat ein Wackelknie.«

»Sag das noch mal«, bat Sam.

»So hat *sie* das ausgedrückt. Beide arbeiten auf der anderen Seite des Flusses. Shonelle ist früher in einem Club namens Sapphire als Tänzerin aufgetreten, kann das jedoch ›wegen dem Wackelknie‹ nicht mehr.«

»Aber sie ist deshalb nicht erwerbsunfähig, hm?« meinte Sam.

»Hat sie euch den Namen des Freiers, der da geröstet wurde, gegeben?« fragte Sonora.

»Sie sagt, er habe sich selbst ›Supertyp‹ genannt.«

»*Supertyp?*«

»Na ja, immerhin einfallsreicher als John Smith.«

Sonora legte den Kopf schief. »Das Ganze stinkt, und zwar schlimmer als die Leichenhalle. Hat sie euch eine Beschreibung von diesem Supertyp gegeben?«

»Noch nicht, aber ihr könnt ja warten. Ich frage sie danach.«

Er kehrte zum Vernehmungsraum zurück, und Sam füllte zwei Becher mit Kaffee. Sonora mochte ihn nicht, nahm ihn aber trotzdem an, um sich nicht Fragen nach ihrem Magengeschwür auszusetzen. Die Doughnuts waren inzwischen verdaut, und der Schmerz steigerte sich von einer leichten Irritation im Hintergrund zu einem sehr realen, peinigenden Stechen.

Sie gingen wieder zu ihrem Spiegelspion.

Molliter saß immer noch neben dem Recorder, und Gruber hatte einen Stuhl dicht zu Sheree herangezogen, beugte sich vor und sah sie freundlich an. Sheree schaute ab und zu in den Spiegelspion. Einmal winkte sie sogar.

»Diese Leute meinen immer, wir wüßten nicht, daß sie es wissen«, sagte Sam.

Sonora grinste. Jedem Fernsehzuschauer war es bekannt, selbst kleinen Kindern. Aber diese Spiegelspione waren dennoch nützlich, denn man konnte einen Verdächtigen vom Flur aus bestens beobachten und überwachen – einfach, um sich die kleinen Dinge seines Verhaltens anzusehen, zum Beispiel, ob er die Wände hochging oder mit Blicken Löcher in die Decke bohrte. Einmal hatten sie einen Mann im Vernehmungsraum allein gelassen, der tatsächlich versucht hatte, durch die Tür auszubrechen. Sonora war sicher, er hätte bessere Chancen gehabt, wenn er es durch den Hauptausgang versucht oder einfach abgewartet hätte. Man konnte einen Verdächtigen nicht unbegrenzte Zeit im Vernehmungsraum festhalten, ohne mit dem Staatsanwalt in Konflikt zu geraten. Nicht im realen Leben.

Sheree trank ihren Kaffee in kleinen Schlucken. Gruber lächelte geduldig, und Molliter schaute wie immer verdrossen drein.

»Sind Sie sicher, daß Sie keinen anderen Namen als ›Supertyp‹ für den Mann kennen?« fragte Gruber.

»Er hat nicht mit seiner American-Express-Karte bezahlt, ist ohne sie von zu Hause weggegangen, okay?« Sheree zog eine Zigarette aus der neuen Camel-Packung, die Gruber ihr zusammen mit dem Kaffee gebracht hatte.

Gruber hielt ihr ein brennendes Streichholz hin. »Und wie sah er aus? Er war ja Stammkunde bei Ihnen, also …«

»Also ja, ich habe mehr als das Gesicht von ihm gesehen. Nicht mehr als knapp dreizehn Zentimeter. Durchschnitt, würde ich sagen.«

Molliter hustete, Gruber nickte ernst. »Sehr schön, aber wir brauchen Angaben, wie wir ihn von all den anderen durchschnittlichen Typen unterscheiden können. Wie sah der Rest von ihm aus? Wie zum Beispiel sein Gesicht, seine Figur, die Augen, das Haar.«

Sheree lächelte ihn neckisch an. »Sein Schamhaar?«

»Wenn Sie mir darüber was sagen wollen, höre ich gern zu.«

»Ich könnte Ihnen 'ne ganze Menge darüber erzählen.«

Sonora fragte sich, wie alt Sheree war. Bei Prostituierten war das fast unmöglich zu schätzen, die Straße ließ sie schnell altern. Diese hier sah aus wie vierzig und benahm sich wie vierzehn.

Die Frau wirkte plötzlich gelangweilt, schaute zu Molliter und nahm einen tiefen Zug von der Zigarette. »Er war einer von der größeren Sorte, doch nicht von der ganz großen. Vielleicht einsachtzig, höchstens einsdreiundachtzig. Irgendwie mager, verstehen Sie, so ein sehniger Typ. Rotbraunes Haar, und seine Augen waren glaub ich grün.«

»Noch irgendwas, was Ihnen an dem Mann aufgefallen ist?« fragte Gruber.

Sie zuckte mit den Schultern.

»Sie haben uns alles mögliche von Shonelle erzählt. Machen Sie doch jetzt mal dasselbe mit diesem Mann für mich.«

»Ich hab's Ihnen gesagt. Groß und sehnig.«

»Okay, aber was für eine Nase hatte er?«

»Einfach eine … einfach eine ganz normale Nase.«

»Tätowierungen? Dunkle Wimpern?«

»Ja, richtig. Nein, ich glaube, er hatte helle Wimpern.«

Sonora stieß die Luft zwischen den Zähnen aus.

»Was ist los?« fragte Sam.

»Sie beschreibt haargenau Molliter. Es gibt keinen Mr. Supertyp.«

»Sieht aus, als ob Molliter ihr jedes Wort glaubt.«

»Molliter glaubt immer alles. Sie sollten sie fragen, ob sie sich einem Lügendetektor-Test stellt. Jetzt sofort. Mal sehen, ob sie zustimmt.«

»Wir können heute sowieso keinen machen.«

»Das weiß ich, aber sie wird nicht zustimmen. Ich bin gleich wieder zurück.« Sonora ging durch den Zellentrakt, dann nach links und streckte den Kopf in Cricks Zimmer. Crick saß vor dem Computer und klopfte mit den Spitzen seiner Wurstfinger heftig und schnell auf dem Keyboard herum.

»Sergeant?«

»Ja, was gibt's, Blair?«

»Haben Gruber und Molliter Ihnen was von der Zeugin erzählt, die sie aufgetrieben haben?«

»Was ist mit ihr?«

»Ich habe zugeschaut, Sergeant, und ich sage Ihnen, sie führt sie an der Nase rum.«

»Beruht diese Erkenntnis auf Ihren übersinnlichen Fähigkeiten?«

»Also bitte! Sie sagt, es würde ein Typ namens Supertyp vermißt, und wenn Sie sie um eine Beschreibung bitten, gibt sie Ihnen eine von Molliter. Für mich sieht es danach aus, daß sie diese Aussage nur macht, weil sie dieser Shonelle was anhängen will.«

»Oh, Blair, wenn Sie ›so ein Gefühl haben‹, sagen Sie besser nichts mehr.« Crick lehnte sich zurück. »Hat sie eine detaillierte Beschreibung gegeben?«

»Reichlich ungenau und vage, und als Gruber ihr auf die Sprünge half, ist sie ihm dankbar gefolgt. Das einzige, was mir an der ganzen Sache interessant erscheint, ist die Frau selbst. Die allgemeine Beschreibung paßt irgendwie auf sie. Klein und blond. Entschlossen.«

Crick zupfte an seiner Unterlippe. »Wie wär's, wenn wir der Lady einen Lügendetektor-Test anbieten würden?«

»Genau das wollte ich vorschlagen.«

»Okay.« Er wandte sich wieder dem Keyboard zu. Sonora blieb in der Tür stehen. »Was noch?« fragte Crick.

»Dieses Feuer im Müllcontainer bei der Schule ist ein klarer Beweis. Flash ist hinter Keaton Daniels her.«

»Nein, Blair. Wir haben nicht die Leute, ihn rund um die Uhr zu überwachen.«

Sonora lehnte sich gegen den Türrahmen. »Wie steht es mit meiner Reise nach Atlanta? Dieser Cop, Bonheur heißt er, sieht keine Probleme, mir Einblick in seine Akten zu geben und ein Gespräch mit dem damaligen Opfer zu arrangieren.«

»Und wie wollen Sie das machen? Über ein telepathisches Medium, oder ziehen die da unten Ouija-Bretter vor?«

»Ich sagte Ihnen schon, Sir, das Opfer damals hat überlebt. Es konnte die Stricke lösen und entkommen.«

»Keine Handschellen?«

»Nein, aber viele andere ähnliche Dinge.«

»Ich werde es mir überlegen.«

»Sind Sie geneigt, ja zu sagen?«

»Vielleicht. Sind Sie jetzt geneigt, mich allein zu lassen? Ach so, noch was, Blair. Haben Sie schon mit Sanders gesprochen?«

»Nein, warum?«

»Sie hat da was rausgefunden. Gehn Sie gleich mal zu ihr und quetschen Sie sie aus.«

33 Sonora lehnte sich gegen die Tür der Toilette, und das Schloß bohrte sich hinten in ihre Rippen. Sie hatte das Gefühl, sich gleich übergeben zu müssen. Neben der Toilettenschüssel lagen eine leere Schachtel, Zellophanverpackungen und eine zerknitterte Gebrauchsanleitung auf dem Boden.

Sonora hielt das weiße Auswertungsröhrchen schlaff in der Hand, und Tränen liefen ihr über die Wangen. Warum rosa, fragte sie sich? Es konnte nicht wahr sein, konnte ihr doch nicht passiert sein, nicht *ihr*, und nicht jetzt. Männern wie Chas sollte nicht erlaubt sein, ihr genetisches Material weiterzugeben.

Sonora hob mit zitternden Fingern die Gebrauchsanleitung vom Boden auf. Mit von Tränen getrübten Augen sah sie sich die Folge der kleinen Zeichnungen auf dem Blatt noch einmal an. Die Eingangstür zur Damentoilette wurde geöffnet, Schritte waren zu hören.

»Sonora? Sonora, bist du hier?« Sanders. Ihre Stimme klang munter und aufgeregt. »Sonora?«

»Ja, ja, ich bin hier.«

Sonora las die Anweisung noch einmal durch und atmete tief ein. Beide Fenster sollten sich anfangs rosa färben. Bei einem negativen Ergebnis würde sich nach fünf Minuten das linke Fenster weiß verfärben. Ich bete darum, dachte sie.

Noch gab es Hoffnung. Sie schaute auf die Uhr und fragte sich, wieviel Zeit inzwischen vergangen war.

»Crick hat gesagt, ich soll mit dir reden und dich informieren. Ich glaube nämlich, daß ich sie identifiziert habe«, erklärte Sanders jetzt.

»Wen?« Sonora lehnte sich an die Wand, atmete tief ein und aus und horchte auf ihren Herzschlag. War es Zeit, war es soweit, auf das kleine Fenster zu schauen, oder mußte sie noch eine weitere Minute warten?

»Wen? Oh, du machst Spaß. Ich habe die Städtischen Colleges in der Gegend von Kentucky überprüft, von der Detective Delarosa …«

»Sam.«

»… Sam gesprochen hat.«

Sonoras Griff um das Röhrchen wurde fester.

»Und ich habe eine Spur gefunden, die echt gut aussieht – Brandstiftung *und* ein verdächtiger Todesfall, und es gibt da ein Foto in einem College-Jahrbuch. Sie haben es mir zugefaxt, die Bildqualität ist nicht schlecht. Willst du nicht rauskommen und es dir anschauen?«

Jetzt. Die Zeit war um. Sonora schluckte, spürte, wie ihr Magen Purzelbäume schlug, und hob dann mit zitternder Hand das Röhrchen hoch.

Linkes Fenster weiß.

Sonora schloß die Augen und ließ sich gegen die Metalltür sinken. »Gott sei Dank, es ist ein Magengeschwür!«

»Was?«

»Sekunde, Sanders.« Sonora atmete tief ein. Nein, die Freude nicht übertreiben – sie hatte schließlich ein Magengeschwür. Sie strich eine Haarsträhne aus der Stirn und trat aus der Kabine.

Sanders hielt ihr ein dünnes weißes Blatt Faxpapier entgegen. »Meinst du, sie könnte es sein?«

»Moment noch.« Sonora beugte sich über das weiße Porzellanbecken und verzog beim Anblick der vertrauten Rostspur um den Abfluß das Gesicht. Ihre Knie waren weich. Sie hielt die Hände unter dem Wasserhahn zusammen und spülte ihren Mund aus.

Eine Idee schoß ihr durch den Kopf. Sie könnte all diese Anrufe und Besuche von Chas mit einem Schlag loswerden, wenn sie eine Nachricht auf seinem Anrufbeantworter hinterließ – die kurze Nachricht, ihre Periode sei ausgeblieben. Sonora schaute sich im Spiegel an. Könnte sie so ein Biest sein? Wäre durchaus möglich, dachte sie.

Sanders klopfte in einem sanften, dennoch nervenden Stakkato mit der Fußspitze auf den Boden. Sonora schaute immer noch in den Spiegel.

»Okay, Sanders, wie ist ihr Name? Der Name von dem Mädchen auf dem Foto.«

»Selma Yorke.«

Sonora merkte, daß Sanders den Atem anhielt. Sie wischte sich die Hände mit einem braunen Papierhandtuch trocken.

»Nun, dann gib mal her.«

34 Sonora verspürte das Gefühl, das sich immer einstellte, wenn sich in einem Fall schließlich der Durchbruch abzeichnete. Sie hatten einen Namen. Sie hatten Selma Yorke.

Es war definitiv ihr Bild in dem Jahrbuch. Ohne Perücke natürlich, aber Sonora kannte dieses Gesicht, den Gesichts*ausdruck*.

Sie war auf zwei Fotos zu sehen – auf dem einen in den traditionell aufgebauten Reihen der Studenten des Jahrgangs, und sie stand ernst und scheu da, das hellblonde Haar in langen Strähnen auf eine Seite gekämmt, auf dem anderen stand sie in einer Gruppe junger Mädchen in langen weißen Kleidern auf einer breiten, geschwungenen Treppe. Alle waren herausgeputzt, die Augen glänzten vor Aufregung, und jedes der Mädchen hielt ein Bouquet aus kleinen rosa Rosen in der Hand. Selma fiel aus der Rolle, indem sie als einzigen die Kamera ignorierte und mit mürrischem Gesichtsausdruck in die Ferne schaute. Sie hielt ihr Bouquet fest in der Hand, ließ es aber zur Seite hängen, als ob ihr die Blumen nicht das geringste bedeuteten, sie aber auch nicht die Absicht hätte, sie je wieder aus der Hand zu geben. Auf diesem Foto war ihr Pony zerzaust und kurz und stand ab wie bei einem zornigen Kind, das es sich abgeschnippelt hat. Sonora fiel ein, daß Heather auch einmal ihre Ponyfransen mit einer kleinen Plastikschere ähnlich verunstaltet hatte.

Selma Yorke.

Sanders beugte sich über das Telefonbuch, ließ dann die Schultern sinken und schaute enttäuscht auf. »Sie steht nicht hier drin.«

Sam sah Crick an. »Nehmen wir sie in einem Gebäude hoch oder kreisen wir sie draußen irgendwo ein?«

»Wir nehmen sie drinnen hoch, wenn wir sie aufstöbern können.« Crick starrte auf den Bildschirm seines Terminals. »Bisher keine Festnahme in Cincinnati. Kein Führerschein in Ohio. Wir können das weiter durchlaufen lassen und prüfen, ob sie einen Führerschein von Kentucky oder Tennessee hat.«

Sonora gab Sanders ein Zeichen mit dem Zeigefinger. »Komm mit, Sanders. Sam und ich zeigen dir, wie man so was anpackt.« Sie schaute auf die Uhr. »Aber gebt mir eine halbe Minute, ich muß schnell noch einen Anruf machen.«

»Hast du nicht gerade erst mit deinen Kindern gesprochen?« fragte Sam.

»Ich muß nur eine kurze Nachricht für Chas hinterlassen. Dauert nicht lange.«

Sonora legte eine Videokassette des Films *The Crying Game* auf die Theke. Es war früher Nachmittag, und so gab es noch keine Schlange.

Sanders stand neben ihr und schaute nervös über die Schulter. Sam beschäftigte sich mit dem Popcorn-Automaten. Er kaufte einen großen Beutel und stopfte sich eine Handvoll Popcorn in den Mund. Sonora öffnete ihre Handtasche und kramte in ihrer Brieftasche herum.

»Haben Sie ein Kundenkonto bei uns?« Der Angestellte war Ende Zwanzig.

Sonora nickte. »Ich habe aber meine Kundenkarte vergessen.«

»Name?«

»Selma Yorke.«

Er tippte auf dem Keyboard herum. »Haben Sie Ihr Kundenkonto hier bei dieser Filiale?«

»Nein, bei einer anderen.«

»Selma Yorke, 815 Camp Washington?«

Sonora nickte, lächelte, zahlte drei Dollar fünfzig und unterschrieb für den Film. Sanders trat nervös von einem Fuß auf den anderen. Sie gingen zum Parkplatz, und Sam kam hinter ihnen her.

»Popcorn?«

Sonora nahm sich eine Handvoll.

»Wie kannst du jetzt *essen*?« Sanders schaute über die Schulter zurück auf Sonora, während sie den Wagen in den Verkehr einfädelte. Sam griff von der Seite ins Lenkrad und deutete mit einem salzverschmierten Zeigefinger nach vorn auf einen entgegenkommenden Lastwagen.

»Der United Parcel Service bremst weder für Männer noch für Frauen.«

Sonora leckte Salz von der Innenfläche ihrer Hand. »Für niemanden, Sam. Klingt besser, wenn du einfach ›für niemanden‹ sagst.«

Der Lastwagen fuhr in einer Abgaswolke an ihnen vorbei, und Sanders bekam den leicht schlingernden Wagen wieder unter Kontrolle. »Was jetzt?« fragte sie dann.

»Wir könnten uns den Film angucken«, sagte Sonora.

Sanders lachte, und Sam sah Sonora an. »Na ja, wir waren auch mal jung.«

Auf dem Schild stand WILLKOMMEN IN CAMP WASHINGTON. Die kleine Häusergruppe lag direkt unter der Autobahnbrücke, einen Straßenzug von den Schlachthöfen entfernt. Eisenbahnschienen führten dicht vorbei, und zwei

Blocks weiter stand eine Reihe alter Lagerhäuser aus Backstein. Sonora kurbelte das Wagenfenster runter und horchte auf das Dröhnen des Verkehrs im Hintergrund. Es war noch hell, aber es nieselte, und die Feuchtigkeit machte die Luft trotz der Kühle schwer und stickig. Sie hörte das Rumpeln eines Zuges, das metallische Quietschen von Bremsen auf Schienen und schloß die Augen. Das waren also die Geräusche, die Selma Yorke hörte, wenn sie nachts im Bett lag. Das waren die Geräusche und Gerüche, die ihr Leben begleiteten. Sanders schaute über die Rückenlehne nach hinten. »Wir könnten einfach anklopfen und rausfinden, ob sie zu Hause ist.«

Sam hob die Augenbrauen. »Was meinst du, Sonora?«

Sonora sah Sanders fest an. »Denk dran, wir können sie nicht ohne weiteres verhaften. Wir haben keinen Haftbefehl, also wollen wir uns zunächst mal nur mit ihr unterhalten.«

»Hast du deine Waffe, Sanders?« fragte Sam.

Sonora stieß die Wagentür auf. »Laß sie in Ruhe, Sam.«

Das zweistöckige Haus war alt, lag fast versteckt hinter einer großen, kahlen Eiche und war von einer hohen, ungepflegten Hecke umgeben, die einen rostigen Drahtzaun überwachsen hatte. Der Rasen war schäbig, sah eher wie ein von Unkraut überwuchertes Feld aus. Die Fenster des Hauses waren dreckig, der Blick ins Innere durch Gazevorhänge verwehrt, die selbst aus der Entfernung verfilzt ausschauten. Eine Schaukel aus Autoreifen hing schief an verrottenden Seilen vom Ast eines Baums im Vorgarten.

Ein leeres Vogelnest thronte auf der Krümmung des verrosteten Abflußrohrs der Regenrinne unter dem Dachvorsprung. Sonora hörte das Gurren einer Taube. Sie ging über den nassen Rasen auf das Haus zu, und die Absätze ihrer Stiefel sanken tief ein.

Sie ist nicht hier, dachte Sonora, aber ihr Herz klopfte, und ihre Handflächen waren feucht.

Sie stellte sich dicht an die Hauswand, zwischen ein Fenster und die Tür, und überließ es Sam, an die Tür zu klopfen. Er tat es von der Seite; nicht wenige Polizisten waren durch Haustüren hindurch niedergeschossen worden, selbst wenn es sich um unbedeutende Fälle gehandelt hatte.

Es machte niemand auf.

35 Sonora war allein, als der Anruf kam. Der Papierkram war erledigt, und sie hörte sich zum x-tenmal das Band von Grubers Gespräch mit der Frau an, die Flashs an der Straße abgestellten Wagen gesehen hatte. Beim zweiten Läuten fuhr sie aus ihrem Dämmerzustand auf, schaute hoch und sah erst jetzt, daß der Officer von der Nachtschicht zum Essen gegangen war.

»Mordkommission, Blair.«

»Liebste Freundin, wir müssen miteinander reden. Die Telefonzelle einen halben Block weiter beim Parkplatz. Gehn Sie sofort dorthin.«

Selma. Sonora konnte sich gerade noch zusammenreißen, ehe sie Flash mit dem Namen ansprach. »Lassen Sie uns doch gleich miteinander reden.«

Die Verbindung brach ab. Sonora fuhr sich mit den Händen durchs Haar, griff nach ihrem Blazer und ging eilig zum Aufzug.

Das Licht der Straßenlaternen fiel auf verlassene Bürgersteige und leere Bürogebäude. Sonora war froh über die Baretta in ihrer Handtasche. Ein Wagen kreuzte in langsamer Fahrt und mit röhrendem Auspuff ihren Weg. Sonora und der Mann am Steuer wechselten einen Blick, dann gab der Mann Gas und fuhr davon.

Das Telefon läutete bereits, als sie den Motor abstellte. Sonora lief die wenigen Schritte zur Zelle und riß den Hörer ans Ohr.

»Euereins hat nicht viel von seiner Kindheit gehabt, nicht wahr?« Die Worte klangen schnoddrig, der Tonfall dagegen nicht. Selma Yorkes Stimme war belegt und gepreßt.

Ein Frösteln überlief Sonora. »Ich hatte eine schöne Kindheit, wenn Sie das meinen sollten. Sie waren es, die eine schlimme Kindheit hatte. Sie bringen uns beide durcheinander.«

»Wissen Sie, ich habe es für Sie getan. Ich hatte Mitleid mit Ihnen, nachdem ich mit ihm gesprochen habe. Ich meine, er bedeutete nichts als Dreien für Sie, nicht wahr, Freundin?«

»Von wem reden Sie? Und was meinen Sie mit ›Dreien‹?«

»Die Menschen haben eine eigene Persönlichkeit, und sie haben Glück oder Unglück. Und genauso ist es mit den Zahlen. Ist Ihnen das noch nie aufgefallen? Die Drei bedeutet Unglück, Pech. Und Ihr Bruder ist eine Eins.«

»Eine Eins?«

»Ja, eine *Eins*. Scheu, ein Ausgestoßener, niemand mochte ihn. Das hat Ihnen ganz schön weh getan, oder? Kinder sind grausam, er wurde dauernd verprügelt, und Ihr Vater ist wütend auf ihn gewesen, weil er sich nicht durchsetzen konnte.«

Der Schulterriemen von Sonoras Handtasche rutschte an ihrem Arm hinunter. »Erzählen Sie mir doch mal von *Ihrem* Daddy.«

Ihre Bitte wurde überhört, als wäre sie nicht geäußert worden. »Und dann gehen Sie hin und heiraten so einen Mann – einen Typ wie aus einem Psychiatrie-Lehrbuch. Es macht Sie glücklich, daß er tot ist, nicht wahr?«

»Macht es Sie glücklich, daß Sie Mark Daniels getötet haben? Tun Sie so was, weil es Sie glücklich macht?«

»Euereins meint, ich wäre total daneben, wie? Sie meinen, nur gute Mädchen könnten Glücksgefühle haben. Ich will Ihnen aber was sagen: Ich habe einen Jungen gekannt, einfach so, einen jungen Mann wie Keaton. Er hat mir das Gefühl gegeben, als ob ich … als ob ich wichtig für ihn wäre, als ob ich ein Teil von ihm wäre. Die Sache ist aber die, daß ich immer allein für mich gewesen bin. Und ich mochte das, bis auf die Zeiten, in denen dieses seltsame Gefühl in mir hochkam. Als ob ich so tief in mich selbst vordringen würde, daß ich am liebsten laut geschrien hätte. Kennen Sie dieses Gefühl?«

»Nein«, antwortete Sonora.

Schweigen, dann ein unterdrücktes Lachen. »Ich mag Sie so, weil Sie immer einfach das sagen, was Sie denken. Vielleicht wissen Sie tatsächlich nicht, was das für ein Gefühl ist, aber es äußert sich in Lauten, tief in mir drin. Wie Mama im Feuer.«

Vielleicht meldet sich damit dein Gewissen, dachte Sonora.

»Haben Sie sich mal Walgesänge angehört, Detective? So ähnlich klingt das in mir drin. Sehen Sie, ich weiß sehr gut, daß ich anders bin als andere. Ich habe das immer gewußt, war immer jemand, der von außen nach innen geschaut hat. Dieser Junge, Danny hieß er, war wie Keaton. Er hat die bösen Gefühle in mir vertrieben. Wenn ich mit ihm zusammen war, dann war das, wie … wie wenn ich high wäre. Ich habe mich gut gefühlt. Ich habe nicht geglaubt, daß ich jemals wieder dieses Gefühl bekommen würde. Ich treffe Männer, die wie er aussehen, wie Danny, doch es funktioniert nicht mit ihnen, sie geben mir nicht dieses Gefühl.«

»Aber bei Keaton haben Sie dieses Gefühl?« fragte Sonora.

»Gut zu wissen, daß Sie das langsam kapieren.«

»Was sollte das, diese Geschichte auf dem Schulhof?«

»Ich habe ihn vermißt. Ich mußte ihn sehen.«

»Das nehme ich Ihnen nicht ab«, sagte Sonora. »Sie sind hinter ihm her, Sie jagen ihn. Das ist es, nichts anderes.«

»Verstehen Sie denn nicht?« fragte Selma. »Jetzt kommen *Sie* wieder ins Spiel. Ich habe Ihnen geholfen, und nun sollten Sie mir helfen.«

36 Als Sonora ins Büro zurückkam, läutete gleich wieder das Telefon.

»Mordkommission, Blair.«

»Mrs. Sonora Blair?«

»Ja, am Apparat.«

»Ma'am, ich rufe aus der Universitätsklinik an. Es geht um einen Mr. Charles F. Bennet. Sind Sie eine Verwandte?«

Chas' Exbekannte oder so was, dachte Sonora. »Ich … ich bin seine Freundin.«

»Ma'am, Mr. Bennet war in einen Unfall verwickelt, und …«

»Ein Feuer?«

»Nein, Ma'am. Er ist von einem Auto angefahren worden.«

»Wie schlimm ist es?«

»Er ist in der Notaufnahme, aber …«

»Ich komme sofort.«

Es regnete wieder wie in der Nacht, als Mark Daniels ermordet worden war. Sonora fühlte sich wie in einem Traum, als sie durch die Automatiktür in den Warteraum der Klinik ging. Es war eine ruhige Nacht – zwei Leute vor dem Fernseher, ein uniformierter Polizist am Telefon.

»Ich bin Sonora Blair und wegen Charles Bennet gekommen.«

Der Krankenpfleger war mittleren Alters und sichtlich müde. Er hatte dunkle Ringe unter den Augen. »Ja, Ma'am, nehmen Sie bitte einen Moment Platz, es holt Sie gleich jemand ab.«

Der Polizist schaute über die Schulter. »Entschuldigen Sie, Ma'am, haben Sie Mr. Bennet gekannt?«

Haben Sie *gekannt?* Sonora nickte.

»Darf ich Ihnen ein paar Fragen stellen?«

Sonora holte ihren Polizeiausweis aus der Handtasche. »So viele Sie wollen, aber ich wäre dankbar, wenn ich zunächst mal erfahren könnte, was passiert ist.«

»Sie sind bei der Mordkommission?«

»Ja. Er ist tot, nicht wahr?«

Der Polizist zögerte. Er war ein älterer Mann, kurz vor der Pensionierung, und seine Augen waren traurig. »Es tut mir leid, er war bei der Ankunft hier bereits tot.«

Sonora nickte, sich wie erstarrt und betäubt fühlend.

Der Officer legte ihr die Hand auf die Schulter. »Fahrerflucht. Der Täter hat den Mann umgefahren und ist abgehauen.«

»Irgendwelche Hinweise auf den Wagen?«

Der Officer schüttelte den Kopf. »Keine Zeugen. Wir haben Scherben von Scheinwerferglas auf seinem Hemd gefunden, und er hat Reifenspuren auf …«

»Okay.« Sonora straffte die Schultern. »Ich denke, ich sehe mir das am besten mal an.«

Das attraktive Gesicht gab es nicht mehr. Reifenspuren zogen sich über seine Brust, den Hals und den Kehlkopf. Zum erstenmal nach langer Zeit fühlte Sonora sich wieder krank bei der Begegnung mit dem Tod.

Sie wandte sich ab und sah seine auf der Theke aufgestapelten Kleider. Die Schuhe waren nicht beschädigt, die Hose jedoch zerfetzt und das Hemd völlig von Blut durchtränkt. Auch die vertraute Jacke war steif von Blut. Sonora betastete den Ärmelaufschlag und sah ihn sich dann genau an.

Es waren ursprünglich vier Lederknöpfe dort angenäht gewesen – einer war abgerissen worden. Blieben drei. Sie schaute sich die andere Manschette an. Auch dort nur drei Knöpfe, einer war abgerissen.

Ich habe Ihnen geholfen, und *nun* sollten Sie mir helfen. Drei und noch mal drei – Beweis für das, was sie schon vermutet hatte.

Selma Yorke.

37 Sam drückte Sonora ein Bier in die Hand, setzte sich in die Ecke des Sofas und kraulte Clampett hinter den Ohren. »Wie geht's dir, Sonora?«

»Ich weiß nicht. Um die Wahrheit zu sagen, ich fühle mich nicht besonders gut.«

»Um die Wahrheit zu sagen, du siehst auch nicht besonders gut aus. Nimm mal einen ordentlichen Schluck von dem Bier.«

»Moment mal, ich glaube, ich habe gerade Heather gehört.«

»Die Kinder schlafen fest, ich habe das ja erst vor einer Minute kontrolliert.«

Sonora trank einen Schluck, lehnte sich zurück und schloß die Augen. »Es ist unglaublich, so schwer zu … Ich bin nicht glücklich über diese Sache, Sam.«

»Nun, das habe ich auch nicht erwartet.«

Sonora öffnete die Augen. »Ich meine, ich war ganz schön sauer auf ihn und so, aber ich bin nicht froh, daß er tot ist. Er war … Es hat mich krank gemacht, ihn da auf der Bahre anzuschauen.«

»Was ist denn los mit dir, Mädchen, niemand denkt doch, du wärst glücklich über diese Sache.«

»Selma meint das schon.«

Sam rutschte auf dem Sofa nach vorn. »Sie hat dich angerufen?«

Sonora schluckte. »Zweimal.«

»Du meinst Gespräche, die wir nicht aufgezeichnet haben?«

»Einmal in einer Telefonzelle, einmal über mein Autotelefon.«

»Und du hast nichts davon *gesagt?* Was zum Teufel geht in deinem Kopf vor?«

»Ich … Sie … sie weiß Dinge, Sam. Ganz private Dinge.«

»Privat? Was treibst du denn da für Spielchen, Mädchen, es gibt doch zwischen dir und Flash nichts Privates.«

Sonora stieß die Luft durch die Zähne aus. »Falsch, Sam. Sie weiß Dinge über mich, *private* Dinge, die sie eigentlich gar nicht wissen kann.«

Sam legte ihr die Hand auf die Schulter. »Okay, Sonora, jetzt laß uns das mal ganz in Ruhe besprechen und durchdenken. Erzähl mir, was sie über dich weiß.«

»Dinge über … über meine Eltern. Du erinnerst dich an die Geschichte, als meine Mom starb?«

Sam stellte sein Bier auf dem Tisch ab und sah Sonora von der Seite an. »Willst du damit sagen, sie hätte was davon gewußt, daß du glaubst, dein Dad …«

»Ja, sie wußte es. Sie wußte *alles* darüber.«

Sam schaute nachdenklich drein. »Und was sonst noch? Wußte sie sonst noch was?«

»Über meinen Bruder. Seine Schwierigkeiten als Kind. Und über Zack.«

»Hast du denn über diese Dinge mit *jedem* gesprochen?«

»Mein Gott, Sam, natürlich nicht! Nur mit dir. Und du hast es ihr ja wohl nicht gesagt, oder?«

»Blöde Frage.«

»Ich habe es sonst niemandem erzählt. Na ja, meinem Bruder. Doch der hat es mit Sicherheit nicht ausposaunt.«

»Und wie steht's mit deinen Freunden, Sonora? Du warst eine Zeitlang ganz verrückt nach Chas. Hast du ihm da nicht auch intimere Dinge erzählt?«

Sonora griff nach ihrem Bier, stellte es aber wieder hin.
»Oh …«

»›Oh‹ – das bedeutet wohl ja.«

»Aber warum sollte er, ich meine, wie könnte sie … glaubst du etwa, sie hat so was wie ein Verhältnis mit ihm gehabt?«

»Ich gebe zu, es ist nur eine Vermutung, doch wer sonst könnte es gewesen sein? Gibt es irgendwelche Anzeichen, daß er sich mit anderen Frauen getroffen hat?«

»Ja, richtig, ich müßte sie eigentlich inzwischen alle kennen.«

»Meinst du denn, Chas würde all das jemandem weitererzählen, den er nur oberflächlich kannte?«

»Das könnte schon sein, vor allem, nachdem er so sauer auf mich war. Mein Gott, es ist alles so verrückt.«

»Du solltest bei der Auswahl deiner Freunde ein bißchen vorsichtiger sein, Mädchen.«

»Sie hat es also tatsächlich getan. Sie hat ihn umgebracht. Wenn du sie am Telefon gehört hättest, wie sie über die Dreien gesprochen hat.«

»Ich würde nichts darüber wissen, wenn du es mir nicht schließlich doch erzählt hättest, nicht wahr? Aber Knöpfe an Männerjacken sind kein Beweis für Mord, Sonora. Auf so was kann man keine Beweiskette aufbauen. Wir müssen den Wagen finden und überprüfen und klare Tatsachenbeweise zusammenstellen. Morgen früh erzählen wir Crick von ihren Anrufen bei dir, und wir kitzeln sein Mitleid wegen Chas' Tod heraus, dann wird er dich bestimmt nicht in der Luft zerreißen.«

Sonora stützte den Kopf in die Hände.

»Alles okay?« fragte Sam.

»Ich fühle mich so verloren, Sam. Als ob ich in einen Abgrund stürzen würde. Ich weiß nicht, wie ich es ausdrücken soll, ich weiß nur, daß es ein scheußliches Gefühl ist. Und es wirft eine Frage auf.«

»Was für eine Frage?«

»Ob das so ähnlich ist, wie sie sich manchmal fühlt.«

38 Die Akten von Selma Yorkes Alma mater zeigten auf, daß sie in Madison, Kentucky, zur High-School gegangen war. Madison war ein kleines Städtchen, gerade noch auf der Straßenkarte von Kentucky verzeichnet, und es lag in einem Tal am Fuß eines Berges, den man im Tagebau seiner Kohlenschätze beraubt hatte. Sonora schaute auf die offenen Wunden der vergewaltigten Landschaft und dachte daran, daß Selma damit aufgewachsen war.

Ein einziges Restaurant lag am Stadtrand – ein Pizza Hut.

Die zweispurige Straße führte kurvenreich abwärts auf den Fluß zu. Wälder drängten sich zu beiden Seiten an die Straße heran, nur unterbrochen durch Gruppen von Wohnmobilen und schachtelartigen, weißgetünchten Häusern. Männer saßen auf den Veranden und rauchten.

Sonora starrte aus dem Wagenfenster. »Was haben diese Kerle da verloren? Es ist schließlich ein ganz normaler Arbeitstag.«

»Vielleicht arbeiten sie im Schichtdienst. Vielleicht haben sie keinen Job.«

»Und vielleicht sitzen sie nur da und gucken zu, wie ihr Marihuana wächst.«

»Halt deine Stereotypen unter Kontrolle, Mädchen.«

»Schau mal, Sam, unter der Veranda da drüben liegen Hunde.«

»Zeig nicht mit dem Finger in der Gegend rum, Sonora, das ist unhöflich.«

Sonora drückte die Nase an die Scheibe. »Hör mal, es kommt mir so vor, als hätte ich dieses Haus da schon mal gesehen.«

»Sie schauen eben alle gleich aus.«

»Es ist aber schon das zweitemal, daß diese Frau in den lavendelfarbenen Schuhen mir zugewinkt hat.«

»Ungefähr eine Meile die Straße runter liegt ein kleiner Lebensmittelladen. Dort fragen wir jetzt nach dem Weg.«

»Woher weißt du, daß da ein Laden liegt?«

»Weil wir schon zweimal daran vorbeigekommen sind.«

Auf dem Schild über der Eingangstür stand JUDY-RAY FOOD MART. Es war düster und warm im Laden. Fast alles war alt – der Linoleumboden, die Regale, die Tiefkühltruhe mit Milchprodukten. Nur die Vorräte an Lebensmitteln schienen aus neuerer Zeit zu stammen – Packungen in grellen Farben auf alten Metallregalen. Es gab eine große Auswahl an Zigaretten und Kautabak.

Sam bediente sich bei beidem und nahm außerdem ein Päckchen Erdnüsse, ein Stück Moon Pie und eine Flasche Ale-8-One.

»Hi«, sagte er zu dem Mädchen hinter der Theke.

Sie trug gebleichte Jeans und einen gewebten Gürtel, auf dessen Rückenseite klargestellt wurde, daß sie DONNIE'S GIRL war. Sonora trat zur Seite und ließ Sam seine Sachen zahlen und nach dem Weg fragen.

Sie war hungrig, schaute sich das Angebot an und entschied sich für kleine weißgepuderte Doughnuts, Cashew-Nüsse und eine Cola. Sam öffnete sein Erdnußpäckchen und ließ die Nüsse durch den Flaschenhals in sein Ale-8-One gleiten.

Er grinste das Mädchen hinter der Theke an. »Ich hoffe, Sie können mir helfen.«

Sonora schlenderte zum hinteren Teil des Ladens, öffnete die

Schachtel mit den Doughnuts und schaute sich die zum Verleih ausgestellten Videofilme an.

Es waren die neuesten Filme. Ländliche Abgeschiedenheit gab es wohl nicht mehr.

»Sonora?«

Sie schluckte einen Bissen Doughnuts runter. »Ja?«

»Komm, Mädchen. Wir sind falsch abgebogen, aber ich weiß jetzt, wie wir fahren müssen. Das Haus liegt außerhalb der Stadt, höchstens fünfzehn Minuten von hier entfernt.«

Sonora lehnte sich auf dem Beifahrersitz zurück und fragte sich, was Sam mit »Stadt« gemeint haben konnte. Den Lebensmittelladen? Die Wohnmobile?

Er setzte sich neben sie, trank von seinem Ale-8-One und kaute auf den Erdnüssen herum. Er schien sehr zufrieden zu sein.

»Ich will verdammt sein, aber sie hat wirklich gesagt, auf dem Briefkasten hocke ein Huhn. Das da muß also das Haus sein.«

Ein ausgebleichtes Plastikhuhn kauerte auf einem zerbeulten Briefkasten. Irgendein Witzbold hatte ihm einen glatten Durchschuß durch den Kopf verpaßt. Sam bog in die Zufahrt ein, und Kies knirschte unter den Reifen.

Das Haus war klein – Erdgeschoß plus ein Stockwerk –, blau gestrichen, die Fensterläden weiß. Grell bemaltes Plastikspielzeug lag verstreut auf der durchgesackten Veranda und dem sandigen, verdreckten Rasen herum. Die Grasbüschel und das Unkraut waren verdorrt. Sonora sah eine Schaukel aus Reifen und weiter hinten eine ausgebrannte Scheune.

»Sieht dem Haus sehr ähnlich, in dem sie jetzt wohnt«, sagte Sam.

»Ja, und schau dir mal das da an.«

»Die Scheune? Feuer scheint zu diesem Mädchen zu gehören, wie?«

Das Gitter in der Fliegentür war nicht mehr vorhanden, nur noch der schiefe Metallrahmen. Sam klopfte an das von der Sonne ausgebleichte Holz der Eingangstür.

Sie warteten. Sam klopfte noch mal, und eine Frau in einem blauen Baumwollkleid öffnete die Tür. Um ihre dicken Waden spannten sich grobe Nylonstrümpfe, und ihre blauen Lederschuhe, *Papagallos*, schienen brandneu zu sein.

Sie zog die Tür weit auf. »Euereins muß die Polizei sein. Kommen Sie rein.«

Euereins. Sonora wechselte einen Blick mit Sam. Sie waren bei der richtigen Adresse.

»Ich bin Marta Adams, Selmas Tante. Ray Ben, die Polizei ist da!«

Das Wohnzimmer war klein, die Möbel glänzten frisch poliert. Ein geflochtener Teppich verlieh dem Zimmer das gemütliche Aussehen der frühen Siedlerjahre. Die Möbel waren aus Ahornholz, und Tische gab es im Überfluß – Couchtische, Beistelltische, Abstelltische, und alle waren voll mit Keramiktieren, Muscheln, Aschenbechern und kleinen Tabletts. Auf den Armlehnen des Plüschsofas im Blumendekor lagen Deckchen. Schwere grüne Vorhänge hielten das Sonnenlicht draußen.

Ray Ben Adams saß auf der Kante seines Lehnstuhls. Obwohl er überall sonst am Körper recht hager war, quoll sein Bauch über den Gürtel. Er trug schwarze Arbeitsschnürschuhe und ein ölverschmiertes blaues Arbeitshemd, auf dessen Brusttasche sein Name aufgestickt war. Er hatte breite Koteletten, ein knochiges, sonnengebräuntes Gesicht, und sein Haar war von grauen Strähnen durchzogen und fettig. Seine braunen Augen waren blutunterlaufen. Der Umgang mit Öl und Schmutz hatte die Nagelhaut seiner Finger auf Dauer schwarz verfärbt.

Er zog an seiner Zigarette, die bis zum Filter herunterbrannte, und drückte sie in einem Aschenbecher, auf dem Myrtle Beach, South Carolina stand, aus. Dann erhob er sich und schüttelte ihnen die Hände.

Marta Adams zog ihr blaues Kleid am Gesäß auseinander und setzte sich auf die Kante des Sofas. Neben ihr, auf einem Beistelltisch, lag eine großformatige, abgenutzte schwarze Bibel, an der Seite eine ordentlich zusammengeklappte Brille. Marta schlug die Beine übereinander, wobei ihre Nylons ein knirschendes Geräusch machten.

»Euereins will über Selma reden, stimmt doch, oder?«

Sonora nickte und dachte, daß Marta Adams zu den Frauen gehörte, bei denen man sich vorstellen konnte, daß sie als Bedienung in einem Lokal arbeiteten, die Leute »Schätzchen« nannten und Kaugummi kauten. Ihre Lieblingsmarke war wahrscheinlich Dentyne.

»Was hat sie angestellt?« fragte Ray Ben.

Sonora legte den Recorder auf den Couchtisch und tat eine neue Kassette hinein. Sie war nahe daran, »nichts« zu antworten, merkte aber noch rechtzeitig, daß das ruppig klingen könnte. Sam und sie waren nicht wegen nichts den weiten Weg hierher gefahren.

»Wir sind bei der Mordkommission, Mrs. Adams. Und wir gehen davon aus, daß Selma in einen Fall verwickelt ist, den wir untersuchen.«

»Mordkommission? Einen ... einen Mord?«

Sam nickte. »Ja, Ma'am, wir meinen einen Mord.«

Ray Ben zog eine Schachtel Winston aus der Tasche. »Sie glauben, sie sei die Mörderin?« Er hielt Sam die Schachtel hin; der warf Sonora einen sehnsüchtigen Blick zu, lehnte dann aber doch ab. Ray Ben steckte seine Zigarette an und inhalierte tief. Sonoras Kopf begann zu schmerzen.

»Wir sind dabei, das noch im einzelnen zu untersuchen.«

»Was hat sie getan?«

Sonora sah ihn fest an. »Einen Mann mit Handschellen an das Lenkrad seines Wagens gefesselt, ihn mit Benzin übergossen und angezündet, Sir.«

Ray Ben sackte in seinem Sessel zusammen, und Marta Adams ließ sich gegen die Lehne der Couch sinken. Dicke Tränen liefen ihr die Wangen hinunter.

Sie zog ein zerknülltes Papiertaschentuch aus dem Ausschnitt ihres blauen Kleides.

»Wann haben Sie das letztemal mit Selma gesprochen?« Sams Stimme war sehr sanft.

Ray Ben räusperte sich. »Mama, wir sollten besser nicht mit diesen Leuten reden. Wir müssen kein Wort sagen, wenn wir nicht wollen.«

Marta Adams tätschelte das Knie ihres Mannes. »Wir werden tun, was Gott der Herr will, daß wir es tun, Ray Ben. Sie ist anders als wir, und wir wissen das schon seit langer Zeit.«

Er schluckte schwer und zog wieder heftig an seiner Zigarette. Sonora fühlte sich müde, und der Zigarettenrauch brannte in ihren Augen. Sie dachte an ihre Kinder. Stuart würde sich um sie kümmern. Sie waren in guten Händen.

»Was wollen Sie wissen?« fragte Marta Adams.

»Erzählen Sie uns einfach alles von ihr, woran Sie sich erinnern können«, sagte Sam.

Marta Adams spielte mit dem obersten Knopf an ihrem Kleid. Sie zog die Nase hoch, entschuldigte sich und begann zu erzählen.

Selma war im Alter von fünf Jahren zu ihnen gekommen, und sie hatte nichts dabeigehabt als eine rehäugige Babypuppe, die auf Knopfdruck Brahms' »Wiegenlied« von sich gab, sowie das von Ruß verdreckte Nachthemd, das sie angehabt hatte, als ein Feuerwehrmann sie aus dem brennenden Kinderzimmer in Sicherheit gebracht hatte. Ihre Eltern, Martas Schwester Chrissy und ihr Mann Bernard, waren an Rauchvergiftung gestorben.

Das Feuer war unter verdächtigen Umständen im Wohnzimmer ausgebrochen. Es hatte Spekulationen gegeben, die kleine Selma habe mit Streichhölzern gespielt, aber im abschließenden Untersuchungsbericht war man zu dem Ergebnis gekommen, eine brennende Zigarette habe das Sofa in Brand gesteckt. Bernard war Zigarettenraucher gewesen.

Die Babypuppe hatte nach Rauch gestunken, aber Selma hatte Zeter und Mordio geschrien, als man sie waschen oder ihr gar eine neue kaufen wollte. Man hatte ihr die Puppe gelassen. Es war alles, was sie besaß.

Im ersten Jahr bei den Adams' hatte sie weder auch nur ein einziges Mal gelächelt noch gesprochen. Es sei der Schock, hatte man ihnen gesagt. Sie war ein intelligentes Kind. Ihre Eltern, insbesondere Bernard, waren – was Marta nur mit verlegenem Flüstern erzählte – Yuppies gewesen, und sie hatten Selma im Alter von drei Jahren in einen Montessori-Kindergarten gegeben.

Als sie dann etwa ein Jahr bei ihnen gewesen war, fing sie wieder an zu sprechen. Sie machten keine große Sache daraus – man hatte ihnen eingetrichtert, es nicht zu tun. Das Lächeln aber kehrte nie zurück.

Sie war ein unangenehmes Kind gewesen. Selbstsüchtig. Marta und Ray Ben sagten das nicht gern, aber es war wahr. Sie mochte nicht teilen, doch die Adams' hatten fünf eigene Kinder, und es war für das Zusammenleben im Haushalt eine unbedingte Voraussetzung, daß man mit anderen teilte. Sie liebte hübsche Sachen, auch wenn sie nicht unbedingt wertvoll waren. Man konnte nie voraussagen, was ihr gefiel, aber wenn das der Fall war, wanderten die Dinge meist in geheime Verstecke. Manchmal vergrub sie solche Kostbarkeiten sogar, vergaß oft, wo sie es getan hatte, und stocherte dann auf der Suche nach ihnen im ganzen Garten herum, machte überall kleine Löcher in die Erde.

Überaus fasziniert war sie von Spiegeln und von Wasser in Flüssen, Teichen und Seen. Sie konnte stundenlang am Ufer eines Flusses sitzen und ins Wasser starren, ohne auch nur einen Muskel zu bewegen. Aber sie haßte das Meer.

»Sie hatte Angst vor den Wellen. Wir waren mal in Myrtle Beach, doch sie war nicht dazu zu bewegen, ins Wasser zu gehen. Es sei zu groß und zu laut, sagte sie.« Marta Adams sah Ray Ben an, und er nickte.

Nein, sie kam mit anderen Kindern nicht gut zurecht. Sie interessierte sich nicht für andere Kinder, zog ihre eigene Gesellschaft vor, spielte stundenlang allein und machte fortwährend Bestandsaufnahmen von all ihren Schätzen.

Puppen? O ja, sie liebte Puppen. Sie schrie, bis ihr Gesicht dunkelrot anlief, wenn man eine ihrer Puppen auch nur anrührte. Ray Ben hatte mal eine reparieren wollen – sie verloren ja immer wieder mal einen Arm oder ein Bein –, aber Selma hatte das nicht zugelassen. Fehlende Gliedmaßen störten sie nicht, ganz anders als Martas Töchter, die tausend Tode starben, wenn eine Barbie-Puppe mal ein Bein verlor.

»Manchmal«, meldete Ray Ben sich plötzlich zu Wort, »hat sie Puppen der anderen Mädchen beschädigt, weil sie darauf gehofft hat, daß die sie dann nicht mehr mochten und sie ihr gaben.«

»Das kannst du doch nicht beweisen«, sagte Marta streng.

»Ich habe sie mal beobachtet, als sie es getan hat.«

Nein, nein, die Scheune war zwar abgebrannt, als Selma schon zwei Jahre bei ihnen war, aber sie war ja damals erst sieben gewesen. Sieben Jahre – das war ja wohl zu jung, ihr so was zuzutrauen. Es war ein schlimmes Feuer gewesen. Sie hatten eine alte Milchkuh und eine Ziege sowie die gesamte Tabakernte verloren.

Die Kinder hatten noch nach Wochen wegen der Tiere geweint – bis auf Selma. Sie weinte nur, wenn sie wütend war.

Sie hatten versucht, ihr Religion nahezubringen. Der Priester ihrer Baptistengemeinde hatte sich über das normale Maß hinaus um Selma bemüht, aber sie hatte sich nicht dankbar gezeigt. Gottesdienste der Gemeinde fanden Mittwoch abends, Sonntag morgens und Sonntag abends statt. Sie sprachen bei jeder Mahlzeit Dankgebete und machten an den meisten Abenden nach dem Essen eine Bibellesung.

Aber nichts von alldem färbte auf Miss Selma Elster ab.

Sonora schaute Sam an. Aus der Art, wie Marta Adams »Miss Selma Elster« sagte, war Groll herauszuhören.

»War das ihr Spitzname?« Sams Stimme war süß wie Honig.

Marta Adams lachte, aber ihre Augen blieben kalt. »Ich glaube, wir haben ihr ein paar Monate nach der Ankunft bei uns diesen Namen gegeben. Die meisten der Kinder hatten irgendwelche Spitznamen.«

»Wie war sie als Teenager?« fragte Sonora.

Ray Ben drückte seine Zigarette aus. »Sie war nichts als Kummer und Ärger, das kann man ganz bestimmt sagen.«

»Na, jetzt aber, Ray …«

»Du hast verlangt, daß wir bei der Wahrheit bleiben, Marta.«

Marta schaute auf die Wand. »Es waren damals schwere Jahre.«

»Ja, das waren sie. Selma hat geraucht und getrunken, hat sich geweigert, mit uns sonntags zur Kirche zu gehen, und sie hat sich schon mit Jungen rumgetrieben, als sie erst dreizehn war.«

Marta Adams' Gesicht wurde dunkelrot. »Ray Ben!«

»Ist doch wahr. Wir haben sie erwischt, oder?«

»Nicht *Jungen.* Dieser *eine* Junge.« Marta Adams senkte den Kopf. »Es ist ein Wunder, daß dieses Kind nicht schwanger geworden ist. Egal, wie hart ich dieses Mädchen auch bestraft habe, sie hat immer gemacht, was sie wollte, und hat kaum einmal um was gebeten.«

»Wann hat Selma Ihr Haus verlassen?«

Marta schniefte. »Zwei Monate nach ihrem fünfzehnten Geburtstag marschierte sie aus dem Haus und die Straße runter und kam nie mehr zurück.«

Ray Ben schüttelte den Kopf. »Sie hat nie angerufen, nie geschrieben, nicht mal eine Karte. Wir haben nichts mehr von dem Mädchen gehört und gesehen, seit sie wegging.«

»Haben Sie sie adoptiert?« fragte Sonora.

»Wir wollten das immer, sind jedoch nie dazu gekommen. Aber sie lebte hier wie unsere anderen Kinder auch unter dem Namen Adams.«

Sonora runzelte die Stirn. »Und wie lange ist das her?«

»Als sie von uns wegging? Das ist, o Gott, jetzt elf Jahre her. Im November war das, glaube ich; ich erinnere mich, daß es kalt war und sie keinen Mantel anhatte. Sie hat nur ihre abgetragene Jeansjacke und ihre Puppe mitgenommen.«

»Und das Geld, das ich auf meinem Schrank liegen hatte, und deine besten Ohrringe und Jesters kleine Pistole.« Ray Ben schien keine liebevollen Erinnerungen an Selma zu haben.

»Eine Zweiundzwanziger?« fragte Sam.

»Natürlich. Ein hübsches kleines Ding.«

Sonora schaute auf die dicken Vorhänge und wünschte, sie könnte nach draußen sehen. Sie stellte sich Selma vor, wie sie im Alter von fünfzehn Jahren diesen Kiesweg zum letztenmal hinuntergeht, hinaus in die Welt, nur auf sich gestellt. Drei

Jahre später hatte sie sich am Ryker Community College unter dem Namen Selma Yorke eingeschrieben. Wie hatte sie die Studiengebühren aufgetrieben? Wie war sie an einen Identitätsnachweis, an High-School-Zeugnisse gekommen?

»Hat sie die High-School absolviert?« fragte Sam.

Ray Ben schüttelte müde den Kopf. »Sie war gescheit, hat aber nichts draus gemacht.«

Sonora hätte viel darum gegeben, wenn sie gewußt hätte, was in den drei Jahren von fünfzehn bis achtzehn mit dem Mädchen geschehen war. Selma hatte fast zwei Jahre lang College-Kurse in Betriebswirtschaft und Rechnungswesen belegt und war dann mitten im letzten Semester abgegangen, nachdem kurz vor den Osterferien ein Brand in einem Studentenheim ausgebrochen war. Ein Student war in dem Feuer umgekommen – ein dunkelhaariger, braunäugiger Junge. Sonora hatte sein Foto im Jahrbuch des College gesehen. Er hatte ebenfalls Betriebswirtschaft studiert, war Spieler im Footballteam und Mitglied der Schwimmannschaft der Universität gewesen und als Champion im Tischtennis betrachtet worden. Und jetzt war er tot, gestorben vor acht Jahren – in einem Feuer mit verdächtigem Ursprung.

»Der Familienname Ihrer Schwester war Yorke?« fragte Sam.

»Ja. Sie hat Bernard Yorke geheiratet. Er hat für Ashland Oil gearbeitet, hatte einen echt guten Job und viel Geld verdient.«

»Mehr als ich je verdient habe«, sagte Ray Ben. »Hat ja aber nicht viel davon gehabt. Wir haben schließlich seine Tochter großziehen müssen.«

Und wie toll ihr das gemacht habt, dachte Sonora.

Sam beugte sich zu Marta Adams vor. »Was hat denn dazu geführt, daß sie so plötzlich weggegangen ist?«

»Wir haben nicht gesagt, daß es plötzlich passiert ist«, entgegnete Ray Ben.

Sam lächelte höflich. »Mitten im Schuljahr, es ist kalt draußen, sie ist erst fünfzehn Jahre alt. Da muß doch was gewesen sein.«

Ray Ben zuckte nur mit den Schultern.

Marta Adams schaute auf den Boden. »So war Selma eben. Sie machte solche Sachen.«

39 Das Büro des Direktors der Jack's Creek High-School war ein quadratischer kleiner Raum, dessen Wände aus Betonsteinen bestanden und dessen Boden mit gewachsem Linoleum belegt war. Der gelbe Fichtenholz-schreibtisch war überhäuft mit Papierstapeln, und die Tür eines Aktenschranks stand offen. Der Stuhl hinter dem Schreibtisch war zweifellos der bequemste im Zimmer, aber es saß niemand darauf.

Sonora hatte auf einem Holzstuhl mit gerader Lehne neben Sam Platz genommen, und die beiden warteten auf das Erscheinen des nächsten Lehrers.

»Ich habe so das Gefühl, man hat sie hier nicht besonders gemocht«, sagte Sam gerade.

Sonora nickte. Der Direktor war jung und neu an der Schule und kannte Selma Yorke nicht, aber er hatte sein Büro für die Lehrer, die Selma unterrichtet hatten, zur Verfügung gestellt.

Jemand klopfte an die Tür.

Sam schaute auf die Uhr. »Der oder die letzte.«

Die Frau war über das allgemeine Pensionsalter hinaus, groß und breitschultrig mit wohlgerundeten Hüften, ohne jedoch Übergewicht zu haben. Sie trug ein blaues Kleid, das bis zur Wadenmitte ging, dicke Baumwollsocken und abgenutzte Segelschuhe. Eine Lesebrille hing an einem Kettchen um ihren Hals. Ihr grau-weißes Haar war zu einem dicken Zopf geflochten, der den Rücken herabbaumelte.

»Ich bin Mrs. Armstead, die Kunstlehrerin.«

Sam stand auf und schüttelte ihr die Hand. »Specialist Delarosa, und das ist Specialist Blair.«

Mrs. Armstead nickte Sonora zu und setzte sich. Sie schaute auf Sonoras Recorder. »Sie nehmen das Gespräch auf?«

Sam lächelte sie an. »Wir nehmen bei Untersuchungen alle Gespräche auf, das gehört zu den Standardprozeduren.«

Sonora beugte sich vor. »Mrs. Armstead, der Direktor hat sicher mit Ihnen gesprochen und Ihnen gesagt, daß es um eine Schülerin namens Selma Yorke geht.«

»Ich vermag mich nicht an alle meine Schüler zu erinnern, Detective, und hier handelt es sich um die Zeit vor elf Jahren, aber an Selma kann ich mich erinnern, und zwar sehr gut.«

Sonora und Sam wechselten einen Blick.

»Warum sehr gut?« fragte Sam.

»Ich bin Kunstlehrerin, und Selma war besonders talentiert. Talentiert und … gepeinigt.«

Sonora lehnte sich auf ihrem Stuhl zurück. »Warum sagen Sie das – gepeinigt?«

»Ich spreche von internen Dingen. Lassen Sie mich Ihnen ein Beispiel geben. Wir führen stets einen Ausbildungsabschnitt in Porträtzeichnen durch – ein Schüler steht Modell, die anderen machen eine Skizze von ihm. Selma konnte das nicht, brachte es nicht fertig, ein anderes menschliches Wesen zu zeichnen. Manchmal, wenn sie es dennoch versuchte, kam eine Zahl statt eines menschlichen Gesichtes heraus. Es war unheimlich und beunruhigte die anderen Kinder. Selma war nicht beliebt bei ihnen. Sie gab sich Mühe, Anklang zu finden, das muß man ihr zugestehen. Ich sah das Mädchen oft stundenlang mit dem Bleistift in der Hand vor dem Zeichenblock sitzen. Sie brach meistens die Spitze des Zeichenstiftes ab und zerriß dann das Papier. Einmal, an einem Tag, an dem sie sich besonders schlecht zu fühlen schien, ging sie zur Toilette und … und schnitt sich ihre Ponyfransen ab.« Armsteads Stimme klang fast atemlos. »Ich ging zu ihr, nahm sie zur Seite, aber es war schwierig, ihr nahezukommen. Ich möchte Ihnen ehrlich sagen, daß ich sie nicht mochte. Aber ich respektierte ihr Talent. Ich habe keinen anderen Schüler gehabt, der so talentiert war wie Selma.«

Sehr schön, dachte Sonora. Doch Armstead sah traurig aus.

»Hatte sie davor schon mal so etwas gemacht? Ich meine durchgedreht und sich die Ponyfransen abgeschnitten?« fragte Sam.

»Als ich den Schülern die Aufgabe stellte, ein Selbstporträt zu zeichnen, brachte Selma es nicht einmal fertig, überhaupt damit anzufangen. Sie wurde schrecklich wütend, und als sie am nächsten Tag zum Unterricht kam, hatte sie sich den Pony abgeschnitten – die gleiche Geschichte. Sie wirkte apathisch, sagte, sie habe bei diesem Projekt völlig versagt, sei durchgefallen, und sie lief trübsinnig und mit hängendem Kopf im Klassenzimmer herum, während die anderen arbeiteten. Dann kam sie plötzlich zu mir und fragte, ob sie statt dessen Danny zeichnen dürfe.«

Sonora sah Sam an. »Sie hat einen Danny erwähnt. Ein- oder zweimal.«

»Erzählen Sie uns von ihm«, bat Sam.

»Daniel Markum. Er war älter als sie, zwei- oder dreiundzwanzig. Sein Bruder ging in Selmas Klasse, Danny arbeitete auf der elterlichen Farm und betrieb dort auch eine Reparaturwerkstatt. Einige der Lehrer meinten, er hätte sich nicht mit einem so jungen Mädchen wie Selma abgeben dürfen, aber sie war ganz verrückt nach ihm.«

Sonora beugte sich vor. »Hat sie es getan? Ihn gezeichnet?«

Armstead nickte. »Es war eine überzeugende Arbeit; sie war *wirklich* talentiert. Danny hat sie gezeichnet, aber nie einen anderen Menschen.«

»Haben Sie sie nach ihrem Weggang noch mal gesehen oder was von ihr gehört?«

Armstead schüttelte den Kopf. »Als sie meine Schülerin war, habe ich für sie getan, was ich nur konnte, aber wir standen uns nicht sehr nahe. Ich habe einige ihrer Arbeiten aufgehoben. Sie liegen noch immer in meinem privaten Schrank. Wollen Sie sie sehen?«

Als sie das Büro des Direktors verließen, ratterte eine Klingel los, und im Nu waren die Flure mit Kindern in Jeans überflutet. Armstead führte sie an einem nur dünn bestückten Trophäenschrank vorbei, dann durch eine Doppeltür in 101-A, den Raum für Kunstunterricht.

Die Wände waren mit grellen Masken aus Pappmaché vollgehängt, hellgrünen, gelben, blauen. Armstead ging an einem mit Farben verschmierten Spülstein vorbei zu einem Schrank und schloß ihn auf. Ihr Kopf verschwand in einem der Schrankfächer, und Sonora hörte das Rascheln von Papier. Ein Mädchen steckte den Kopf zu Tür hinein, grinste Sam an und verschwand wieder.

»Da ist es.« Armstead nahm eine große Stoffmappe aus dem Schrank, legte sie auf ihren Schreibtisch, öffnete den Reißverschluß, zog eine Leinwand heraus und hielt sie hoch.

Sie war in dicken Pinselstrichen mit dunklen Farben bemalt. »Selma liebte das Malen, verwirrende Dinge, wilde, harte Farben, wie Sie sie hier sehen, sehr abstrakt. Die anderen Schüler und auch die Lehrer meinten, es seien nur auf die Leinwand geklatschte Farbspritzer. Ignoranten!« Ihre Stimme klang zornig und gereizt. Sie kramte in der Mappe herum und zog ein dickes rechteckiges Stück Papier heraus. »Das ist die Skizze, die sie von Danny Markum gezeichnet hat. Die Ähnlichkeit ist gut getroffen.«

Sonora hielt das Blatt an den Ecken vor sich. Die Skizze war von einer eiligen, fast hektischen Hand mit Kohle gezeichnet, und irgend etwas daran irritierte Sonora. Die Ähnlichkeit mit Keaton Daniels war zwar nur oberflächlich, aber doch erkennbar. Sie gab das Blatt Sam.

Sam schaute auf, und sein und Armsteads Blick trafen sich. »Was ist mit ihr und Danny geschehen?«

Armstead zuckte zusammen. »Sie hat das kurz vor … vor dieser Sache am Fluß gezeichnet.«

»Was für eine Sache am Fluß?« fragte Sonora.

»Das wissen Sie nicht?«

Sam schüttelte den Kopf.

Armstead setzte sich langsam auf den Stuhl hinter dem kleinen Schreibtisch. »Niemand kann mit Sicherheit sagen, was damals in dieser Nacht passiert ist, es kursierten die verschiedensten Versionen.« Sie schaute aus dem Fenster, schien weit weg zu sein. »Ich erwähnte ja schon, daß Danny einen Bruder hatte – er hieß Roger und war in Selmas Klasse. Selma war eifersüchtig auf ihn. Sie war auf jeden eifersüchtig, der in Dannys Nähe kam, doch besonders auf Roger.

Die beiden Brüder pflegten einmal in der Woche abends zum Fischen zu gehen, was Selma gar nicht gefiel. Aber sie hatte eine besondere Vorliebe für den Fluß und wollte immer mit ihnen gehen. Roger jedoch schaffte es meistens, Danny zu überzeugen, daß Selma nicht mitkommen sollte. An diesem bestimmten Abend, so berichtete Roger, kam Selma trotzdem zu ihnen an den Fluß, hatte Streit mit Danny und lief dann weg. Man erzählt sich, daß Roger nach Selmas Auftritt zum Wagen ging, um Biernachschub zu holen. Und als er zum Ufer zurückkam, war Danny verschwunden. Nichts mehr war von ihm zu sehen außer seiner Angelrute und den Ködern und einer halbleeren Bierdose.«

»Hatten die beiden viel getrunken?« fragte Sam.

»Wahrscheinlich. Zweifellos mehr, als gut für sie war. Man hat dann den Fluß abgesucht und Dannys Leiche gefunden. Das offizielle Untersuchungsergebnis lautete, er sei aus irgendeinem Grund in den Fluß gestiegen, dann in eine Untiefe geraten und ertrunken. Er konnte nicht schwimmen. Die meisten Kinder hier in der Gegend lernen nicht schwimmen.«

»Und dann ging es los mit den Gerüchten, nicht wahr?« fragte Sonora.

Armstead stützte die Ellbogen auf die Schreibtischplatte und legte das Kinn in die Hände. »Mehr als nur Gerüchte. Roger machte einen riesigen Wirbel. Er behauptete, Selma sei zurückgekommen und habe Danny in den Fluß gestoßen. Aber der Sheriff ging nicht darauf ein. Er sagte, Selma habe Danny geliebt, und sie sei schließlich ein zierliches kleines Ding und Danny ein kräftiger, über einsachtzig großer Mann gewesen. Aber man … man hat einen von Selmas Ohrringen im Schlamm am Ufer gefunden. Selma behauptete, sie habe ihn beim erstenmal verloren, als sie diese Auseinandersetzung mit Danny gehabt habe.«

Sam sah Armstead stirnrunzelnd an. »Beim *erstenmal*? Hat sie das so gesagt?«

Armstead nickte. »Ich habe selbst gehört, wie sie es sagte, hier in diesem Raum.«

»Haben Sie das dem Sheriff mitgeteilt?«

»Ich … Ja.« Armstead strich mit dem Zeigefinger über die Tischplatte. »Roger gab keine Ruhe.«

»Und dann ist Selma von hier weggegangen?« fragte Sonora.

»Nicht sofort. Kurz danach ist Roger ums Leben gekommen. Er arbeitete spätabends noch in der Tabakscheune der Farm,

als ein Feuer ausbrach. Er hat es nicht mehr geschafft rauszu-
kommen.«

Sam fragte mit sanfter Stimme: »Gab es ein offizielles Untersuchungsergebnis über die Ursache des Feuers?«

Armstead sprach jetzt mit zusammengebissenen Zähnen. »Jemand hat einen Benzinkanister, der als Reserve für den Trak-
tor in der Scheune stand, ausgeleert und dann ein Streichholz
fallen lassen. Roger hatte nicht die geringste Chance.« Sie
schaute Sam an. »Alle Welt glaubte natürlich, Selma habe es
getan. Und *dann* hat sie sich davongemacht.«

Sonora und Sam wechselten Blicke.

Armstead nahm Sam die Skizze aus der Hand. »Ein sehr kon-
zentriertes Porträt, finden Sie nicht auch?«

Besessen wäre ein besseres Wort, dachte Sonora. »Glauben
Sie denn, daß Selma Roger getötet hat? Glauben Sie, daß sie
Danny getötet hat?«

Armstead hob in einer müden, hilflosen Geste die Hände.
»Ich weiß es nicht. Man kann es nicht wissen. Aber ich möchte
Ihnen noch eines sagen. Als Danny tot war, hat Selma noch
einmal versucht, ihn zu zeichnen – doch sie hat es nicht fertiggebracht.«

40 Sonora blickte zum fünften Stock des Board of Elections Building hoch und sah, daß noch alle Fenster erleuchtet waren. Sie schaute Sam an.

»Fahr nach Hause, Junge, und kümmere dich um deine Tochter. Wie geht's ihr?«

»Sie machen immer noch alle möglichen Tests mit ihr. Immer neue Tests.« Er kaute an der Unterlippe. »Nein, ich gehe besser …«

»Fahr *nach Hause*, Sam.«

»Okay. Ruf mich an, wenn's was Neues gibt.« Er beugte sich zu ihr hinüber und küßte sie auf die Wange. »Du siehst müde aus, Sonora.«

»Ich *bin* müde, Sam.«

Er schaute ihr nach, als sie vom Wagen zum Seiteneingang lief – Cop beobachtet Cop, der in die Cop-Zentrale geht. Sonora blickte zur Videokamera über der Tür.

Der Aufzug bewegte sich sehr langsam. Sie lehnte den Kopf gegen die Wand und dachte, daß es ihr gut gefallen würde, wenn Sam sie öfter küssen würde.

Ihr Telefon läutete, als sie in ihr Büro kam. Sie wollte es zunächst ignorieren, dachte aber dann, es könnte Stuart oder eines der Kinder sein.

»Mordkommission, Specialist Blair.«

»Hallo.« Die Stimme klang hoch und flötend und kam ihr irgendwie bekannt vor. Im Hintergrund ging es recht laut zu. »Hier ist Chita Childers. Erinnern Sie sich – vom Cujo's.«

Sonaras Herz schlug plötzlich schnell und heftig. Sag mir, daß sie bei euch ist, schoß es ihr durch den Kopf. Sag mir, daß sie da ist.

»Er ist hier.«

Sonora stützte sich auf die Schreibtischplatte. »Er?«

»Ja, dieser Mann, Sie wissen schon, der auf dem Foto.«

Ein Frösteln überlief Sonora, dann aber beruhigte sich ihr Herz wieder. Keaton natürlich. »Kräftig gebaut, dunkles lockiges Haar?«

»Ja.« Chita hatte einen Kaugummi im Mund, und durch die Leitung klang ihre Stimme, als ob sie auf einem quietschenden Plastikklumpen herumkauen würde. Sonora hätte ihr gerne gesagt, sie solle das Ding ausspucken.

»Vielen Dank für Ihren Anruf.«

»Soll ich versuchen, ihn hier festzuhalten oder so was?«

»Nein. Er gehört nicht zum Kreis der Verdächtigen.«

»Also nur ein gesetzestreuer Bürger, der schnell mal einen trinkt, wie?«

Sonora stellte sich Chita hinter der Theke vor, die Hände in die Hüften gestemmt.

»Es interessiert Sie wahrscheinlich, daß er nach ihr gefragt hat. Nach der Blonden im Jeansrock. Er ist doch aber kein Cop, oder?«

»Hat er gesagt, er sei einer?« fragte Sonora.

»Nein.«

»Er ist keiner.«

»Dann hätte ich also gar nicht anrufen sollen, hm?«

»Natürlich sollten Sie das. Ich bin Ihnen dankbar dafür.«

Frauen muß man immer versichern, daß sie es richtig gemacht haben, dachte Sonora. »Wenn sie bei Ihnen auftaucht …«

»Das Mädchen?«

»Ja. Lassen Sie sie in Ruhe, und rufen Sie sofort bei mir an.«

»Mach ich.«

Sonora wählte die Nummer von zu Hause. »Stuart? Warte nicht auf mich, ich kann erst später kommen. Ist es dir möglich, noch zu bleiben?«

»Man hat mich angerufen. Der Barkeeper ist vor zwanzig Minuten wegen seiner Grippe nach Hause gegangen. Ich wollte warten, bis die Kinder eingeschlafen sind, und dann zum Saloon fahren. Meinst du, ich kann das machen, oder willst du, daß ich hierbleibe?«

»Du kannst ruhig gehen, das ist okay. Aber bitte, sieh zu, daß alles gut verschlossen und die Alarmanlage eingeschaltet ist.«

»Natürlich, kein Problem. Noch kein Durchbruch bei deinem Fall?«

»In Nebenaspekten. Wir versuchen, John Q. Jedermann aus allem Ärger und Verdruß rauszuhalten.«

»Vielleicht will John Q. Ärger und Verdruß haben.«

»Er wird beides kriegen, denn er paßt viel zuwenig auf.«

41 Sonora fuhr sich mit den Fingern durchs Haar, erneuerte ihr Make-up und zog ihre Lippen dick mit Sulky Beige nach. Sie schaute in den Rückspiegel. Gegen den erschöpften Ausdruck auf ihrem Gesicht und die neuerdings stets herabhängenden Schultern konnte sie nichts machen. Sie überprüfte den Sitz ihrer Krawatte, stellte den Motor ab, besann sich dann anders, streifte die Krawatte ab und steckte sie ins Handschuhfach.

Im Cujo's schien nicht mehr viel los zu sein, es war spät und obendrein ein Werktag. Sonora fragte sich, ob Selma in der Nähe war und Keaton und sie beobachtete. Sie blieb in der Tür stehen, und die Leute im Lokal starrten zu ihr herüber. Irgend etwas an ihr schien »Cop« zu schreien. Keaton saß allein an einem Tisch in der Nähe der Bar, von dem aus er die Eingangstür, die Toiletten und den Fernseher im Auge hatte. Das Bier vor sich hatte er fast ausgetrunken. Seine Khakihose war zerknittert, aber sein Hemd war frisch gebügelt, und er hatte sich vor der Fahrt hierher offensichtlich rasiert. Er sah müde und blaß und sehr attraktiv aus.

Sonora legte die Hände auf die Lehne des Stuhls ihm gegenüber. »Hallo, Keaton Daniels.«

»Setzen Sie sich. Ich habe Sie heute abend in den Fernsehnachrichten gesehen und mich über all die Entwicklungen gewundert, die Sie da angesprochen haben.«

Sonora setzte sich und lächelte traurig.

»Alles gelogen, nicht wahr?« fragte er.

»Ich will Ihnen nichts vormachen, wir haben noch keinen echten Durchbruch erzielt. Aber es ist Bewegung in die Sache gekommen, sie nimmt immer mehr Konturen an. Und ich *werde* sie kriegen. Es sei denn, Sie kommen mir zuvor.«

Er lächelte, und es gefiel ihr, daß er nicht leugnete, ebenfalls hinter der Mörderin seines Bruders her zu sein. »Bin ich in Schwierigkeiten?«

»Haben Sie eine Waffe, Keaton?«

»Ja. Stört Sie das?«

»Besitzen Sie einen Waffenschein? Wissen Sie, wie man damit umgeht?«

Er nickte.

»Dann habe ich nichts dagegen. Aber nehmen Sie sie nicht mit zur Schule.« Sie lehnte sich zurück. »Sind Sie schon lange hier?«

»Seit acht.«

»Lange Nacht.«

Chita Childers beugte sich über die Theke in der Absicht, die Aufmerksamkeit der Gäste auf sich lenken. »Letzte Runde! Möchte jemand von Ihnen noch was?«

»Ich dachte an ein Toastbrot«, sagte Sonora. Es war ihr rausgerutscht, ohne daß sie es wollte. Böses Mädchen, schalt sie sich, wie kannst du so was machen. Es ist der Bruder des Mordopfers. Sei vorsichtig.

Keaton stand auf und nahm seine Jacke von der Stuhllehne.

Mein Gott, sieht er gut aus, dachte Sonora.

Chita Childers sah sie beide an. »Wird wohl die Nacht der Nächte, hm?«

Keaton lächelte Sonora zu.

»Ich folge Ihnen zu Ihrem Haus«, sagte Sonora. Daß er sicher heimkommt, dachte sie. Natürlich nur deswegen.

Die Straßenränder von Mount Adams waren zugeparkt mit Autos, was die Gegend eng und gedrängt wirken ließ. Keaton nahm Sonoras Hand und führte sie über den Plattenweg zur Veranda. Er suchte nach dem Hausschlüssel, und Sonora fragte sich, ob er nervös war. Sie war es jedenfalls.

»Haben Sie die Schlösser austauschen lassen?« fragte sie und überprüfte mit einem Blick über die Schulter die dunkle Straße. Da war niemand zu sehen, keine Bewegung, kein auffälliger Wagen. Selma konnte nicht überall zur gleichen Zeit sein; eine einzelne Person vermochte eine andere nicht vierundzwanzig Stunden lang zu überwachen. Wahrscheinlich war sie nicht irgendwo da draußen.

Vielleicht war sie es aber doch.

»Ja, ich habe die Schlösser auswechseln lassen. Wir sind hier sicher.«

Im Haus war es dunkel, nur von einer Lampe über dem Spülstein in der Küche fiel ein schwacher Lichtschimmer in den Flur. Keaton schloß die Haustür und sperrte sie zu. Dann streckte er die Hand nach dem Lichtschalter aus, aber Sonora hielt ihn zurück, und er ließ es dunkel. Die Rolläden waren nicht heruntergelassen, und das Licht der Straßenlaternen erhellte das Wohnzimmer schemenhaft.

Er nahm Sonora wieder bei der Hand und führte sie zum Sofa.

»Bleib dicht bei mir wie in der Nacht damals.«

Sonora ließ den Riemen ihrer Handtasche den Arm hinuntergleiten, und die Tasche fiel zu Boden. Sie legte ihren Blazer über die Lehne des Sofas und trat vor ihn hin, berührte ihn jedoch nicht. Würde sie es wirklich tun? Sie schaute in sein von der Dunkelheit überschattetes Gesicht. Ja. Sie würde es tun.

Keaton legte die Arme um sie, und sie stellte sich auf die Zehenspitzen und schob ihre Zunge in seinen Mund, ließ sie spielen wie den Flügelschlag eines Schmetterlings. Er küßte sie fest und hastig, dann löste sie sich von ihm.

Sie standen sich einen Moment gegenüber und atmeten beide schwer. Keaton legte die Hände auf ihre Hüften und zog ihren Körper fest an sich. Sie schloß die Augen und spürte seine Wärme, seine Erregung, das Pochen seines Herzens an ihrer Brust.

Er strich mit seinem Daumen über die Konturen ihres Halses und ihrer Schultern. Sie legte den Zeigefinger auf seine Lippen, teilte sie sanft, streichelte seine Zunge und fuhr über seine unteren Zähne.

Mit der anderen Hand knöpfte sie ihr Hemd auf und löste den vorderen Haken ihres Büstenhalters. Sie beugte sich mit dem Oberkörper nach hinten, spürte, wie ihr Haar auf die Schultern fiel, und biß sich auf die Lippe, als er sich nach vorn beugte und seinen Mund über ihre Brüste gleiten ließ.

Sie zogen sich hastig aus. Das Licht, das von der Straße hereinfiel, tauchte ihre nackten Körper in einen milchweißen Schimmer.

Sonora setzte sich auf das Sofa und nahm seinen erigierten Penis in den Mund. Er krallte seine Finger in ihr Haar und murmelte ihren Namen so sanft, daß sie meinte, sie bilde sich nur ein, seine Stimme zu hören.

Sein Atem ging in keuchenden Stößen, und die Hände in ihrem Haar schlossen sich zu Fäusten.

»O Gott!«

Sonora lächelte.

»Komm mit rauf«, sagte er.

Die Stufen waren blankes Holz und reflektierten den Lichtschein. Sonora ließ auf dem Weg nach oben die Hand über das Geländer gleiten, dann führte Keaton sie durch den Flur zu seinem Schlafzimmer.

Draußen wurde eine Autotür zugeschlagen.

»Alles okay?« fragte Keaton.

»Nur ein bißchen nervös.«

Es war dunkel im Schlafzimmer; die Rolläden waren heruntergelassen. Sonora sah nichts als das Glimmen der Ziffern einer Digitaluhr. Keaton legte die Hände auf ihre Schultern und drückte sie auf das Bett. Er schob ihre Beine zum Körper hin und fuhr dann mit der Zunge sanft über die Innenseiten ihrer Oberschenkel. Sein Streicheln ließ sie erbeben. Schließlich schob er sich auf sie und drang in sie ein. Sie griff nach seinen Schultern. »Keaton …«

Sie schloß die Augen und versuchte ihn zurückzuhalten. Es war sicher nicht der richtige Moment, ihm zu sagen, daß sie die Pille nicht nahm. Sie entspannte sich, ließ ihn weitermachen, nur noch ein- oder zweimal, und dann dachte sie an Schwangerschaft und Babys und wie empfänglich sie war.

»Keaton, ich kann nicht …«

Er küßte ihren Hals. »Doch, du kannst. Doch, du kannst.«

»Keaton, ich werde beim geringsten Anlaß schwanger.« Sie keuchte, stieß die Worte mit erstickter Stimme aus. Er hörte auf, sich in ihr zu bewegen, und stützte sich auf die Hände.

»Sozusagen …«, fügte sie hinzu.

»Entschuldige. Ich hätte fragen sollen.«

Das Bett quietschte, als er sich von ihr löste und auf die Bettkante setzte. Sie hörte, wie er eine Schublade aufzog und wieder schloß, dann das Knistern von Folie. Er legte sich neben sie und küßte sie. Sie schob die Beine über seine Hüfte und setzte sich auf ihn. Er drückte die Hand gegen ihren Bauch, und dann war er wieder in ihr. Jetzt konnte nichts Unvorhergesehenes mehr passieren.

Und dann war sie verloren, und sie schloß die Augen und explodierte kurz vor seinem leisen Aufstöhnen.

Sonora sank langsam auf Keatons Brust. Er legte die Arme um sie und strich sanft über ihren Rücken, was sie erschaudern und wohlig lächeln ließ.

»Hast du Hunger?« Seine Stimme klang schläfrig, friedvoll, aber auch zugleich fürsorglich.
»Ganz fürchterlich. Woher weißt du das?«
»Dein Magen knurrt.« Er machte die Nachttischlampe an. Dunkle Holzmöbel dominierten das Zimmer, und es war geprägt von Männlichkeit. Er öffnete die Schublade einer Kommode und holte ein großes Sweatshirt heraus. »Nimm das, wenn dir kalt ist.«
Sie zog das Sweatshirt über den Kopf. Die Ärmel reichten ihr bis an die Fingerspitzen.
»Ich bin gleich zurück.« Er ging ins Badezimmer und machte die Tür hinter sich zu.
Sonora trat zur Kommode, um einen Blick in den Spiegel zu werfen, und sah dort einen Zeitungsausschnitt mit ihrem Foto. Daneben lag ein Notizbuch mit festem Einband, und auf der Vorderseite stand in verwegenen schwarzen Druckbuchstaben: TAGEBUCH DER ERMITTLUNGEN.
Ein privates Tagebuch natürlich. Sie schlug die erste Seite auf.

»Mein Bruder ist tot, die Polizei versucht dem Mörder auf die Spur zu kommen. Der mit den Ermittlungen beauftragte Detective ist eine Frau. Sie erstaunt mich, macht einen energischen und fähigen Eindruck. Sie hat ein forsches Mundwerk, aber ich glaube, unter dieser äußeren Schale ist sie nett.«

Sonora verzog das Gesicht und lächelte dann. Interessant, diese seine ersten Eindrücke zu lesen.

»Ich werde jeden kleinsten ihrer Schritte verfolgen. Ich will, daß Marks Mörder gefaßt wird. Aber ich eile mir selbst voraus. Ich glaube, das alles hat mit diesen Anrufen begonnen, um die Osterzeit, als es mit Ashley und mir auseinanderging.«

Sonora hörte die Toilettenspülung rauschen. Sie schlug das Tagebuch zu und trat schnell von der Kommode zurück.

Keaton kam in einem dunkelblauen Bademantel aus dem Bad. Er nahm sie bei der Hand und führte sie durch das stille Haus die Treppe hinunter, und sie kicherten und lachten, ohne daß es dafür einen ersichtlichen Grund gegeben hätte. Sonora fühlte sich wie ein Kind, das etwas Böses getan hatte, aber noch einmal ungestraft davongekommen war.

Er machte das Licht an. Vor den Fenstern stand drohend eine undurchdringliche Dunkelheit; Sonora blinzelte in der grellen, heiteren Helligkeit seiner Küche.

»Ich hatte gehofft, du würdest kommen, deshalb habe ich für alle Fälle …« Er öffnete die Tür des Kühlschranks und winkte sie zu sich.

Erdbeeren mit Schokoladenguß, Joghurt, Frühlingsrollen und Coca-Cola in den üblichen hellroten Dosen.

Keaton Daniels lächelte stolz. »Sachen, die Mädchen mögen.«

42 Sonora brach noch vor der Morgendämmerung auf – mit vollem Magen, einem eingeschläferten Magengeschwür und einem langen Abschiedskuß.

»Mußt du tatsächlich so früh zum Dienst?« fragte er, als sie ihre Kleider im Wohnzimmer zusammensuchte.

»Hm … Wo ist mein … Ah, da ist er ja. Hier, dein Badetuch, und danke, daß ich deine Dusche benutzen durfte.«

»Kann ich dich nicht noch zu einem kleinen Zusatzfrühstück überreden? Du hast gestern abend gesagt, du hättest gern ein Toastbrot.«

»Das war eine Lüge.«

Das Telefon klingelte. Keaton runzelte die Stirn und sah sie an. »Das muß für dich sein. Niemand ruft mich so früh am Morgen an.«

Sonora schüttelte den Kopf. »Ich habe keinem deine Telefonnummer gegeben. Kein Mensch, weiß, daß ich … Geh ran. Warum gehst du nicht ran?«

Er nahm den Hörer ab und sagte »hallo«. Dann folgte Schweigen.

Als er plötzlich die Schultern sinken ließ und die Hand zur Faust ballte, wußte sie, wer da anrief.

Er legte auf.

»*Sie* war es«, sagte Sonora.

»Ja.« Seine Stimme war angespannt, klang ganz anders als noch vor einigen Minuten.

Sonora zog einen Stiefel über den Fuß. »Was hat sie gesagt?«

»Sie sagte, sie würde es mir heimzahlen. Sie würde es uns beiden ganz bestimmt heimzahlen.«

Sonora fuhr durch die dunklen Straßen. Es war wieder einmal Müllabfuhrtag, und Plastiksäcke türmten sich an den Straßenrändern. Sie hatte natürlich zu Hause angerufen. Es war alles in Ordnung. Mount Adams hinter sich lassen, fuhr sie die Serpentinenstraße zur Stadt hinunter, und als sie zum Broadway und der Brücke kam, wurde der Himmel im Osten hell. Sie schaute über die rechte Schulter zurück auf die Berge und sah, daß sie in Nebel gehüllt waren. Ein Zug pfiff. Drei große Lokomotiven keuchten die Steigung hinauf, hinter sich einen vollbeladenen Güterzug ziehend – Kohle aus Kentucky auf dem Weg nach Norden.

Sie fragte sich, wie Erwachsene – insbesondere auch sie, Sonora Blair – von Teenagern erwarten konnten, daß sie vernünftig mit Sex umgingen, wenn sie selbst so unvernünftig waren. Tu, was ich sage, nicht, was ich mache.

Es fing an zu regnen, Sonora schaltete die Scheibenwischer ein und versuchte blinzelnd den grauen Dunst und den Regenschleier zu durchdringen. Der Fluß war am Ufer grünlich, in der Mitte graubraun. Die Hochstraße, die zur Interstate führte, war hell erleuchtet, und Sonora fuhr unter ihr hindurch. Die Lichter der Parkplätze des Riverfront-Stadions spiegelten sich im Wasser, und es sah aus, als ob Fackeln aus der Tiefe auftauchen würden. Das Röhren der Lastwagen auf der Interstate klang einsam und verlassen.

Sonora schaute hinüber zu dem am Flußufer verankerten Hausboot, in dem ihr Bruder seinen Saloon betrieb. Sie bedauerte es nicht, daß sie das Geld aus Zacks Lebensversicherung in Stuarts Geschäft investiert hatte, obwohl sie sich in letzter Zeit manchmal fragte, wie sie es schaffen sollte, den

Kindern den Besuch eines Colleges zu ermöglichen. Aber wenn ihr Sohn die High-School hinter sich hatte, würden Stuart und sie sicherlich genug Gewinn aus der Investition gezogen haben, um Tim nach Harvard schicken zu können. Vorausgesetzt, er schaffte es in Algebra.

Sonora bog in Richtung Covington ab. Die steilen Straßen die Hügel hinauf lagen verlassen da. Sie kam an hohen, schmalen, dicht beieinanderstehenden Häusern vorbei, deren Anstriche eine erstaunliche Breite der Farbskala abdeckten – von würdevollem Backsteinrot bis zu Limonengrün. Alle wirkten in der Dunkelheit irgendwie schäbig. Da waren auch hochaufragende Hotels, der Big-Clock-Tower, Super-America-Märkte, Big-Boy-Burger-Restaurants, dazu Mainstrasse Village und das Info-Center für Besucher. Cincinnati konzentriert sein sündiges Rotlichtviertel auf dieser Seite des Flusses, und Covington ist nur eine kleine Stadt, ein Großstadt-Satellit mit einer Mischung aus stattlichen Kirchen, schäbigen Häusern, Motels und Bars, die GIRLS, GIRLS, GIRLS! und PORNO-FILME! anpreisen.

Sonora kam an Smith' Auspuffservice (Einbau kostenlos!), einem Kentucky-Fried-Chicken-Restaurant (Zum Fingerschlecken!) und einem Kwik-Drive-in (Hamburger, Fritten, Light-Getränke) vorbei. Hinter einem Zentrum der Seniorenvereinigung Kentuckys bog sie auf den leeren Parkplatz der Anwaltskanzlei McGowan, Spanner & Karpfinger ein, deren Bürogebäude – ein wenig peinlich – direkt gegenüber von einem Red&Orange-Schnapsladen und einer Bar, die GIRLS TAG & NACHT! versprach, lag.

Durch die Glasscheibe eines hellerleuchteten Wachraums sah Sonora eine gebeugte Gestalt in einer schwarzen Lederjacke hinter einem Schreibtisch sitzen. Die Rechtsanwälte waren keine Nachtarbeiter, aber wenn sie es gewesen wären, ihre BMWs wären sicher bewacht worden – Ruby hatte Dienst.

Sonora ging über den frisch geteerten Fußweg zum Gebäude. Sie schaute sich um, bemerkte aber nichts Auffälliges, weder im allgemeinen noch im besonderen – reine Cop-Angewohnheit. Ruby hatte wie immer den Kopf über ein Buch gebeugt. Ein kleiner CD-Player versprühte Jazzklänge in bester Qualität; vor noch nicht einmal zehn Jahren hätte man für die Lautsprecherboxen und den Verstärker Tausende von Dollar ausgeben müssen. Eine rosa-weiß gestreifte, leere Dunkin'-Donuts-Box stand auf dem Schreibtisch, und Ruby trank Mineralwasser und malte Musiknoten auf leere Blätter. Sie begrüßte Sonora mit einem Nicken und drückte ihre Zigarette aus.

Sonora blieb in der offenen Tür stehen und lehnte sich an den Rahmen. »He, Mädchen. Komme ich zu ungelegener Zeit?« Ruby warf ihr von der Seite einen verträumten Blick zu. »Die große Komponistin ist am Werk. Ich würde dir einen Doughnut anbieten, aber ich habe sie schon alle aufgegessen.«

Sonora hatte bisher Rubys Alter noch nicht herausfinden können, nicht einmal grob – es lag irgendwo zwischen achtundzwanzig und achtundvierzig. Sie war kräftig gebaut und recht mollig, ihre Haut war von dunkelblau schimmerndem Schwarz, und ihr Haar wogte in einer dichten Fülle starrer Kräusellöckchen, für die so manche Frau ihrem Friseur eine Menge Geld auf den Tisch geblättert hätte, wenn er ihr sie hätte machen können. Sie verstand es, geschickt mit Make-up umzugehen, und sie hatte purpurroten Lippenstift aufgelegt. Den Schlagstock an ihrem Gürtel trug sie mit einer Selbstverständlichkeit, als ob er ein Körperteil von ihr wäre.

»Ruby, du solltest fleißig lernen statt mit Musiknoten rumzuspielen.«

»Ich weiß. Was lächelst du so komisch, hast du dich gerade von einem kräftigen Kerl umlegen lassen oder so was?«

»Ich war drüben bei GIRLS, GIRLS, GIRLS! und habe die ganze Nacht auf dem Tisch rumgetanzt.«

»Das würde zu dir passen.«

»Da wir gerade vom Tanzen sprechen – kennst du ein Straßenmädchen namens Shonelle?«

»Shonelle, hm. Sie hat im Sapphire getanzt, oder? Ist doch die mit dem zermatschten Knie, nicht wahr?«

»Zermatscht?«

»*Vermasselt*. Sonora, du bist so verdammt *weiß*.«

»Ja, ja, mach ruhig einen auf Rassenfanatikerin. Und wie steht's mit einer Sheree La Fontaine, kennst du die auch?«

Ruby schloß die Augen. »Dürres kleines Ding mit gefärbtem Blondschopf, den sie kaum mehr als einmal in der Woche wäscht?«

»Genau die.«

»Was ist eigentlich los? Ich habt diesen Evangelisten-Cop schon in der Gegend rumschleichen sehn. Wie ist noch mal sein Name? Molliter?«

»Ja, Molliter.«

»Ich hab gehört, er hat einen AK-47 in seinem Keller versteckt, drüben in der feinsten Vorstadt von Cincinnati. Wer beschützt uns eigentlich vor euch Cop-Typen?«

»Brauchst du denn Schutz, Ruby?«

Ruby tätschelte nur ihren Schlagstock und den großen Revolver an ihrer Hüfte.

Sonora kratzte auf dem Boden der Dunkin'-Donuts-Box ein paar Krümel des Schokoladenüberzugs zusammen.

»Hat das was mit dem Kerl zu tun, den man in seinem Wagen gegrillt hat?«

Sonora leckte ihre Finger ab und nickte. »Erzähl mir ein

bißchen was von dieser Sheree La Fontaine und dieser Shonelle.«

»Da ist keine große Liebe zwischen den beiden, das kannst du mir glauben. Sie haben dauernd Krach wegen – mach dich auf was gefaßt – wegen Klamotten.«

»Klamotten?«

»Sie sind Straßennutten, ja? Und einige der Mädchen, darunter auch Sheree, verstecken auf ihrem Strich an abgelegenen Orten Kleider zum Wechseln, für den Fall, daß sie sich im Lauf der Nacht mal umziehn müssen; manchmal schlüpfen sie auch schnell in andere Kleider, wenn die Cops hinter ihnen her sind, du kennst das ja. Und Sheree sagt nun, Shonelle klaue dauernd ihre Sachen. Ich kann dir sagen, die beiden haben vorigen Monat vielleicht einen Krach gehabt. Mit wüsten Beschimpfungen, Haareausreißen und Bespucken, wie zwei wild gewordene Katzen.«

»Was erzählt man sich denn überhaupt so über diese Sheree?«

»Stammt von irgendwo aus dem Süden, einem der Carolinas glaube ich. Ich hoffe, sie sind da unten nicht alle wie sie, denn wenn es so ist und der Süden erhebt sich wieder gegen uns, dann sind wir ganz schön beschissen dran.«

»Kannst du das mal näher erklären?«

»Beknackt, Sonora, selbst für eine Süchtige. Sitzt in den Bars rum und zündet dauernd Streichhölzer an. Shonelle ist fast zweimal so groß wie sie, aber Sheree ging auf sie los und hat ihr die Fingernägel ins Gesicht gegraben wie eine Irre. Natürlich, süchtige Nutten sind nicht gerade deine normale Kundschaft, aber du verstehst doch, was ich meine, oder?«

»Hast du sie in der Nacht gesehen, als dieser Daniels umgebracht wurde?«

»Da muß ich nachdenken. Das war doch … Dienstag vorige Woche, stimmt's?«

Sonora nickte.

»Ja, ich erinnere mich, daß sie um Mitternacht mit einem Freier in einen Wagen gestiegen ist. Den Mann hab ich kaum sehen können, ich weiß also nicht, ob es der Ermordete war.«

»Der Ermordete war um Mitternacht oben in Mount Adams. Auf dem Weg in den Tod.«

Ruby schaute grimmig drein. »Na ja dann.«

Sonora gähnte. »Ich muß nach Hause und meinen Kindern einen Kuß geben, ehe sie zur Schule gehen.«

»Wie geht's den beiden?«

»Gut, bis auf die Tatsache, daß mein Sohn in Algebra nicht mitkommt. Und wie geht's deiner Kleinen?«

»Auch gut. Sie geht inzwischen von allein auf's Töpfchen, dem Herrn sei gedankt.« Ruby schaute auf ihr Notenblatt und sah dann wieder Sonora an. »Weißt du, mein Ex und ich, wir kommen nicht besonders gut miteinander aus, aber er unterstützt mich bei den Gebühren für meinen Unterricht, und manchmal nimmt er auch das Baby. Bei den meisten Mädchen, die ich kenne, marschiert der Ex einfach davon, läßt sie mit dem Baby sitzen, kümmert sich um nichts mehr. Da staut sich 'ne Menge Wut auf, Sonora. Viele Mädchen, mit denen ich über deinen Fall rede, sagen, der Typ habe es sich wahrscheinlich selbst zuzuschreiben, daß er verbrannt worden ist.«

»Hat er aber nicht, Ruby.«

»Eine echt höllische Art zu sterben.«

Sonora nickte, dann sagte sie: »Hör mal, ich habe nichts mehr zu essen im Haus. Gibt es in der Nähe einen Lebensmittelladen, der jetzt schon auf hat?«

»Keinen außer diesem Kwik-Drive-in, und die haben unverschämte Preise.«

»Hältst du mich für reich?«

43 Sonora dachte gerade darüber nach, ob sie außer der Milch nichts vergessen hatte, als sie um die Ecke in ihre Straße einbog – und wurde im Bruchteil einer Sekunde in die Realität des Augenblicks versetzt, als sie die flackernden Blaulichter, die Streifenwagen und die offene Haustür sah.

Und als sie sich an Selmas Drohung erinnerte, es ihnen beiden heimzuzahlen.

Sonora stieg auf die Bremse, stieß die Wagentür auf, stand schon auf dem Pflaster, bevor die Parkstellung des Automatikgetriebes griff und der Nissan noch ein Stück zurückrollte. Aus dem Augenwinkel sah sie, daß der Streifenpolizist neben dem zweiten Wagen mißtrauisch zusammenfuhr und die Hand auf die Waffe an seiner Hüfte legte, als sie auf seinen Partner zulief.

»Was zum Teufel ist hier los?«

Der Polizist, der ein Funkgerät ans Ohr hielt, war noch jung, mit ganz kurz geschnittenem dunklem Haar. Er schaltete das Gerät aus. »Alles in Ordnung, Ma'am.«

»Das hier ist mein Haus, okay? Meine Kinder sind da drin.«

Die Fliegentür wurde aufgestoßen. Stuart kam auf sie zugerannt, immer zwei Stufen der Verandatreppe auf einmal nehmend. Sein Hemd hing über den Jeans, die Schnürsenkel seiner Schuhe schleiften auf dem Boden.

»Wo sind die Kinder?«

»Sie sind okay, Sonora. Es ist alles in Ordnung.« Er fuhr sich mit den Fingern durchs Haar, was dazu führte, daß es zu beiden Seiten abstand.

Sonora verschränkte die Arme vor der Brust, schloß einen Moment die Augen und atmete tief durch.

»Ma'am, sagten Sie, Sie wohnen hier?«

Es war der Polizist, der die Hand auf seinen Revolver gelegt hatte.

»Ich bin Detective Blair, Mordkommission. Und ja, ich wohne hier.«

Der dunkelhaarige, ruhigere Polizist nickte ihr zu. »Wir haben einen Notruf über 911 gekriegt, Einbruchsversuch.«

Die Fliegentür wurde aufgestoßen, und Heather kam mit ausgestreckten Armen auf sie zugelaufen, das Gesicht blaß und tränenüberströmt. Etwas Schlimmes mußte passiert sein.

Sonora sah Stuart an. »Wo ist Tim?«

»Hier.« Tim warf die Haustür hinter sich zu und lief hinter seiner Schwester her die Stufen hinunter.

Sonora legte einen Arm um Heather, den anderen um Tim und drückte beide fest an sich. Tim wehrte sich nicht. Sie hob Heather hoch und stöhnte auf, als das Gewicht ihrer so schnell wachsenden Tochter ihr ins Kreuz fuhr.

»Was um Himmels willen ist passiert, Kinder?«

»Laß mich es erzählen«, sagte Tim. »Wir hörten jemanden draußen vor dem Haus, und …«

»Sie hat am Türknopf gedreht, Mommy! An der Hintertür, wir haben sie gesehen!«

»Sie?« Sonora schluckte schwer.

»Ich dachte, du wärst es«, fuhr Tim fort. »Beinahe hätte ich die Tür aufgemacht. Aber Clampett hat gebellt und gejault, und da hab ich durch den Vorhang geschaut und gesehen, daß du es *nicht* warst.«

»Und dann?«

»Sie hat ganz fest gegen das Glas geklopft!« Heather brach in Tränen aus und vergrub ihr Gesicht an Sonoras Schulter.

Tim sah angespannt aus – und noch so jung. »Ich habe Onkel Stuart angerufen, und der hat dann 911 alarmiert. Das war doch richtig, nicht wahr?«

Sonora legte sanft die Hand auf die Schulter ihres Sohnes. »Das war genau richtig.«

Er nickte, und seine Wangen wurden rot. »Wir können Clampett nicht finden.«

Stuart schnürte seine Schuhe zu. »Wir werden ihn finden, Tim.«

Sonora stellte ihre Tochter wieder auf den Boden. »Hast du die Frau genauer ansehen können, Tim?«

»Sie hatte ziemlich kurzes Haar, ungefähr bis hierhin.« Er zeigte auf sein Schlüsselbein. »Blond. Und sie war klein, etwa so wie du, Mom. Sie sah irgendwie komisch aus.«

»Komisch?«

Er zuckte mit den Schultern. »Irgendwie unheimlich.«

Der Streifenpolizist grinste und strich Tim übers Haar. »Ich könnte meine Füße auf den Schreibtisch legen und ihn den Bericht schreiben lassen.«

Sonora schaute ihren Bruder an. »Hast du sie noch gesehen?«

»Nein. Sie war längst weg, als ich ankam.« Er hob Heather hoch und balancierte sie auf seine Hüfte. Sie hatte nur ihr Nachthemd an, und ihre langen dünnen Beine waren von der Kälte rot angelaufen.

»Kalt, Baby?« Sonora legte ihren Blazer um die Schultern ihrer Tochter. Dann sah sie die beiden Polizisten an. »Haben sie sich schon umgeschaut?«

»Nur ganz kurz«, antwortete einer von ihnen.

Sonora nickte. »Stuart, gehst du bitte mit den Kindern ins Haus und …« Plötzlich hörte sie hinter sich ein Winseln und

blickte über die Schulter. Der alte Clampett kam auf sie zu-
gelaufen, und etwas Gelbes schaute auf beiden Seiten seines
Mauls heraus. Er bellte und stieß seinen Atem als weiße
Dunstwolke in die kalte Luft.

Sonora stemmte sich gegen seine breiten, verdreckten Pfoten
an ihrer Schulter. Clampetts Schwanz fuhr hin und her und
klopfte gegen Heathers nackte Beine.

»Du willst wohl ein Tänzchen machen, Kleiner?« sagte Sonora und zog einen großen runden Klumpen aus seinem
Maul. Clampett bellte wieder und sprang hin und her.

Der dunkelhaarige Cop sah blaß aus. »Was ist denn das?«

Sonora hielt ihm den aufgeweichten blonden Kopf entgegen.
»Eine Barbie-Puppe. Oder besser ein Teil davon.« Sie sah sich
den nassen Puppenkopf aus Plastik genauer an und fragte sich,
ob vielleicht noch Fingerabdrücke darauf zu finden wären.

Es war matschig im Garten. Stuart war mit den Kindern ins
Haus gegangen, um ihnen eine heiße Schokolade zu machen,
während Sonora, mit dem dunkelhaarigen Cop auf den Fer-
sen, von der Grenze ihres Grundstückes aus in immer engeren
Kreisen auf das Haus zu den Boden absuchte. In der Mitte des
Gartens hing das Volleyballnetz naß und schwer zwischen den
Pfosten, und der Rasen war viel zu hoch gewachsen, klumpte
in dicken, regennassen Büscheln zusammen.

Sie fragte sich, was Flash wohl über das Planschbecken voller
Koboldfiguren und von Tang verdrecktem Wasser, über den
Basketball unter der verrosteten Rutsche und über das Spiel-
haus aus Plastik, das so mit altem Spielzeug vollgestopft war,
daß seine Türen nicht mehr zugingen, gedacht haben mochte.
Vor dem Fenster ihres Schlafzimmers und vor dem Fenster zu
Heathers Zimmer fanden sich Fußspuren.

Der andere Cop kam um die Ecke des Gartens auf sie zugelaufen und hielt dabei mit der Hand sein Funkgerät am Gürtel fest. »Der Wagen der Spurensicherung ist auf dem Weg hierher. Ich habe Ihren Bruder gebeten, mit den Kindern zunächst mal noch im Haus zu bleiben.«

Sonora nickte und setzte sich dann auf die unterste Stufe der Verandatreppe. Die beiden Männer gingen diskret zur Seite, sprachen leise miteinander und taten so, als würden sie nicht sehen, daß Sonora den Kopf auf die Knie sinken ließ.

44 Sonora goß Kaffee in den mit Lippenstift verschmierten Becher. Sie war spät dran, die Sondereinsatzgruppe war bereits versammelt. Als sie gerade von ihrem Schreibtischstuhl aufstehen wollte, klingelte das Telefon. Sonora seufzte und nahm den Hörer ab.

»He, Freundin, wie geht's den Kindern?«

Sonora lehnte sich zurück und knirschte mit den Zähnen. »Jetzt hören Sie mir mal gut zu …«

»Nein, *Sie* hören *mir* zu. Ich schlage Ihnen ein Abkommen vor. Sie lassen die Finger von Keaton, und ich lasse die Finger von Ihren Kindern. Denken Sie mal darüber nach.«

Die Verbindung brach ab. Sonoras Hand am Hörer war feucht, er rutschte ihr durch und knallte auf die Schreibtischplatte. Sie atmete tief ein und legte den Hörer auf die Gabel. Für einen Moment schloß sie die Augen, öffnete sie wieder, nahm ihren Notizblock vom Schreibtisch und eilte zur Besprechung.

Die Gruppe sah sich eine Videoaufzeichnung von der Pressekonferenz an. Sonora schaute blinzelnd auf den Bildschirm und fragte sich, ob sie es sich nur einbildete oder ob da tatsächlich der Ansatz eines Doppelkinns zu erkennen war.

»Du hast da einen hübschen Schlips an, Sonora, aber was hast du mit dem gemacht, der mit Ketchup verschmiert war?« fragte Gruber.

Crick bat zischend um Ruhe. »Schauen Sie sich die nächste Szene an, sie ist gut.«

Auf dem Bildschirm legte Sonora den Kopf schief und erklärte den Reportern, daß die Untersuchung erfolgversprechend verlaufe und die Aufklärung des Verbrechens nur eine Frage der Zeit sei. Ja, sie sei der verantwortliche Detective, und sie werde die Verhaftung persönlich vornehmen. Der Staatsanwalt warte noch auf Ergebnisse verschiedener Laboruntersuchungen, aber das sei bloß noch eine Formsache. Sie hätten Glück mit den Zeugen gehabt, und, um es klar auszusprechen, der Killer habe eine Reihe leichtsinniger Fehler gemacht.

Wenn der Täter mit ihr telefonisch in Kontakt treten wolle, stehe sie gerne zur Verfügung, hier sei ihre Telefonnummer. Im übrigen sei es im eigenen Interesse des Täters, wenn er sich den Behörden stellen würde. Man werde ihn verständnisvoll behandeln, die Polizei würde dafür sorgen, daß er entsprechende Hilfen erhalte, und ein Rechtsanwalt würde ihm kostenlos zur Verfügung gestellt.

Ja, bei dem Täter handle es sich um eine Frau. Ein trauriger Fall, sie sei sehr verwirrt, emotionsgesteuert – und nicht besonders intelligent.

Es wurde still im Raum. Normalerweise hätte die letzte Bemerkung lautes Gelächter ausgelöst, und man hätte bestimmt die Theorie aufgebracht, daß Sonora das nächste Opfer sein werde. Sonora rieb sich die Augen und wünschte, sie stünde tatsächlich so dicht vor der Verhaftung und dem Abschluß des Falles, wie es diese zuversichtliche Frau da auf dem Bildschirm verkündet hatte.

»Gut gemacht, Sonora«, lobte Crick.

Gruber legte einen seiner langen Füße auf das Knie des anderen Beins. »Ja, nur *zu* gut. Es gefällt mir nicht, was heute morgen bei Sonora zu Hause passiert ist, mit den Kindern allein daheim und so. Ich fürchte, Sir, wir setzen Sonora einer großen Gefahr aus, nur um zu sehen, was dabei rauskommt.«

»Aktion, Reaktion«, sagte Crick.

Sonora spürte, daß ihr Gesicht heiß wurde und wahrscheinlich rot anlief.

»Ja, und Sonora muß den Kopf hinhalten.« Das war Molliter.

Sonora war überrascht und dann argwöhnisch. War das nun kameradschaftliche Fürsorge oder übertriebene Vorsicht? Aber spielte das Motiv der anderen eine Rolle, nachdem nun ihre Kinder in die Sache reingezogen worden waren? Was würden die anderen sagen, wenn sie wüßten, wo sie die letzte Nacht verbracht hatte?

Crick sah Sonora an. »Hat die Spurenauswertung was gebracht?«

»Nicht viel. Den Teilabdruck eines rechten Daumens am Fenster des Zimmers meiner Tochter und verwischte Fußspuren im Matsch draußen. Terry hat mir übrigens gesagt, daß die Fingerabdrücke dieser Sheree La Fontaine nicht mit denen auf dem Polaroidfoto übereinstimmen, das Flash an Keaton Daniels geschickt hat.« Sonora sah Molliter nicht an.

Sanders legte den Zeigefinger ans Kinn. »Sir, ich frage mich, ob wir uns das FBI in diesem Fall nicht zunutze machen sollten.«

Gruber lachte höhnisch. »Das FBI *zunutze* machen? Richtig süß, Schätzchen. Dann könnten wir vielleicht den weißen arischen Brüdern auch beibringen, ›We Shall Overcome‹ zu singen.«

Sonora rieb sich die Augen und sprach mit gedämpfter Stimme. »Wir haben das lokale FBI-Büro um Hilfe gebeten, Sanders, aber das ist nur eine Formsache. Man muß jeden Stein umdrehen, verstehst du? Das FBI schaltet sich erst ein, wenn ein richterlicher Haftbefehl mit dem Namen des Verdächtigen vorliegt.«

»Ja, sie ärgern sich nicht gern rum, heften sich dafür aber um so lieber dann die Orden an die Brust«, sagte Gruber.

Molliter verschränkte die Arme. Er sah unzufrieden aus. »Sieh mal, Sonora, vielleicht übertreibst du die Sache mit diesem Daniels.«

»Was soll das denn heißen?«

»Sie sucht sich wahrscheinlich *irgendein* neues Opfer aus.«

»Für mich steht fest, daß sie auf ihn fixiert ist«, sagte Sam. Sonora schwieg. Das war ein gefährliches Terrain.

Gruber hob die Hand. »Okay, aber warum zieht sie diese Sache mit Sonora ab? Ist doch fast so, als ob sie Rivalinnen oder auch Freundinnen oder so was wären. Ich meine, Sonora ist ein Cop.«

»Ich habe dir doch gesagt, sie spielt das Spielchen Fang-mich-wenn-du-kannst mit mir«, erwiderte Sonora. » So was kommt vor.«

»Ja, das kommt vor, wenn der Täter ausflippt. Und das macht Flash um so gefährlicher«, sagte Crick. Er deutete auf Sonora. »Wollen Sie immer noch nach Atlanta fliegen?«

»Sir?«

»Ich habe mit Ihrem Kollegen da unten telefoniert, diesem Bonheur. Selma Yorkes Name steht auf der Liste der Verdächtigen, die sie damals im Fall James Selby zusammengestellt haben.«

Sam legte die Hand auf Sonoras Schulter. »*Da* haben wir's, Mädchen! Auf geht's!«

»Zurück zu dem, was ich eben gesagt habe – Aktion, Reaktion. Was meinen *Sie* denn, Blair, was Flash plötzlich in Aktion versetzt hat?« fragte Crick.

Sonora schluckte. »Ganz offensichtlich das Fernsehinterview, Sir.« Ich bin eine schlechte Polizistin, dachte sie. Ihr Brustkorb schien eingeschnürt zu sein. Spürt man Schuldgefühle auf diese Weise? Hatte Zack diese Gefühle gehabt, wenn er sie betrog?

Crick nickte. »Was halten Sie davon, wenn wir so eine Anruf-Sendung im Radio arrangieren? Meinen Sie, Flash könnte der Versuchung widerstehen, live mit Ihnen zu reden?«

Sam schüttelte den Kopf. »Das gefällt mir nicht.«

»Wir werden natürlich einen Schutz für die Kinder abstellen«, sagte Crick.

Sonora räusperte sich. »Es ist nur …«

»Nur was? Wenn sie so auf ein aufgezeichnetes Fernsehinterview reagiert, wird sie doch fast durchdrehen, wenn sie live mit Ihnen sprechen kann.«

»So ein Gespräch im Radio würde mich nervös machen, Sir.«

»Kämpfen Sie dagegen an, Blair.«

45 Atlanta war durch schönsten Sonnenschein und lauten Straßenverkehr gekennzeichnet. Sonora blinzelte und setzte eine dunkle Sonnenbrille auf. Ein nur am Nummernschild erkennbarer Polizeiwagen bog in die kreisförmige Auffahrt vor dem Hotel ein und hielt im Parkverbot. Ein Schwarzer in einem leichten braunen Anzug stieg aus und ließ die Fahrertür offen.

»Detective Sonora Blair?« Er deutete mit einem langen Zeigefinger auf sie, und es sah aus, als würde er einen Revolver auf sie richten.

»Sie müssen Bonheur sein.«

Sie schüttelten sich die Hände. Er trug einen mit Diamanten besetzten Ehering, und sein Händedruck war fest. Er hatte die Statur eines Footballspielers und das Haar, das in der Mitte schon recht dünn wurde, sehr kurz geschnitten. Er öffnete die Beifahrertür seines hellblauen Taurus und forderte Sonora mit einer Geste auf, in den Wagen zu steigen. Lustig, daß er denselben Typ von Dienstwagen fuhr wie sie – hätte sie gedacht, wenn sie nicht solche Kopfschmerzen gehabt hätte.

»Ich dachte, Sie kommen zu zweit.«

»Mein Partner mußte zu Hause bleiben. Seine kleine Tochter liegt im Krankenhaus.«

»Oh, das tut mir leid. Sie haben Ihr Gepäck dabei? Im Hotel alles erledigt?«

Sie nickte, schob den Koffer auf die Rückbank und setzte sich auf den Beifahrersitz.

»Wann sind Sie angekommen?«

»Um drei heute morgen, und ich fliege gegen sechs heute abend wieder zurück.«

»Man hetzt Sie ganz schön, wie? Mein Vorname ist Ray.«

»Sonora.«

»Gefällt Ihnen Atlanta, Sonora?«

Sonora nahm die Sonnenbrille ab und sah ihn an. »Oh, ich *liebe* Atlanta. Es ist viel schöner als Cincinnati; das hat sich bei meiner Abreise wieder mal grau und düster gezeigt.«

»So ist es eben im Norden.«

Eine Hupe heulte auf, und Ray wechselte schnell die Spur. Er fuhr den Wagen in kurzen, ruckartigen Spurts, und Sonora legte die Hand auf ihren Magen.

»Wissen Sie, als wir am Telefon miteinander sprachen, hatte ich so den Eindruck, Sie wären weiß.«

»Entschuldigung, Ray, wie meinen Sie das?«

»Weiß, verstehen Sie, nicht grün, wie Sie im Augenblick aussehen. Ist Ihnen schlecht?«

»Ich muß mal wieder eine Maalox-Tablette schlucken.«

»Magengeschwür, hm? Meine Frau hat ein Heilmittel dagegen.«

»Vielleicht sollte ich sie anrufen.«

Bonheur wechselte wieder die Spur und schnitt dabei einen Subaru. Der Fahrer zeigte Ray den Finger, aber der schüttelte nur den Kopf. »Das sollten Sie lieber nicht tun. Die Heilmittel meiner Frau sind normalerweise schlimmer als die Krankheit.« Er schaute sie von der Seite an. »Sind Sie einverstanden, daß wir zunächst mal ins Büro fahren und Sie sich die Akte über den Selby-Fall ansehen? Danach können wir zum Schauplatz des Verbrechens fahren und vielleicht irgendwo was zu Mittag essen. Wir sind um halb eins, Viertel vor eins mit James Selby verabredet.«

»War er ohne weiteres damit einverstanden, mit mir zu sprechen?«

»Ja, aber es ist ja nun schon lange her, seit es passiert ist. Er hat gleich nach dem Verbrechen vieles ins Unterbewußtsein abgeschoben und dort vergraben.«

»Hat man ihn hypnotisiert?«

»Der Staatsanwalt hat das abgelehnt. Er sagte, es wäre dabei zu leicht möglich, daß er Vermutungen äußert, die man als echte Erinnerungen ansehen könnte. Er wollte Selbys Glaubwürdigkeit als Zeuge nicht untergraben, aber die Sache kam dann ja gar nicht vor Gericht – wir kriegten nicht genug Beweise zusammen. Seitdem habe ich jedoch öfter mit dem Mann gesprochen, und er hat manche Lücke ausfüllen können. Trotzdem ist es aber schwer zu beurteilen, ob alles der Realität entspricht. Sie können sich ja die Niederschriften seiner Aussagen gleich nach dem Verbrechen anschauen und selbst entscheiden.«

»Hat sie sich nie mit Ihnen in Verbindung gesetzt?«

»Sie? Die Mörderin?«

»Ja.«

Er sah sie an. »Sie meinen, wie eine Frau im Dunstkreis der Ermittlungen, die ihre Hilfe anbietet oder vorgibt, in irgendeiner Weise betroffen zu sein?«

»Ja, so ähnlich.«

Er schüttelte den Kopf. »Wir passen auf so was auf, behalten auch diese verrückten Sachen im Auge, aber ich glaube nicht, daß das in diesem Fall vorgekommen ist. Warum fragen Sie, kriegen Sie solche Anrufe?«

»Ja. Sie ruft bei mir an.«

»Die Mörderin? Sind Sie sicher, daß es tatsächlich die Mörderin ist?«

»Ich bin ganz sicher.«

»Und was sagt sie?«

Sonora erzählte es ihm. Er hörte aufmerksam zu, runzelte die Stirn und kratzte sich dann am Kinn.

»Klingt, als ob sie es wäre. Und klingt, als ob sie sich auf die Verliererstraße begeben hätte. So was passiert ja früher oder später. Sie brauchen es, müssen zwanghaft immer mehr Risiken auf sich nehmen und immer mehr Phantasie entwickeln, um sich ihren verrückten Glückszustand zu erhalten.«

»Meinen Sie, sie *will* gefaßt werden?«

»Schwer zu sagen. Daß sie sich nachts an Ihr Haus ranschleicht, ist jedenfalls ziemlich gruselig. Ihre Kinder sind aber doch jetzt in Sicherheit, oder?«

»O ja.«

»Wenn sie gefaßt werden will, kann sie sich ja jederzeit stellen. Ich bin der Meinung, sie mag das Spielchen.«

»Ich glaube, sie könnte eventuell … sie versucht, in direkten Kontakt zu kommen. Sie ist sauer, zornig.«

»Das sind sie alle.«

»Serienmörder?«

Er grinste sie an. »Frauen.«

James Selby wohnte in einem Backsteinhaus im Cape-Cod-Stil, vom damaligen Tatort aus am entgegengesetzten Ende der Stadt, und das bedeutete beim Mittagsverkehr in Atlanta eine zweistündige Fahrt. Efeu mit glänzenden Blättern schmiegte sich an beide Seiten des Hauses. Eine quadratische Tafel im Vorgarten verkündete den Namen der Bewachungsfirma, die man zum Schutz angeheuert hatte. Sonora waren ähnliche Schilder in vielen Vorgärten hier aufgefallen. Atlanta hatte eine Kriminalitätsrate, die wuchs und gedieh wie die Magnolienblüten in den Gärten.

Selbys Haustür war aus Holzbohlen gezimmert und hatte die

Form eines Hufeisens, mit schwarzen Metallverstrebungen im unteren und oberen Teil, und sie erinnerte Sonora an die Portale lutherischer Kirchen. Die Tür war irgendwann in den letzten Monaten dunkelrot gestrichen worden, und am unteren Ende war eine neue, frisch polierte Stoßplatte aus Kupfer angebracht. Sonora hörte ein Windglockenspiel leise klimpern.

Bonheur sprang leichtfüßig die drei roten Backsteinstufen zu der kleinen Veranda und drückte auf die Klingel. Sonora folgte langsam, die Hand am schmiedeeisernen Geländer. Irgendwo in der weiteren Umgebung brummte ein Rasenmäher.

Bonheur legte Sonora eine Hand auf die Schulter. »Sie müssen sich auf einiges gefaßt machen. Er hatte eine ganze Reihe Operationen über sich ergehen zu lassen und war mehr als drei Jahre im Krankenhaus. Und wenn Sie meinen, er würde schlimm ausschauen, dann hätten Sie ihn mal damals sehen müssen.«

Die Tür wurde nach innen aufgezogen, und ein Mann stand in der dunklen Diele.

»Hallo, James«, sagte Ray.

»Ray, schön, daß Sie da sind. Kommen Sie rein.« Die Stimme war nur ein tiefes Krächzen, hervorgebracht von schwer beschädigten Stimmbändern.

Sonora folgte Bonheur über die Veranda in die düstere, gefliese Diele.

Selbst in dem schwachen Licht sah James Selby erschreckend aus. Sonora spürte, wie sich ihr Magen rührte, als sie die verzerrten, narbenübersäten Gesichtszüge wahrnahm. Eines der blinden Augen saß tiefer als das andere, und nur auf dem hinteren Teil seines Schädels wuchs noch ein Büschel Haare, das in ein schlecht sitzendes Toupet überging. Sein Gesicht sah aus, als wäre es geschmolzen, verschmiert und dann eingefroren worden. Der Hals war von vielen Narbenwülsten überzogen, eine Hand mißgestaltet, der Unterarm nach vorne verkrümmt.

Bonheur legte erneut eine Hand auf Sonoras Schulter. »Neben mir steht Detective Blair. Ich habe Ihnen von ihr erzählt.«

Selbys dünne, von Schnittnarben entstellten Lippen verzogen sich zu einem Lächeln. »Nett, Sie kennenzulernen, Detective. Entschuldigen Sie, benutzen Sie Pond's Feuchtigkeitscreme?«

»Ja.«

»Ich liebe diesen Geruch. Er ist sehr frisch, besser als jedes Parfum. Mein Geruchssinn ist phantastisch, seit ich mein Augenlicht verloren habe.«

»Bitte sagen Sie jetzt nicht, Sie könnten auch riechen, was ich zu Mittag gegessen habe.«

Selby lachte, ein heiseres Bellen. »Kommen Sie rein, wir wollen es uns gemütlich machen.«

Er ging mit ihnen in ein düsteres Wohnzimmer und knipste eine Lampe an. Die Nachmittagssonne fiel schräg durch eine Terrassentür, die zu einem Backstein-Patio führte. Ein großer Hund, ein Golden Retriever, lag wie eine Sphinx neben einem schäbigen grünen Sessel. Er trug ein festes Ledergeschirr um den Brustkorb und beobachtete jede kleinste Bewegung Selbys, aufgeregt mit dem Schwanz auf den Boden klopfend. »Übrigens, das ist Daffney. Sie wird brav sein und Ihnen ihr Bäuchlein hinhalten, aber ich muß Sie bitten, sie nicht zu streicheln. Sie ist ein Arbeitshund und im Dienst.«

Daffney rollte sich sofort auf den Rücken und streckte die Pfoten in die Luft. Sonora dachte an Clampett und hoffte, daß das Mädchen aus der Nachbarschaft, welches ihn derzeit betreute, ihn oft genug in den Garten rausließ.

»Ich glaube, die Birne in der Lampe da ist kaputt«, sagte Bonheur.

Selby hob den Kopf. »Tatsächlich? Ich hole eine neue.«

»Nein, das brauchen Sie nicht, James. Es kommt genug Licht durch die Fenster.«

»Wenn Sie meinen.« Er hielt eine Plastiktafel hoch. »Schauen Sie sich das an, Ray, das ist was ganz Neues.« Er wandte Sonora den Kopf zu. »Ein Braille-Schreiber – funktioniert so, daß man von links nach rechts schreiben und lesen kann statt rückwärts. Ich teste ihn gerade. Die Firma hat für das Feedback einen umfangreichen Fragebogen mitgeschickt. Natürlich nicht in Braille-Schrift.« Er lachte wieder heiser.

Sonora schaute sich im Zimmer um. Da waren keine Nippessachen oder niedliche kleine Möbelstücke. Ein großes Klavier stand in einer Ecke, schwarz und glänzend poliert. Sonora und Bonheur saßen in den Ecken einer Couch mit Blumendekor, die nach wertvoller Antiquität aussah. Auf dem Bezug waren Fettflecke.

Im Kamin stapelten sich angekohlte Holzscheite auf einem grauen Aschehaufen. Vor dem Kamin lag ein Flickenteppich, der dicht mit Hundehaaren bedeckt war. Sonora stellte sich vor, wie Selby mit seinem Hund an kühlen Abenden in diesem Zimmer saß und der Schein der Flammen im Kamin die einzige Beleuchtung war.

In Regalen an der Wand standen Reihen von CDs, daneben hing ein Foto in einem Holzrahmen. Sonora ging durchs Zimmer, um sich das Foto näher ansehen.

Selby legte den Kopf schräg, und der Hund beobachtete sie mit wachsamen Augen. »Sie interessieren sich für das Foto, Detective Blair? Ich fürchte, es liegt an meiner Eitelkeit, daß ich es aufhängen ließ. Aber ich möchte, daß die Leute sich den Mann auf dem Foto ansehen können.«

Sonora nahm das Bild von der Wand. Es war ein Schwarz-weißfoto im Format vierundzwanzig mal dreißig und nicht ganz scharf.

»Das ist ein paar Monate, bevor es passierte, aufgenommen worden.«

Sie alle wußten, was »es« bedeutete.

Auf dem Foto saß James Selby am Klavier. Neben ihm war ein Mädchen zu sehen, das den Arm leicht um seine Hüfte gelegt hatte, und sein herzförmiges, wie aus Porzellan modelliertes Gesicht war sehr hübsch. Im Kamin flackerte ein Feuer, und der Fotograf hatte die Spiegelung der Flammen in der polierten Oberfläche des Klaviers eingefangen.

Sonora spürte einen Anflug von Angst. Das könnte Keaton sein, dachte sie und schaute zu James Selby hinüber. Sie hatten sich sehr ähnlich gesehen – braune Augen, dunkles, gelocktes Haar, kräftige Gestalt.

Sonora warf einen Blick durch die Terrassentür hinaus auf das von Algen verschmutzte Vogelbad, das Gewirr der Rosenbüsche, die Trauerweide – James Selbys Garten, den sie sehen konnte und er nicht. Sie atmete tief durch und setzte sich wieder auf die Couch.

Er sah für sie jetzt anders aus. Er war der Mann auf dem Foto.

»Erzählen Sie mir von der Sache«, sagte sie.

Selby hob die Hand; er schien irgendwie gehemmt zu sein und nicht daran zu denken, daß sie wegen dieser Geschichte quer durchs Land hierhergekommen war. »Ray hat sich das doch schon alles angehört.«

Sonora fragte sich, wie seine Stimme früher geklungen hatte. Tief und sexy? Hatte er unter der Dusche gesungen? Sie nahm den Recorder aus der Handtasche und stellte ihn an.

»Vergessen Sie Bonheur, er kann ruhig ein Nickerchen machen. Nehmen Sie sich Zeit, Mr. Selby. Erzählen Sie mir alles, an das Sie sich erinnern können, und ich werde Ihnen den Kopf dieser Irren auf einem Stock präsentieren.«

»Ray, ich mag diese Frau«, sagte Selby.

»Sie hat nicht umsonst ein Magengeschwür.«

Selby schob ein Kissen unter den verkrümmten Unterarm und legte dann den gesunden rechten Arm auf die Lehne des Sessels.

»Am Anfang, Detective Blair, bekam ich Anrufe.«

Er hat das eingeübt, dachte Sonora. Er hat sich alles genau überlegt und ausgearbeitet.

»Die Anrufe begannen kurz nach Ostern, kamen oft, und wenn ich abhob, legte sie meistens gleich wieder auf. Aber manchmal sagte sie auch was, doch immer nur: ›Hallo, James‹. Sonst nichts.«

Sonora stützte ihr Kinn auf die Faust.

Er hatte sie in einer Bar getroffen, seinem Stammlokal, und hatte das vage Gefühl gehabt, sie schon mal irgendwo gesehen zu haben.

Er hatte sich nicht näher mit ihr eingelassen. Da er gut aussah, war es nicht ungewöhnlich, daß Frauen ein Gespräch mit ihm begannen. Aber an diesem Abend war er mit seinen Freunden gekommen und wollte nichts als das übliche Bier nach dem Mittwochabend-Softballspiel.

Sonora hörte Schmerz in seiner Stimme – und Stolz. Sie fragte sich, wer das Mädchen auf dem Foto war.

Er verließ die Bar ungefähr um zehn. Es war eine Nacht unter der Woche, und er mußte am nächsten Morgen um acht wieder zur Arbeit.

Wo hatte er gearbeitet?

Bei einer Bank. Er war Kassierer mit guten Aufstiegschancen gewesen und hatte seinen Job sehr gemocht.

Sie hatte ihn auf dem Parkplatz angesprochen, und ihre Finger

hatten dabei nervös mit dem Riemen einer großen Leder-
tasche über ihrer Schulter gespielt. Es war eine alte Post-
tasche, abgenutzt und zerkratzt, und er hatte sie gefragt, wo
sie sie herhabe. Vom Flohmarkt, hatte sie geantwortet.

»Flohmärkte und Antiquitäten«, murmelte Sonora vor sich
hin.

Selby verlagerte den verkrüppelten Arm.

Sie hatte Probleme mit ihrem Wagen. Das Getriebe war vor
kurzem ausgewechselt worden, und jetzt sprang der Wagen
nicht an. Er hatte angeboten, sich die Sache einmal anzusehen – ein defektes Getriebe konnte ja nichts damit zu tun
haben, daß der Motor nicht ansprang –, aber das lehnte sie ab.
Sie habe noch eine Garantie auf das neue Getriebe, und sie
lasse am nächsten Morgen jemanden von der Firma kommen,
der sich um den Schaden kümmern solle. Ob er sie nicht
schnell nach Hause fahren könne?

Während sie das fragte, hatte sie über die Schulter geschaut,
und sie hatte so zart und verängstigt ausgesehen. Selby lachte
an dieser Stelle und sagte, er habe gemeint, sie würde ihm
nicht so recht trauen. Er war ein großer junger Mann, einsachtzig und kräftig gebaut, und so hatte er ihr angeboten, ein
Taxi zu rufen und ihr das Geld dafür zu geben.

Das schien sie von seiner Rechtschaffenheit zu überzeugen.
Sie nickte scheu, ohne allerdings zu lächeln, bat ihn dann aber
doch noch einmal, sie nach Hause zu fahren. Er war sicher,
daß sie ihm zunächst nicht getraut hatte, weil sie nicht ein
einziges Mal gelächelt hatte. Ja, er hatte sogar den Eindruck,
daß sie am Anfang Angst vor ihm gehabt hatte.

»James, haben Sie denn überhaupt irgendwo auf dem Parkplatz der Bar ihren Wagen gesehen?« fragte Sonora.

»Nun … Ich habe nicht unter die Motorhaube ihres Wagens
geschaut. Sie sagte, es sei eine Getriebesache. Ich hatte nicht

den Eindruck, daß sie wollte, daß ich mir das mal ansah. Sie schien sich damit abgefunden zu haben, daß da nichts zu machen war, verstehen Sie?«

»Sie haben also ihren Wagen überhaupt nicht gesehen?«

Selby schwieg eine Weile, dann sagte er: »Ich glaube nicht. Ich kann mich nicht mehr genau erinnern.«

Bonheur verlagerte sein Gewicht auf dem Stuhl. »Wir haben natürlich nach dem Wagen gesucht, haben den Parkplatz der Bar gleich am nächsten Morgen überprüft und bei Reparaturwerkstätten nachgefragt, aber ohne Erfolg.«

»Ihr Wagen stand irgendwo in dieser Vorstadt, in der Nähe des Tatorts. Er war vorher von ihr dort abgestellt worden«, sagte Sonora, »meinen Sie nicht auch?«

Bonheur kratzte sich am Kinn. »Sie könnte zwei Autos gehabt haben.«

»Vielleicht. Wir nehmen an, daß sie mit dem Taxi oder sogar mit dem Bus gefahren ist.«

»Wollen Sie damit sagen, sie hätte vor der Bar gestanden und den Ausfall ihres Wagens beklagt, ohne überhaupt ein Auto dort zu haben?«

Das kommt dir wohl zu unwahrscheinlich vor, dachte Sonora, und laut antwortete sie: » Ja, genau. Da bleibt Ihnen die Spucke weg, was?« Sie sah Selby an. »Sie hat Sie also an Ihrem männlichen Beschützertrieb gekitzelt, und Sie haben zugestimmt, sie nach Hause zu fahren. Und dann?«

Selby ließ sich tief in seinen Sessel sinken. »Sie nannte mir die Adresse, aber ich vermochte nichts damit anzufangen. Sie sagte, diese Vorstadt sei neu im Entstehen begriffen, ich könne sie noch nicht kennen. Wörtlich sagte sie: ›Euereins kann sie noch nicht kennen.‹« Er schluckte. »So hat sie sich ausgedrückt. Das ließ sie nach … nach Kleinstadtmädchen oder so klingen. Irgendwie hilflos.«

Hier nickte Sonora. Zweifellos, das war Flash.

Sie kamen schließlich zu den Ausläufern der Stadt, in eine einsame Gegend, ein Neubaugebiet. Nur ein paar Häuser am Beginn der neuen Vorstadt waren bereits bewohnt. Er protestierte, meinte, sie hätten sich verfahren. Und er begann sich zu fragen, ob diese Frau vielleicht eine Irre sei oder ob das alles auf einen Raub hinauslief. Allmählich bekam er Angst und bereute, sie mitgenommen zu haben.

Halten Sie hier, sagte sie zu ihm. Und plötzlich richtete sie eine Waffe auf ihn, einen zweiundzwanziger Derringer, winzig selbst in ihrer zarten kleinen Hand. Das ist ein Überfall, hatte sie mit leiser Stimme und ohne zu lächeln erklärt. Sie wolle seine Brieftasche, das sei alles. Er hatte sie ihr wortlos gegeben, wütend auf sich, daß er auf sie reingefallen war, und er dachte, daß diese Geschichte so peinlich war, daß er keine Anzeige bei der Polizei erstatten würde. Seine Kumpel würden sich totlachen, wenn er ihnen das beim nächsten Softballspiel erzählen würde.

Sie versicherte ihm wieder und wieder, daß sie keinen Gebrauch von der Waffe machen werde, daß sie Angst vor ihm habe und sich einen Vorsprung vor ihm verschaffen müsse, um wegzukommen.

Sie schob ihm eine aufgerollte Wäscheleine zu und sagte, er solle sie sich um die Hand- und Fußgelenke sowie den Bauch wickeln und durch das Lenkrad schlingen. Dann zog sie den Wagenschlüssel ab und nahm die Zulassung aus dem Handschuhfach. Anschließend sah sie ihn fest an und sagte, er solle sich ausziehen und ihr seine Kleider geben, ehe er mit der Selbstfesselung beginne.

Das hatte er wütend abgelehnt. Er ziehe sich nicht aus, das sei doch verrückt. Sie erklärte ihm mit fester, sachlicher Stimme, sie lege die Kleider und den Wagenschlüssel dreißig Meter vom Auto entfernt auf den Boden. So habe sie genug Zeit, sich davonzumachen.

Aber sie war ihm auf eine Art seltsam vorgekommen, die er nicht erklären konnte. Ihre Augen waren leer, und ihre Worte klangen mechanisch, als ob sie ihn nicht sehen würde, als ob er nicht da wäre. Irgendwie war der Kontakt zwischen ihnen verlorengegangen.

Er blieb bei seiner Weigerung. Da schoß sie ihm ins Bein. Aus Selbys Stimme klang auch nach so vielen Jahren noch Verwunderung. Er hatte nicht geglaubt, daß sie auf ihn schießen würde. Aber sie hatte nicht eine Sekunde gezögert.

Sonora nickte langsam. So hatte die kleine Flash diesen Mann also dazu bekommen, daß er sich ausgezogen und selbst gefesselt hatte.

Zuerst, sagte Selby, war er so geschockt, daß er den Schmerz kaum spürte. Flash verlangte sein Hemd, und er zog es aus und gab es ihr. Er erinnerte sich, daß er an einem der Knöpfe herumfummelte, und sie beugte sich vor, riß ihn ab und behielt ihn in der linken Faust, während sie mit der rechten Hand weiterhin die Waffe starr auf ihn richtete. Er griff nach ihrem Arm, als sie so nahe an ihn herankam, und sie schoß wieder auf ihn und traf ihn in die Schulter.

Er blutete und hatte Schmerzen, und deshalb half sie ihm dabei, die Leine um seine Handgelenke und die Hüfte zu wickeln und durch das Lenkrad zu ziehen. Sie verknotete die Leine, die nicht sehr fest war, denn darauf hatte er davor geachtet.

Sie ließ das Fenster auf ihrer Seite herunter, nahm ihre Handtasche und stieg aus. Er beobachtete sie im Rückspiegel, obwohl ihm schwindlig wurde und er sich zusammenreißen mußte, nicht ohnmächtig zu werden. Sie ging zum Tankdeckel und versuchte ihn aufzuschrauben, aber er war abgeschlossen.

Sie fand den Schlüssel an seinem Schlüsselring – immer noch ganz ruhig und gelassen nach allem, was gerade passiert war –, nahm ein biegsames Plastikröhrchen und eine leere Cola-Dose aus der Handtasche, steckte das Röhrchen in den Tankstutzen, saugte am Ende, bis das Benzin aufstieg, hielt es dann in die Öffnung der Dose und ließ sie mit Benzin vollaufen.

Die ganze Zeit über summte sie ein Lied vor sich hin. Irgendwo im Unterbewußtsein versuchte er das Lied zu erkennen.

Sie kam mit der tropfenden Dose nach vorne und goß ihm Benzin ins Gesicht.

Er erinnerte sich, daß er aufschrie und das Gesicht an seiner nackten Schulter abwischen wollte, während sie Benzin in seinen Schoß, auf die Vordersitze und entlang dem langen Ende der Leine, die sie aus dem Fenster zog und auf den Boden hängen ließ, schüttete.

Er hörte, wie sie in ihrer Handtasche herumkramte, bekam durch die geschlossenen Lider das Aufzucken eines Blitzlichtes mit und riß die von Benzin nassen Augen lange genug auf, um die Frau mit einer Kamera in der Hand draußen stehen zu sehen.

Ihm wurde schlecht, die Benzindämpfe verursachten Brechreiz und Schwindel, und er konnte nicht mehr koordiniert denken. Er roch den Schwefelgeruch eines angezündeten Streichholzes, öffnete erneut die Augen, erblickte das alptraumhafte Bild eines Flammenbandes, das sich entlang der Leine auf ihn zufraß, und er sah – er zögerte an dieser Stelle –, wie die Frau ihren Rock hochhob und die Hand zwischen die Beine steckte.

Nur noch Sekunden, war der beherrschende Gedanke in seinem Kopf. Ihm blieben nur noch Sekunden. Und plötzlich verlor die Waffe der Frau jegliche Bedeutung.

Er konnte sich ziemlich schnell von der Leine befreien, aber es dauerte wertvolle Sekunden, bis er mit zitternden Fingern die Tür entriegelt und aufgestoßen hatte. Das war ein schwerer Fehler gewesen. Wenn er sich aus dem Fenster geschoben hätte, hätte er es vielleicht noch geschafft, dann wäre er jedenfalls nicht ganz so schwer verletzt worden. Wahrscheinlich hätte er sein Gesicht retten können. Aber die Benzindämpfe explodierten in dem Moment, als er die Tür aufstieß, und er war sofort in Flammen gehüllt.

Von da an hatte er nur noch unklare Erinnerungen. Er glaubte sich auf den Boden fallengelassen und sich herumgerollt zu haben, und er meinte, die Frau sei noch dagewesen und habe Fotos gemacht.

Ab diesem Moment waren alle Wahrnehmungen bloß noch schemenhaft und dunkel, aber er hatte den vagen Eindruck, daß ein Auto laut hupend an ihm vorbeigefahren war. Er hatte immer wieder darüber nachgedacht, ob das jemand gewesen war, der Hilfe herbeiholen wollte, oder ob *sie* es gewesen war. Sie war es, da war Sonora sicher, sagte es aber nicht. Der Hund schnarchte, die Uhr tickte, und Dämmerung breitete sich im Zimmer aus.

Ray stand auf und legte eine Hand auf Selbys Schulter. »Sind Sie okay, James? Kann ich Ihnen ein Bier oder ein Glas Wasser holen?«

»Komisch, wie manches ganz klar wieder auftaucht«, sagte Selby. »Ich erinnere mich sogar, welches Lied sie gesummt hat.«

Sonora stupste den Hund mit der Fußspitze an.

Selby richtete die blinden Augen auf sie. »Es war das Lied, das Elvis oft sang, ›Love Me Tender‹.«

Sonora rutschte auf der Couch ein Stück nach vorn. »Sind Sie *sicher*?«

Ray sah sie an, den wachsamen Cop-Blick in den Augen.

»Warum fragen Sie?«

»Jemand hat bei mir zu Hause angerufen und dieses Lied am Telefon gesungen.«

»Eine Frau?« fragte Ray.

»Ja, eine Frau.«

Selby beugte sich in ihre Richtung vor und verzog das Gesicht zu einer Grimasse, die wohl Stirnrunzeln bedeuten sollte.

»Passen Sie gut auf sich auf, Detective.«

46 Sonora war auf dem Rückflug von Atlanta sehr unruhig. Sie hatte Selby gefragt, ob es nach der Tat noch irgendwelche unerklärliche Ereignisse gegeben habe, weitere Anrufe, vielleicht Briefe, Fotos. Die Frage hatte ihn überrascht und Sonora einen mißbilligenden Blick von Bonheur eingetragen.

Nein, nichts dergleichen, hatte er geantwortet.

Sie ging vor der Landung noch zur Toilette, kämmte sich, das Haar lose auf die Schultern fallen lassend, und nahm sich auch die Zeit, ihre Lippen mit einem bronzefarbenen Stift zu schminken. Gegen die grünliche Blässe ihres Gesichts konnte sie nichts tun; das Fliegen bekam ihr nun einmal nicht. Sie würde sich besser fühlen, wenn sie die Füße wieder auf festen Boden setzen konnte.

Das Flugzeug landete pünktlich. Sonora ignorierte das Gedränge um das Kofferkarussell mit dem Überlegenheitsgefühl des Passagiers, der nur mit kleinem Gepäck reist. Vor einer Reihe von Telefonboxen blieb sie stehen. Selby hatte Keaton zu ähnlich gesehen, bevor das Feuer sein Gesicht verunstaltet hatte.

Sie wählte die Nummer des Hauses in Mount Adams, und nach dem dritten Läuten sagte eine Stimme »hallo« – eine Stimme, die sie nur zu gut kannte.

»Sergeant Crick?«

»Am Apparat.«

»Hier ist Blair. Was zum Teufel ist los?«

Cricks Stimme klang wütend. »Sie war hier.«

Sonoras Knie wurden schwach.

»Daniels kam um vier Uhr dreißig von der Schule nach Hause …«

Flash hat auf ihn gewartet, schoß es Sonora durch den Kopf.

» … und fand die Haustür einen Spalt offen und das Seitenfenster eingeschlagen.«

Warum? Warum war er reingegangen? Idiot.

»Daraufhin hat er uns von einem Nachbarn aus angerufen. Sonora? Sind Sie noch dran?«

Sonora lehnte sich an die Wand und preßte die Wange gegen die kühlen Fliesen.

»Hören Sie, Sergeant Crick, die Verbindung ist schlecht, ich kann Sie kaum verstehen. Ist mit Daniels alles in Ordnung?«

»Er ist ein bißchen mitgenommen, aber sonst okay.«

»Ich komme rüber.«

Ein Wagen der Spurensicherung und mehrere Polizeiautos waren vor Keaton Daniels' Haus am Straßenrand abgestellt. Ein uniformierter Polizist hielt sie auf dem Fußweg zum Haus an. Der Officer schaute auf ihre Jeans, die staubigen Stiefel und die Lederjacke.

»Kann ich Ihnen behilflich sein, Ma'am?« Seine Stimme war streng – einer dieser uniformierten Typen, die pro forma höflich sind.

Sonora zückte ihren Ausweis.

Der Officer entschuldigte sich, versperrte ihr aber immer noch den Weg. Sonora sah ihn wütend an, und erst dann machte er widerwillig einen Schritt zur Seite auf den Rasen und gab ihr den Weg frei. Sie stieg langsam die Verandatreppe hinauf, wobei die Absätze ihrer Stiefel laut auf dem Beton klapperten, und ging dann ins Wohnzimmer.

Keaton Daniels saß auf dem Sofa und schaute wie betäubt aus. Der Schwarm der Leute von der Spurensicherung ignorierte ihn. Sonora hörte irgendwo Molliters Stimme und sah Sam die Treppe herunterkommen, zwei Stufen auf einmal nehmend. Er warf ihr einen wartenden Blick zu.

»Blair!« Cricks Stimme war ein Bellen, und er machte keinen besonders freundlichen Eindruck.

Sonora hob eine Augenbraue. »Ich habe Ihnen ja gesagt, daß er beschützt werden muß. Keaton?« Sie berührte ihn an der Schulter und griff nach seiner Hand, die eiskalt war. Dann setzte sie sich auf das Ende des Tisches und beugte sich zu ihm vor. »Sind Sie okay?«

Er nickte und schien erleichtert zu sein, sie zu sehen.

»Keaton, ist Ihnen kalt? Wollen Sie einen Pullover oder eine Jacke?«

»Es geht mir gut, Detective.« Seine Stimme klang monoton und teilnahmslos.

Sonora schaute über die Schulter. »Kann mal jemand diesem Mann einen Kaffee bringen?«

Crick beobachtete sie mit zusammengekniffenen Augen und wandte sich an einen Streifenpolizisten. »Besorgen Sie dem Mann einen Kaffee.« Dann machte er Sonora ein Zeichen, ihm die Treppe hinauf zu folgen. »Die Leute von der Spurensicherung sind zwar noch bei der Arbeit, aber ich kann Sie ja schon mal rumführen. Im Badezimmer sieht es am schlimmsten aus.«

Sonora tat so, als wüßte sie nicht, in welche Richtung sie sich wenden sollte.

»Sie hat geduscht und die Toilette benutzt.«

»Wie haben Sie das denn rausgefunden?« Meine Fingerabdrücke müssen hier überall sein, dachte Sonora und schaute von der Tür aus ins Bad.

Im vorher so ordentlichen Gäste-Badezimmer – mit frischen Handtüchern und teurer Pfirsichseife ausgestattet – herrschte jetzt ein wüstes Durcheinander. Sonora blieb in der Tür stehen und dachte daran, daß sie wahrscheinlich die letzte Person gewesen war, die vor Flash das Badezimmer benutzt hatte. Ihr wurde plötzlich übel, und ihr Kopf schmerzte.

Die Fußmatte, dick, weiß und flauschig, war aufgerollt und hinter die Ecke der Kommode geklemmt worden. Eine der Schubladen unter dem Waschbecken war halb herausgezogen. Der Deckel der Toilette war aufgeklappt, und Sonora warf einen schnellen Blick in die Schüssel. Ja, okay, Flash hatte die Toilette benutzt und deutliche Hinweise auf ihre derzeitige Ernährung hinterlassen.

Der Duschvorhang war zur Seite gerissen worden, eine Ecke hatte sich aus den Ringen gelöst und hing nach unten bis ins Becken. Ein nasser Waschlappen war auf die Gummimatte vor der Dusche geworfen worden, und ein Stück Seife klebte durchweicht auf dem Boden des noch feuchten Porzellanbeckens.

In der Ecke der Duschkabine lag ein dickes blaues Handtuch. Sonora fragte sich, ob Keaton die Handtücher ausgewechselt hatte. Lieber Gott, dachte sie, laß ihn das getan haben.

»Blair?«

»Sir?«

»Ich sagte gerade, wir haben Schamhaare im Abfluß gefunden und … Hören Sie mir überhaupt zu?«

»Ja, Sir. Entschuldigen Sie, aber ich habe in den letzten vierundzwanzig Stunden einen Flug nach Atlanta und zurück hinter mich gebracht.«

»Sie hätten im Flugzeug schlafen sollen. Jedenfalls, in dem Handtuch da stecken bestimmt eine Menge Beweise. Hier wimmelt es ja nur so von echten körperlichen Beweisen, aber die bringen uns nichts, ehe wir dieses Miststück nicht gefaßt haben.« Crick verzog das Gesicht. »Terry sagt, Flash habe natürliches blondes Haar.«

Sonora nahm das Fläschchen mit ihrer Magenmedizin aus der Handtasche. Sie schüttelte drei Tabletten in ihre Handfläche, kippte sie in den Mund und schluckte sie mit Spucke hinunter. »Schauen Sie sich mal hier im Schlafzimmer um. Da ist was, das Sie sich ansehen sollten.«

Als sie hereinkamen, zog Terry gerade die Laken vom Bett. Sonora bekam weiche Knie. Auf dem Kissenbezug waren deutlich bronzefarbene Lippenstiftspuren zu sehen, im Ton denen ihres Lippenstifts sehr ähnlich.

Sam richtete den Strahl einer Taschenlampe auf den Boden eines Wandschranks. »Sie hat seine *Schnürsenkel* mitgenommen und an einigen der Hemden Knöpfe abgerissen.«

Er ging in die Knie, berührte aber nichts. »Sieht aus, als ob wir den Abdruck eines Tennisschuhs hier drin hätten.«

Crick nahm Sonora am Arm und führte sie zur Wäschekommode. Das Zeitungsfoto von Police Specialist Sonora Blair war zerknüllt und dann in drei Stücke zerrissen worden. Keatons TAGEBUCH DER ERMITTLUNGEN war verschwunden.

»Ist das alles?« fragte Sonora.

Crick legte die Hände auf den Rücken und sah sie von der Seite an. »Sie fragt tatsächlich ›Ist das alles‹. Ich hätte gedacht, es würde Ihnen ein bißchen unter die Haut gehen, Blair, denn wir haben es mit einer gefährlichen Frau zu tun, und ich habe *ernsthaft* das Gefühl, sie hält Sie aus ihrer subjektiven Sicht nicht für einen guten Menschen.«

»Überrascht Sie das, Sir? Nachdem Sie mir den Tenor der Pressekonferenz eingepaukt haben? Ich hätte gedacht, Sie wären zufrieden mit dieser Entwicklung.«

»Aber Sie müssen vorsichtig sein, Blair.«

»Was hat sie sonst noch hier gemacht?«

»Sie ging in die Küche, nahm sich eine Handvoll Käsemakkaroni aus einem Topf, aß etwas davon und schmierte den Rest an ein Küchenhandtuch.«

»Sie hätte Schwierigkeiten, bei mir zu Hause Essensreste zu finden. Ich habe einen dreizehnjährigen Sohn.«

»Sehr lustig.«

Er machte ihr mit gekrümmtem Zeigefinger ein Zeichen und ging voraus in Keatons kleines Badezimmer. Sonora runzelte die Stirn und folgte ihm.

Auf der Konsole über dem Waschbecken lagen die üblichen Utensilien – ein elektrischer Braun-Rasierapparat, eine abgenutzte schwarze Zahnbürste, Deodorant. Keine Pfirsichseife in Form von Rosen. Crick schloß die Tür hinter ihnen. Er klappte den Deckel der Toilettenschüssel runter und deutete darauf.

»Kommen Sie, Blair, machen Sie es sich bequem.«

Sonora setzte sich auf die Kante des Deckels und faltete die Hände in ihrem Schoß. »Ja, Sergeant?«

Crick kratzte sich an der Seite seines Halses. Er war ein großer Mann und brauchte viel Platz. Seine Knie waren zu dicht an ihren, und sie rückte ein Stück von ihm ab.

»Sehen Sie, Blair, ich müßte Sie eigentlich in mein Büro bestellen und diese Sache ganz vorsichtig mit Ihnen besprechen, aber wir arbeiten ja nun schon seit langer Zeit zusammen. Ich möchte, daß Sie die nachfolgende Frage als *inoffiziell* betrachten. Und seien Sie ehrlich, Blair, zu Ihrem und meinem Wohl.«

Sonora fror plötzlich.

»Ist da etwas im Gange zwischen Ihnen und diesem Keaton Daniels?«

Sonora legte den Kopf schief. »Etwas im Gange? Er ist Mark Daniels' Bruder, Sergeant, und ich glaube, er war von vornherein das ins Auge gefaßte Opfer. Sam und ich haben ihn bis aufs Messer ausgequetscht, und wir haben uns sehr bemüht, sein Vertrauen zu gewinnen. Wir versuchen ihn lebend durch diese Sache zu bekommen. Ich nehme diesen Teil des Jobs sehr ernst.«

Crick rieb sich über die Stirn. Sonora bemerkte, daß seine Augen blutunterlaufen und die Lider leicht geschwollen waren.

»Sehen Sie, Blair, ich habe mit Renee Fischer Kontakt aufgenommen. Haben Sie mal von ihr gehört?«

»Forensische Psychiaterin. Man hat sie bei dieser Mordserie in Parks zu Rate gezogen, nicht wahr?«

Crick nickte.

»Soviel ich weiß, ist sie gut«, sagte Sonora.

»Ja, das ist sie. Sie hat gerade erst angefangen, sich mit Flash zu beschäftigen, aber sie hat mich gleich heute morgen angerufen. Sie sagte, sie habe die ganze Nacht durchgearbeitet und sich alles angeschaut, was ich ihr gegeben habe.«

»Und?«

»Sie meint, da sei ganz offensichtlich was Besonderes mit diesem Daniels, irgendwas anderes als bei den bisherigen Opfern.«

»Das wissen wir längst.«

»Ja. Und sie betrachtet Sie als eine Frau am Kreuzweg zwischen Vertrauter und Rivalin.«

»Ich bin der Cop, der sie fassen will, da macht das ja wohl einen Sinn.«

Crick sah sie schweigend an.

»Worauf wollen Sie hinaus, Sir?«

»Okay, Sie sind hinter ihrem Skalp her. Schön, Blair, wenn das

alles ist. Aber da ist Ihr Foto auf der Kommode im Schlafzimmer dieses Mannes, und Flash hat das gar nicht gefallen.
Ich habe Daniels gefragt.«

»Und was hat er gesagt?«

»Daß er sämtliche Zeitungsartikel über die Untersuchung gesammelt habe.«

»Dann ist doch alles klar.«

»Aber ich habe keine… keine anderen Zeitungsartikel gesehen.«

»Ich nehme an, er hat keine Zeit gehabt, ein Album anzu-
legen, Sergeant. Warum sagen Sie nicht einfach, wo das Problem liegt? Oder gibt es eine Vorschrift, die verbietet, daß ein
Zeitungsfoto von mir auf der Kommode dieses Mannes
liegt?«

»Nein, Blair, und es gibt auch keine Vorschrift dagegen, daß
Sie mit ihm rumbumsen, aber Sie sollten es, verdammt noch
mal, besser *nicht* tun.«

Sonora sprach jetzt mit fest zusammengebissenen Zähnen.
»Wenn es um männliche Cops und weibliche Zeugen geht,
verfallen Sie gar nicht auf die Idee, solche Gespräche voller
Verdächtigungen und Spekulationen zu führen.«

»Kommen Sie mir nicht mit diesem Emanzenquatsch von
›Schikanieren wegen des Geschlechts‹, es sei denn, Sie wollen
sich offiziell beschweren. Ich möchte, daß Sie mir gut zuhören, Blair, und unterbrechen Sie mich ein einziges Mal in
Ihrem Leben nicht. Wenn sich *tatsächlich* zwischen Ihnen und
Daniels was abspielt, gibt es Probleme. Dieses Frau ist gefährlich, und ich möchte, daß sie festgenommen wird, ehe sie
wieder zuschlägt.« Er senkte die Stimme, sprach jetzt sanfter.
»Ich kenne Sie schon sehr lange, Sonora. Ich habe es noch nie
erlebt, daß Sie einen Fall schmeißen, ich habe noch nie erlebt,
daß Sie die vorgegebenen Grenzen überschreiten. Wenn Sie

was mit Daniels haben, dann sagen Sie es mir, und sagen Sie es mir *jetzt*.«

Sonora starrte ihn mit versteinertem Gesicht an.

Crick hob die Hände. »Haben Sie ein Verhältnis mit Daniels – ja oder nein?«

Sonora verschränkte die Arme vor der Brust. »Nein.«

47 »Sam, ich habe *Probleme*.«
»Sonora …«
»*Scheiße*, Sam.«
»Keine Panik, Mädchen. Beruhige dich, ehe uns noch jemand hört. Wir reden später darüber.«

Sam steckte sich eine Zigarette an, und Sonora protestierte nicht. Sie saßen auf dem Parkplatz des Sundown Saloon im Wagen und schauten hinunter auf die lautlosen, schlammigen Fluten des Flusses. Sam schnippte Zigarettenasche aus dem offenen Fenster.
»Du hättest ihm die Wahrheit sagen sollen.«
»Du wiederholst dich.«
»Ja, sicher, aber er hat recht, Sonora, die Sache hat Auswirkungen auf die Ermittlungen. Du warst vor Flash die letzte im Badezimmer. Was ist, wenn diese Schamhaare von dir stammen?«
»Meinst du, das beunruhigt mich nicht?« Sonora atmete tief durch und schaute aus dem Fenster. »Was wirst du denn sagen, wenn Crick dich darüber ausfragt?«
»Du meinst, ob ich weiß, ob du mit Daniels geschlafen hast? Willst du, daß ich für dich lüge?«
»Ja.«
Sam warf den Zigarettenstummel aus dem Fenster. »Erinnerst du dich noch an die Zeit, als wir dachten, wir würden zu den guten Menschen gehören?«

»Danke, Sam, du bringst es immer fertig, daß man sich besser fühlt.«

»Alles okay? Ich möchte jetzt heimfahren.«

»Und ich hole die Kinder und mache auch, daß ich nach Hause komme.«

»Du willst sie aufwecken? Es ist zwei Uhr. Laß sie doch weiterschlafen, bei deinem Bruder sind sie gut aufgehoben.«

»Ich habe versprochen, sie abzuholen. Und außerdem will ich sie morgen früh in ihren eigenen Betten haben, damit ich sie pünktlich zur Schule schicken kann.«

»Okay, ich helfe dir. Du bringst Tim zum Wagen, ich trage Heather.« Sie drückten leise die Wagentüren zu – eine Angewohnheit von Überwachungseinsätzen. Sonora fühlte sich plötzlich nicht gut – das Magengeschwür meldete sich wieder –, und sie lehnte sich an die Seite des Wagens.

Sam drehte sich um und sah sie an. »Kommst du?«

»Wenn ich soweit bin. Sam?«

»Was ist?«

»Mir geht da was durch den Kopf. Dieser Mann in Atlanta, dieser Selby – er hat gesagt, die Anrufe hätten kurz nach Ostern begonnen. Und mir ist gerade eingefallen, daß Keaton dasselbe berichtet hat.«

»Daran kann ich mich nicht erinnern…, und ich habe alle Niederschriften seiner Aussagen mindestens viermal gelesen.«

Sonora fiel ein, daß sie diese Information aus Keatons Tagebuch hatte. »Er hat es gesagt, Sam, okay?«

»Kopfkissengespräch, wie?«

»Ist doch sehr interessant, findest du nicht auch? Ich meine, was ist das Besondere an Ostern?«

»Eier, Hasen, Religion. Könnte viele Bedeutungen haben. Sonora?«

»Ja?«

»Laß es mich wissen, okay? Wenn du es rausgefunden hast.«

»Wenn ich was rausgefunden habe?«

Sam grinste. »Ob Keaton die Handtücher gewechselt hat oder nicht.«

48 Auf der Fahrt nach Hause schliefen die Kinder im Wagen weiter. Daheim trug Sonora Heather in ihr Bett und brachte den schlaftrunkenen Tim in sein Zimmer. Clampett hatte drei Pfützen gemacht, obwohl das Mädchen von nebenan versprochen hatte, ihn regelmäßig rauszulassen. Jedenfalls hatte sie pflichtbewußt die Post und die Zeitungen auf den Küchentisch gelegt.

Sonora ließ die große Reisetasche mit den Sachen der Kinder im Flur stehen. In der Küche blätterte sie die Post durch, fand die monatliche Abrechnung von MasterCard und den Stadtwerken vor und darüber hinaus eine Erinnerung des Zahnarztes der Kinder, daß es Zeit für die nächste Routineuntersuchung sei.

Auf dem Weg nach oben blieb sie im dunklen Flur stehen, ihr Magengeschwür spürend. Sie war zu müde, um noch groß was zu machen, aber auch zu aufgekratzt, um schlafen zu können. Ein langes heißes Bad würde ihr jetzt guttun.

Sie hatte gerade den Bademantel angezogen, als das Telefon klingelte. Bitte laß es Keaton sein, dachte sie.

»Sonora?«

Er war es.

Sonora gab sich Mühe, ihre Stimme formell klingen zu lassen.

»Danke, daß Sie sich melden, Mr. Daniels. Sind Sie im Haus Ihrer Frau?«

»Nein. Im Red Roof Motel, Ausfahrt sieben an der Einundsiebzig, Richtung Norden.«

»Ich rufe Sie an, sobald ich etwas Neues erfahre.«

»Sonora …«

»Ich rufe Sie an, Mr. Daniels.«

»Oh … Na dann, vielen Dank.«

»Gute Nacht.« Sonora legte auf und ging zum Telefonanschluß der Kinder. Von dort rief sie die Auskunft und dann das Red Roof Motel an. Er hob beim ersten Läuten ab.

Sonora bemühte sich, ihren Atem unter Kontrolle zu halten.

»Tut mir leid, Keaton, aber mein Anschluß wird überwacht. Ich rufe dich vom Anschluß der Kinder aus an. Geht es dir gut?«

»Nein.«

»Wir müssen miteinander reden.«

»Wie wär's mit einem gemeinsamen Dinner morgen abend?«

»Geht nicht, Keaton. Ich habe einen Mordsärger, wegen uns beiden.«

»Den Eindruck hatte ich heute abend auch. Du hast dich komisch benommen.«

»Ich habe, was uns betrifft, meinen Sergeant angelogen, indem ich ihm gesagt habe, wir hätten nur rein dienstliche Kontakte.«

»Ist das so?« Seine Stimme klang plötzlich kalt, argwöhnisch.

»Ich schlafe normalerweise nicht mit Zeugen. Hör zu, ich muß dir eine Frage zu den Handtüchern stellen.«

»Den Handtüchern?«

»Im Gäste-Badezimmer. Als wir … zusammen waren. Hast du, nachdem ich geduscht hatte, die Handtücher ausgewechselt?« Sie krallte die Hand um den Hörer.

»Oh, tut mir leid, das habe ich nicht gemacht. Gibt es da ein Problem?«

»Es gibt da körperliche Beweise, Keaton. Sie haben verdammt noch mal Schamhaare im Abfluß der Dusche gefunden. Es können meine oder ihre sein. Meine Kollegen denken natürlich, es seien Flashs, aber wir beide wissen es besser. Es können genausogut auch meine sein.«

»Was hat dein Sergeant gesagt?«

»Ich habe das Thema nicht angesprochen, Keaton. Ich will nur ungern gefeuert werden, wenn ich an meine Kinder und den Zustand meines Bankkontos denke. Eine Hypothek und all so was, verstehst du?«

»Tut mir leid. Das scheint ja ein echtes Problem zu sein.«

»Ja, das ist es. Ich muß noch was wissen. Auf der Kommode im Schlafzimmer habe ich kurz vor dem Aufbruch nach Atlanta dein TAGEBUCH DER ERMITTLUNGEN liegen sehen.«

»Das ist ganz privat.«

»Ja, natürlich, ich habe es ja auch nicht gelesen.« Bis auf die erste Seite, dachte sie. »Lag es noch dort, als Flash dein Schlafzimmer durchstöbert hat?«

»Flash? So nennt ihr sie? Ist das so was wie ein Cop-Scherz?« Sonora zuckte zusammen. »Es ist Berufsjargon, und es ist keinesfalls scherzhaft gemeint, es ist eine realistische Bezeichnung in der Welt eines Polizisten. Tut mir leid, wenn deine Gefühle dadurch verletzt werden. Lag das Tagebuch noch da, als Flash dein Haus durchsucht hat? Hat sie es mitgenommen, oder haben es unsere Spurensicherer?«

»Sie hat es mitgenommen.«

»Aha. Was steht drin?«

»Persönliche Dinge, von denen ich nicht wollte, daß sie irgendein anderer liest. Ich habe es als reines Logbuch der Ermittlungen begonnen, aber es stehen auch Dinge über meinen Bruder drin. Und über dich.«

»Über mich?«

»Ja.«

»Verdammt. Dieses Tagebuch wird sie in maßlose Wut versetzen. Du mußt gut auf dich aufpassen, Keaton, du mußt äußerst vorsichtig sein. Ruf mich beim ersten Anzeichen einer möglichen Gefahr an, hörst du?«

»Habe ich das so zu verstehen, daß ich dich nur dann anrufen darf?«

Sonora schloß die Augen. »Ich fürchte ja.«

»Für wie lange? Wie lange werden wir uns nicht sehen können?«

»Bis ich sie gefaßt und vor Gericht gebracht habe. Und Ihr verdammter Arsch verurteilt ist.«

»Ja. Ich verstehe.« Er legte auf.

Sonora legte den Hörer ebenfalls auf die Gabel. Vielleicht sollte sie jetzt doch kein Bad nehmen, sondern sich nur kurz unter die heiße Dusche stellen.

Sie schaute bei den Kindern rein. Beide schliefen fest. Clampett lag lang ausgestreckt im Flur zwischen ihren Zimmertüren. Er hob den Kopf, als Sonora an ihm vorbeiging, und winselte.

»Willst du noch mal raus?«

Er wedelte mit dem Schwanz und stemmte sich mit einer ruckartigen, offensichtlich schmerzvollen Bewegung auf die Beine. Sonora beugte sich zu ihm hinunter und drückte ihn an sich, und sein Geruch verriet ihr, daß es höchste Zeit für ein Hundebad war.

»Ich laß dich raus, Clampett.« Sie ging durch den Flur zur Tür und stellte die Alarmanlage ab. Ein Schwall kalter Luft drang durch die geöffnete Tür, und Clampett zögerte. Sonora schob ihn mit dem Knie raus. Dann knipste sie das Licht der hinteren Veranda an und wartete. Clampett verschwand im Garten. Sonora schloß die Tür, schaltete die Alarmanlage wieder ein und ging zum Badezimmer.

Dort war alles noch sehr ordentlich – die Kinder hatten keine Möglichkeit gehabt, Kleidungsstücke herumliegen zu lassen, Handtücher von den Haltern zu reißen und Waschlappen auf den Boden zu schmeißen. Sonora stellte die Dusche auf heiß und harten Strahl und schloß die Augen, als das Wasser über ihren Körper strömte.

Sie spülte gerade Shampoo aus dem Haar, als die Alarmanlage losjaulte.

Sonora ließ das Wasser laufen, packte das Badetuch, stieg über den Rand der Dusche und wischte sich Schaum aus den Augen. Ihr Bademantel hing an einem Haken an der Innenseite der Tür. Sie griff nach ihm, und im selben Moment wurde der Türknauf bis zur Sperre des Schnappschlosses gedreht.

Sonora erstarrte, dann fuhr sie mit den nassen Armen in die Ärmel des Bademantels, band ihn hastig zu und riß die Tür auf.

Der Flur war leer.

Sie lief zu den Kindern – erst Mutter, dann Cop. Tim schlief trotz des Heulens der Alarmsirene. Heather saß starr aufgerichtet im Bett und klammerte sich an ihren Stoffpinguin.

»Bleib hier«, befahl Sonora.

Clampett, wieder ganz Wachhund, bellte sein hysterisches Bellen und kratzte wie wild an der Hintertür.

Sonora roch Rauch und im selben Moment wurde auch schon der Rauchmelder ausgelöst. Bei dem ohrenzerfetzenden Kreischen stellten sich ihre Nackenhaare auf.

Sie lief durch den Flur zur Haustür. Die stand offen, und Glassplitter lagen auf dem Boden. Schritte waren zu hören – jemand lief den Gehweg hinunter. Sonora war hin- und hergerissen, einerseits wollte sie hinterherlaufen, andererseits hatte sie genug Brände gesehen, und wußte, wie schnell ein Haus in Flammen stand. Sie stellte die Alarmanlage ab.

Eine Wagentür wurde zugeworfen, als sie sich umdrehte und zur Küche lief.

Das Feuer brannte in einer Bratpfanne; Fotos verbogen sich in den Flammen. Sonora nahm ein Geschirrtuch und erstickte den kleinen Brand. Sie hörte Schritte und sah kurz darauf Tim in der Tür stehen.

»Das Feuer ist fast gelöscht. Geh und kümmer dich um deine Schwester.«

Das Geschirrtuch war voller Ruß und zum Teil verkohlt, und sie warf es in den Spülstein und ließ Wasser darüber laufen. Draußen klang Clampetts Bellen plötzlich weit entfernt.

Sonora schaute auf die Polaroidfotos, sah das schlafende Gesicht ihres Sohnes und erkannte das Bett, aus dem sie ihn erst vor kurzem geholt hatte – bei Stuart. Ihre Hand zitterte, als sie das zweite Foto umdrehte – Heather mit dem Pinguin im Arm und im selben Nachthemd, das sie auch jetzt noch anhatte. Diese Fotos waren erst vor einigen Stunden bei Stuart aufgenommen worden.

Sonora nahm ein anderes Geschirrtuch und wedelte damit den Rauch unter dem Rauchmelder weg. Das Jaulen erstarb. Stille, bis auf das Rauschen der Dusche. Sie atmete tief durch, ging zum Telefon und drückte auf die automatische Wahltaste für den Anschluß ihres Bruders. Das Brummen einer gestörten Verbindung drang grell in ihr Ohr.

»Der von Ihnen soeben gewählte Anschluß ist gestört. Wir bitten …«

Tim und Heather standen eng aneinandergeschmiegt in der Tür. Sie stellten keine Fragen, und das verriet Sonora, wie verstört sie waren.

»Jemand ist bei uns eingebrochen, und ich sorge mich um Onkel Stuart. Ich werde noch einen Anruf machen und Hilfe holen, und dann setzen wir uns alle in den Wagen und fahren zu Onkel Stuart und schauen nach, was los ist. Wir bleiben zusammen, habt ihr das verstanden?«

Sie nickten.

»Darf Clampett mitkommen?« fragte Heather.

»Hast du deine Pistole dabei?« wollte Tim wissen.

Sonora biß sich auf die Unterlippe. »Ja zu beiden Fragen.«

Die Kinder sahen zufrieden aus.

49 Die Windschutzscheibe beschlug, als Sonora den Berg hinunterfuhr. Sie kurbelte das Fenster runter, roch den Fluß und horchte, ob Martinshörner in der Gegend jaulten. Ihre Hände am Lenkrad zitterten, und Clampetts Atem strich feucht über ihre Schulter, als sie sich umdrehte und nach hinten schaute.

»Heather, halte den Hund zurück.«

»Mommy, bist du okay?«

»Fahr schneller«, sagte Tim.

»Habt ihr euch angeschnallt?«

Das Hausboot ragte als rauchendes schwarzes Skelett aus dem Wasser. Blaulichter von Polizeiwagen zuckten durch die roten Blitze der Krankenwagen und Feuerwehrfahrzeuge.

»*Mommy!*«

Sonora hielt den Atem an. »Vielleicht war er nicht zu Hause. Bleibt im Wagen, ich werde nachsehen.«

Als ersten erkannte sie Molliter. Sie wollte nach ihm rufen, als ein uniformierter Polizist ihr in den Weg trat.

»Tut mir leid, Miss …«

»Ich bin Polizistin«, sagte sie.

Er schaute zweifelnd auf ihr nasses, noch von Shampoo verklebtes Haar, das Sweatshirt, die Jeans und die nackten Füße in Reeboks.

»Mein Bruder wohnt hier.«

Sein harter Blick wurde von einer Sekunde zur anderen mitfühlend. »Würden Sie bitte heir warten, Ma'am?«

Es war Molliter, der ihr zu Hilfe kam; Molliter, der den Uniformierten wegwinkte und jemanden abstellte, sich um die Kinder zu kümmern; Molliter, der sie zu dem ganz mit Ruß verdreckten Feuerwehrmann führte, welcher ihr eine Decke umlegte und ihr eine nasse Hand gab.

»Haben Sie noch jemanden retten können?« fragte sie.

Er zögerte und schaute mit seinen blauen Augen an ihr vorbei zu Molliter, der schließlich mit flacher Stimme erklärte: »Am besten sagen Sie ihr, was los ist.«

»Ihr Bruder war da drin?« fragte er.

»Wahrscheinlich. Er wohnt im zweiten Stock. Da oben ist ein Lagerraum, direkt neben seinem Apartment.«

»Wo genau, Ma'am?«

Sonora hob den Arm und zeigte es ihm.

Der Feuerwehrmann sah sie mitleidig an. »Es tut mir leid, wir haben ihn nicht mehr rechtzeitig rausholen können.«

Er schaute über ihre Schulter zu dem Krankenwagen. Sonora folgte seinem Blick und sah jetzt erst, daß die Sanitäter tatenlos herumstanden und warteten.

»Ist er in dem Krankenwagen?« fragte Sonora.

»Äh … nein … Es war so … Unser Mann ging rein und …« Der Feuerwehrmann räusperte sich. »Es war klar, der Mann war tot, und es war … es war offensichtlich eine Sache für die Polizei.«

»Offensichtlich eine Sache für die Polizei«, wiederholte Sonora. Sie fragte sich, was der Feuerwehrmann da drin gesehen hatte, daß er zu dem Schluß gekommen war, dies sei eine Sache für die Polizei. »Wann können wir reingehen?«

»Ist noch verdammt heiß da drin, Ma'am.«

Molliter nahm sie am Arm. »Wir suchen erst mal einen Platz, wo du dich hinsetzen kannst, okay?«

Sonora stimmte zu.

Als Sam und Crick ankamen, war ihr Haar getrocknet.

»Lange nicht gesehen«, sagte Sonora.

»Du mußt jetzt nicht die harte Frau spielen, Sonora.« Sie merkte erst, daß Gruber auch dabei war, als er ihr die Hand auf die Schulter legte.

Sam ließ sich neben ihr auf ein Knie nieder. »Shelly ist auch hier.«

Sonora stieß einen Seufzer aus. »Gut. Wo?«

»Im Wagen bei den Kindern.«

»Und Annie?«

»Die ist im Krankenhaus.«

»Natürlich, Sam. Entschuldige. Wie konnte ich das vergessen?«

»Ist schon okay, Mädchen.« Er drückte ihre Schulter, und sie legte die Hand auf seine. Für einen Moment meinte sie, losheulen zu müssen, aber der Drang verflog schnell wieder.

Crick trat zu ihr. »Sonora, ich kann es nicht glauben, daß das passiert ist. Habe ich richtig gehört – Flash war heute nacht in Ihrem Haus?«

Sonora nickte.

»Gott sei Dank ist Ihren Kindern nichts passiert.« Er verlagerte sein Gewicht von einem Bein auf das andere. Sonora erkannte, daß er in einer Tonlage zu ihr sprach, die sie noch nie bei ihm gehört hatte. Vielleicht war das der Ton, in dem er sonntags mit den Kleinen in der Kindertagesstätte seiner Kirchengemeinde sprach. »Sonora, wir gehen jetzt rein. Ich möchte, daß Sie …«

»Bitte, Sergeant Crick, lassen Sie mich mitgehen.«

Er sah sie mit einem Ausdruck unendlicher Geduld an. »Das ist keine gute Idee.«

»Wenn es Ihr Bruder wäre, würden Sie das auch wollen.«

»Na schön, wenn Sie unbedingt möchten. Aber mein Rat ist, daß Sie das nicht tun sollten.«

Sie nickte und ließ die Decke, die man ihr über die Schultern gelegt hatte, auf den Boden rutschen. Dann hob sie sie wieder auf, schüttelte sie aus, faltete sie zusammen und stand mit gerunzelter Stirn da, offenbar nicht wissend, was sie jetzt tun sollte. Crick wartete, als hätte er alle Zeit dieser Welt. Gruber nahm ihr die Decke aus den Händen.

»Also los«, sagte Crick.

Er hatte eine Taschenlampe. Sonora folgte ihm, links und rechts von Sam und Gruber begleitet. Molliter bildete den Schluß.

Es war immer noch heiß im Inneren und roch beißend nach Rauch. Schweißperlen bildeten sich auf Sonoras Nacken und liefen ihr den Rücken hinunter. Ihr war gleichzeitig heiß und kalt, und sie spürte, wie sie zitterte.

Sie ging an der Seite die Treppe hinauf und dachte daran, wie sehr ihr Bruder diesen Ort geliebt hatte. Die angesengten Tische und die verkohlten, nassen Teppiche kamen ihr halbwegs bekannt vor. Sie schaute zur Bar hinüber und erinnerte sich, wie sich Stuart während seiner Jobs in Restaurants Kenntnisse über die diversen alkoholischen Getränke verschafft hatte, indem er morgens beim Saubermachen der Bar die vom vergangenen Abend übriggebliebenen Getränkereste probiert hatte. Dann tauchte er vor ihrem geistigen Auge auf, wie er die Kinder gehütet, ihnen »Fernseh-Dinner« serviert, mit ihnen Monopoly und auf allen vieren für sie Pferdchen gespielt hatte.

Crick stolperte am Ende der Treppe, und Sonora ging voran. Zunächst begab sie sich in die kleine, aber gut ausgestattete Küche. Die Bilder, die Heather gemalt und mit Magneten an die Kühlschranktür geheftet hatte, waren abgerissen und zerfetzt worden. Der runde Glastisch lag umgekippt auf der Seite, und die Schublade mit den Küchenmessern stand offen.

»Der Backofen ist noch eingeschaltet«, sagte Sonora.

Sam schaute nachdenklich drein. »Sie haben gestern abend Plätzchen gebacken, Stuart und die Kinder, meinst du nicht auch?«

Sonora nickte und öffnete die Backofentür – ein Backblech, aber keine Plätzchen. »Ich nehme an, er wollte sich noch irgendwas machen und hat den Ofen vorgeheizt, als Flash ihn überrascht hat. Sieht so aus, als ob es einen Kampf gegeben hätte.«

»Das Durcheinander hier könnte auch von den Feuerwehrmännern verursacht worden sein«, meinte Gruber.

»Aber die würden nicht die Bilder vom Kühlschrank reißen und kaputtmachen.« Sonora deutete mit der Hand nach rechts. »Das Schlafzimmer ist da drüben.«

Gruber und Molliter eilten durch den dunklen Flur. Sam legte die Hand auf Sonoras Schulter.

»Laß mich erst mal kurz reingehen, okay?«

Sonora zögerte und nickte dann.

»Alles in Ordnung mit Ihnen?« fragte Crick. Er rieb sich mit einem Taschentuch über den Nacken.

Sonora sagte ja. Sie schaute auf ihre Füße, während sie das klatschende Geräusch übergestreifter Gummihandschuhe aus dem Schlafzimmer, das Platschen von Wassertropfen und das Röhren des Verkehrs auf der Brücke über den Fluß hörte.

»Ich gehe jetzt rein.«

»Wenn Sie unbedingt wollen.« Resignation und Müdigkeit klang aus Cricks Stimme.

Sie machte einen Schritt auf die Tür zu, aber im selben Moment kamen die anderen wieder heraus.

Sams Gesichtsausdruck brachte sie von ihrem Vorhaben ab.

Er legte den Arm um ihre Schulter und drehte sie von der Schlafzimmertür weg. »Geh nicht da rein, Mädchen. Es geschah alles sehr schnell. Er hat nicht lange leiden müssen.«

Sonora barg ihr Gesicht an Sams Schulter, drückte fest die Augen zu und dachte, wie lieb es von Sam war, daß er sie anlog.

50 Die Kinder wußten nicht, wie sie mit ihr umgehen sollten. Sie hatte gelacht, als sie ihnen die Nachricht von Stuarts Tod beigebracht hatte, sich entschuldigt und dann wieder gelacht. Tim hatte Heather angeschaut und gesagt: »Weißt du, wir müssen Verständnis für sie haben.« Dann waren sie alle drei in Tränen ausgebrochen.

Jetzt, nach der Beerdigung, hatte Sonora sich nicht umgezogen. Sie trug noch die Trauerkleidung, während die Kinder wieder ihre Jeans anhatten.

Tim schaute auf die Uhr im Flughafen-Restaurant. »Wegen Baba werden wir den Flug noch verpassen.«

Sonora verzog das Gesicht. »Sie wird in letzter Minute angerauscht kommen. Niemand in der Familie deines Vaters ist jemals pünktlich. Es handelt sich um einen genetischen Defekt.«

Heather winkte ihr mit ihrer neuen Barbie-Puppe zu. »Danke für all die Geschenke, Mommy, und die neuen Jeans.«

»Bist du sicher, daß wir uns das leisten können?« fragte Tim.

Sonora sah ihn an. »Gefällt dir der Walkman?« Sie sind noch jung, dachte sie. Jung genug, um von hübschen Geschenken abgelenkt zu werden.

»Ich wollt, du könntest mit uns kommen, Mommy.«

Tim biß ein großes Stück von seinem Hamburger ab. »Warum geht das eigentlich nicht? Man hat dich doch von dem Fall abgezogen, oder?«

Sonora zerteilte mit dem Finger einen Wasserfleck auf dem Tisch. »Ja, man hat mich von dem Fall entbunden.«

»Das ist gemein, Mommy. Nachdem du so schwer dran gearbeitet hast.«

»Nein, mein Schatz. Ich darf nicht weiter die Verantwortung dafür haben. So sind nun mal die Vorschriften, und sie sind okay.«

»Zu aufregend für dich, wie? So ein Quatsch!«

Tim sah Sonora an, verzog das Gesicht und wechselte dann Blicke mit Heather.

»Jetzt macht sie es schon wieder! He, Mom! Warum guckst du so komisch?«

»Was ist los, Mommy? Sag ja nicht, es wär nichts.« Tim stellte seine Pommes frites auf den Tisch. »Ist es wegen Onkel Stuart oder weil wir wegfliegen? Wir bleiben gerne bei dir, Mom. Ich hab keine Angst.«

Sonora rieb sich die Augen. »Es ist wegen Stuart. Ich werde noch eine Weile brauchen, bis ich das überwunden habe, okay? Seid ihr denn nicht traurig?«

Heather steckte den Daumen in den Mund.

Tim zuckte mit den Schultern. »Ich habe ihn sehr gern gehabt, okay? Aber ich vermisse Leute nicht; wenn sie weg sind, sind sie eben weg. Ich hab' ja mein eigenes Leben.«

Sonora biß sich in den Knöchel der linken Hand. Harte Worte von einem Dreizehnjährigen. Sie quälten sie mehr, wie wenn er geweint hätte. »Eßt eure Sachen auf, Kinder.«

Heather legte die Hände in den Schoß. »Es schmeckt sehr gut, aber habe keinen Hunger. Wirst du denn nicht einsam sein, Mommy?«

»Clampett wird mir Gesellschaft leisten, und dann habe ich ja auch einige Sachen zu erledigen, das wird mich ablenken.«

»Was für Sachen?« fragte Tim.

Sonora rieb sich die Hände an einer dünnen, viel zu kleinen Papierserviette ab. Sie streute Salz in ihre Handfläche und leckte es auf. Das hatte sie nicht mehr getan, seit sie so alt wie Tim gewesen war.

»Wo gehen wir denn eigentlich hin?« fragte Heather.

»Nach Atlanta«, erklärte ihr Tim.

»Aber doch weiter als Atlanta, oder?«

Sonora drückte die Hand ihrer Tochter. »Das erfahrt ihr erst, wenn ihr in Atlanta seid. Baba wird was aussuchen. Ihr solltet sie überreden, mit euch irgendwohin an einen Strand zu fahren.«

»Ans Meer?« fragte Heather.

»Ja, dort sind ja Strände.«

Sonora sah Tim ernst an. »Sei ein braver Junge. Ich verlasse mich auf dich. Ich verlasse mich auf euch beide. Paßt jeder auf den anderen auf, und seid nett zueinander. Und macht eure Hausaufgaben.«

»Wie lange bleiben wir denn weg?« fragte Tim.

Sonora runzelte die Stirn. »Ich weiß es nicht, so weit konnte ich noch nicht vorausdenken. Vermutlich bis Visa meine Karte sperrt.«

51 Das erste Foto kam mit der Post am späten Nachmittag dieses Tages.
Zwei weitere trafen am nächsten Tag ein.

52 Sonora saß auf dem Sofa im Wohnzimmer und dachte über Wände nach. Das Telefon läutete. Sie zählte nicht, wie oft das Läuten aufschrillte, und merkte auch gar nicht, als es endlich aufhörte.

Wände gehörten im allgemeinen nicht zu den Dingen, die man wahrnahm. Ihr war wohl klar, daß es nicht gut war, Wände anzustarren, aber an einer Wand war etwas Beständiges, etwas Anspruchsloses, etwas irgendwie Beruhigendes. Wände lullten die Sinne ein – und damit auch den Schmerz.

Sie war froh, daß die Kinder nicht mehr da waren. Es war gut zu wissen, daß sie an einem geheimgehaltenen Ort am Meer bei ihrer Großmutter in Sicherheit waren. Baba würde wahrscheinlich wieder zuviel rauchen und Heather zum Niesen bringen, aber sie würde gut auf die Kinder aufpassen. Es war schwierig, heutzutage auf jemanden aufzupassen. Sonora war erleichtert, daß sie im Moment nicht die Verantwortung hatte.

Sie hörte Clampett draußen bellen, stand auf, ging zur Hintertür, öffnete sie, spürte den Wind auf ihrem Gesicht und sog ihn ein wie den Duft eines Rosenbouquets.

Das war für heute wohl auch schon das Maximum an Aktivität. Clampett leckte ihr das Knie und die Finger. Sonora kraulte seinen Nacken unter dem abgewetzten Lederhalsband. Die Engel mochten ihr den Rücken zugekehrt haben, nicht aber ihr treuer Hund.

53 Sonora war auf dem Sofa eingeschlafen, als es an der Tür klingelte. Sie machte die Augen auf, rieb sich mit der Hand das Gesicht, leckte über ihre trockenen Lippen und schaute auf die Uhr. Zwei Uhr – morgens oder nachmittags? Es klingelte wieder; nachmittags, entschied sie. Es sah nach Nachmittag aus.

Sie ging zur Haustür, öffnete sie und blinzelte den Mann an, der auf der Veranda stand. Neben sich spürte sie Clampetts Gegenwart, was sie beruhigte.

Das Alter des Mannes lag irgendwo zwischen achtundzwanzig und achtunddreißig – nicht schlecht, wenn man interessiert war, was sie allerdings nicht war. Er trug Jeans und ein weißes Baumwollhemd, hatte hohe, breite Wangenknochen, ein Babygesicht und gewelltes braunes Haar.

Hübsche Schultern, dachte Sonora.

Der Mann riß eine Rosenknospe von einem der Stengel, die verstreut auf der Veranda lagen.

»Jemand hat Ihnen Blumen geschickt, hübsches Mädchen?«

Sonora überlegte kurz, ob sie ihm sagen sollte, daß die Rosen aus Blumengebinden für ein Begräbnis stammten. Sie schaute an sich hinunter, auf das dünne weiße T-Shirt, die abgetragenen Jeans, die dicken weißen Socken und entschied, daß sie kein hübsches Mädchen war und daß dieser Mann ihr auf die Nerven ging.

»Ich mag keine Blumen«, fauchte sie.

»Jetzt warten Sie doch mal, geben Sie mir eine Chance. Sehen

Sie, Ihr Hund hat weder gebellt noch geknurrt. Hunde erkennen sofort, daß ich ein guter Mensch bin.«

Sonora legte die Hand auf Clampetts Halsband. »Das ist der beste Hund auf der Welt. Und zu Ehren dieses Hundes gebe ich Ihnen noch genau dreißig Sekunden.«

Er grinste. »Ich komme von der anderen Seite des Flusses, Schätzchen. Ich weiß nicht, ob ich so schnell sprechen kann.«

»Versuchen Sie's mal.«

Er balancierte auf seinen Absätzen. »Sie sind Blair, nicht wahr, Cop bei der Mordkommission und arbeiten an dem Fall, bei dem der Mann ans Lenkrad seines Wagens gefesselt war und verbrannt ist, stimmt's?«

Sonora richtete sich auf. »Können Sie sich ausweisen?«

Er griff nach seiner Gesäßtasche, und Sonora zuckte zusammen. »Ganz ruhig bleiben, da hinten ist kein Platz für eine Waffe, nicht in diesen engen Jeans.« Er gab ihr eine Dienstmarke, und sie sah sie sich an.

»Deputy Sheriff Jonathan Smallwood, Calib County, Kentucky?«

Er legte einen Ellbogen auf das Verandageländer. »Mein Beileid zu dem, was mit Ihrem Bruder geschehen ist.«

Sie nickte. Solche Nachrichten sprachen sich unter Cops schnell herum.

»Das ist der hauptsächliche Grund, warum ich hier bin. Nachdem ich das von Ihrem Bruder gehört habe. Ich denke, ich habe Ihnen was Interessantes zu erzählen.«

Sonora stieß die Fliegentür auf. »Sie sollten wohl besser reinkommen.«

Smallwood blieb in der Tür zum Wohnzimmer stehen, warf ihr über die Schulter einen Blick zu und schüttelte den Kopf. »Haben Sie heute überhaupt schon was gegessen?«

Sonora ließ sich auf das Sofa sinken, schlug die Beine übereinander, und tat so, als ob sie nicht merkte, daß Clampett auf das Kissen neben ihr sprang und den Kopf auf ihren Schoß legte. Die Hausregeln für Hunde waren zum Teufel gegangen. Smallwood zog die Vorhänge auseinander, was eine Menge Staub aufwirbelte und ein Bündel Sonnenstrahlen ins Zimmer ließ. Er sammelte Gläser, benutzte Papiertücher und Pizzaschachteln ein und verschwand damit in der Küche. Daraufhin hob Sonora all die herumliegenden Zeitungen auf und stapelte sie auf einem Stuhl.

»Fühlen Sie sich jetzt besser?« fragte Sonora.

»Nein, aber *Sie*.« Er setzte sich in den Schaukelstuhl. »Also, es war einmal …«

Sonora beugte sich vor.

Es war fünf Jahre her, daß er am Rand einer einsamen Landstraße, an einem Ort, den normalerweise nur Pärchen mit ihren Autos aufsuchten, auf einen brennenden Wagen gestoßen war. Es war ein heißer Tag Anfang September gewesen. Smallwood schauderte, als er die mit dem Lenkrad verschmolzene, verkohlte Gestalt beschrieb – leere Augenhöhlen; die Arme vor dem Körper, fachmännisch gefesselt.

Der Wagen hatte einem gewissen Donnie Hillborn gehört, und die zahntechnische Untersuchung hatte bestätigt, daß der verkohlte Körper tatsächlich der von Donnie gewesen war, dem älteren Bruder von Vaughn Hillborn, einem Football-As, das zu dieser Zeit gerade von den Universitäten von Tennessee, Kentucky, Duke und Michigan State heftig umworben wurde.

Donnie hingegen war als lokale Peinlichkeit betrachtet worden. Er war schwul, und er war stolz darauf.

Es hatte eine Reihe von seltsamen Umständen am Tatort gegeben – ein Schlüssel in der verkohlten Faust, der Geruch nach Benzin im Wagen, eine Cola-Dose im Gebüsch in der

Nähe, in der kein Cola, sondern Benzin gewesen war, keine Schuhe an den Füßen, keine Gürtelschnalle, keine Anzeichen für beides, weder an noch in der Nähe der Leiche.

»Könnte natürlich alles verbrannt sein.« Smallwood sah Sonora fragend an.

»Nicht, wenn der Körper nicht vollständig verbrannt war.«

Er blickte nachdenklich drein. »Es wurde offiziell als Verkehrsunfall eingestuft, obwohl keinerlei Reifenspuren in der Nähe oder Kollisionsschäden am Wagen festgestellt waren.«

»Autopsie?« fragte Sonora.

»Gab' s keine.«

»Na, da ist aber einiges faul! Da wollte man doch was vertuschen, oder? Warum?«

Smallwood rieb sich den Nacken. »Das hängt mit dem Stolz der Leute zusammen.«

»Da komme ich nicht mit.«

»Die Familie wollte keine nähere Untersuchung. Die Angehörigen glaubten, es wäre so eine Haß-Sache. Weil Donnie schwul war.«

»Das ist ja wohl ein Scherz!«

»Calib County liegt ganz weit hinter dem Mond in Kentucky. In Los Angeles kann ein Mann mit angeklebten falschen Wimpern und einer Kosmetiktasche rumlaufen, und niemand schaut zweimal hin. Aber wo ich herkomme … Sagen Sie jetzt bloß nicht, Cincinnati sei eine Oase der Toleranz. Ihr seid allen Schwierigkeiten aus dem Weg gegangen und habt euer sündiges Viertel einfach auf die andere Seite des Flusses nach Covington verlegt.«

»Wir haben immerhin Mapplethorpe nicht aus der Stadt gejagt.«

»Der wäre bei uns gelyncht worden.«

»Ich verstehe, was Sie meinen, Deputy. Wie haben sie es geschafft, die Sache zu vertuschen? Mit Geld?«

»Wenn man ein Football-As in der Familie hat, steht man im Mittelpunkt des öffentlichen Interesses.«

»Kommen Sie, ich will das nicht glauben.« Sonora kraulte Clampett hinter dem linken Ohr. »Niemand wird doch einen Mord vertuschen, nur weil man einen Sohn hat, der ein guter Footballspieler an der High-School ist.«

»Und Sie haben bisher einen so intelligenten Eindruck auf mich gemacht.«

»Dann erklären Sie mir das doch mal besser«, schnaubte Sonora.

Smallwood ließ den Stuhl zurückwippen. »Ich vermag nicht zu sagen, wer der Familie das eingeredet hat oder in welchem Zusammenhang der Druck erfolgt ist. Könnte jemand aus der Gegend gewesen sein, aus dem Umfeld der Familie, vielleicht der Sheriff, aber möglicherweise auch jemand von einer der Universitäten, irgendein einflußreicher Mann. Ich weiß nur, daß der Tod von Donnie Hillborn als tragischer Verkehrsunfall hingestellt wurde und daß Vaughn ernsthaft vorhatte, an die Universität von Kentucky zu gehen und für sie Football zu spielen.«

»Und? Hat er es getan? Könnte doch einen Hinweis ergeben, wer wen unter Druck gesetzt hat.«

»Wir werden es nie erfahren. Sechs Wochen später war auch er tot.«

Sonora hob den Kopf. »Wie ist er umgekommen?«

»Wiederum tragische Umstände. Die Hillborns hatten weit draußen vor der Stadt eine kleine Farm. Die Scheune geriet in Brand. Vaughn war drin und versuchte sein Pferd zu retten. Seltsam, nicht wahr?«

»Das ist doch eine verdammte Scheiße, und Sie wissen es.«

Smallwood sah sie an. »Man hat einen Zigarettenstummel gefunden.«

»Der Junge spielte Football, also hat er bestimmt nicht geraucht.«

»Das ist in Kentucky geschehen, und dort raucht jeder.«

»Okay, okay. Was haben Sie unternommen, Smallwood? Oder haben Sie die Sache einfach auf sich beruhen lassen?«

Clampett sprang vom Sofa und legte seinen Kopf auf das Knie vom Deputy. Smallwood kraulte den Hund an den Seiten des Halses.

»Glauben Sie mir, ich habe versucht, die Wahrheit ans Licht zu bringen, und ich habe schwer eins aufs Dach gekriegt.« Selbst jetzt, fünf Jahre später, hörte man noch die Frustration in seiner Stimme. »Man muß wissen, daß diese Leute kaum aus ihrer Abgeschiedenheit herauskommen, höchstens mal nach Lexington zum Einkaufen fahren. Vaughn Hillborn war ein ordentlicher Junge, hat fleißig studiert und die elterliche Farm betrieben. Ich habe mir jedes Gesicht in der Stadt angeschaut, mehr als einmal, aber ich bin auf niemanden gestoßen, dem ich die Morde zutrauen würde. Anfangs, nach Donnies Tod, dachte ich, es sei irgendein durchreisender Irrer gewesen, aber Vaughn kam dann auch ums Leben, und das paßte nicht zu dieser Theorie.«

»Wie hat Donnie Hillborn ausgesehen?«

»Großer, kräftiger Typ. Einsfünfundachtzig.«

»Dunkles, lockiges Haar und braune Augen?«

Smallwood sah sie erstaunt an. »Ja.«

»Klingt so, als ob mein Mädchen dahinterstecken könnte.«

»Das habe ich mir gedacht, und deshalb bin ich hergekommen. Was wissen Sie von ihr?«

»Ihr Name ist Selma Yorke, klein, lockiges blondes Haar, lächelt nie.«

»Ist das alles?«

»Es bringt sie zu sexuellen Höhepunkten, wenn sie zusieht, wie Männer in ihren Autos verbrennen. Und sie macht Fotos davon.«

»Wo könnte sie Hillborn und seinen Bruder getroffen haben?«

»Sie mag Brüder.« Sonora schnürte es die Kehle zu. Sie schluckte schwer.

Smallwoods Blick war voller Mitleid. »Ich bin nie auf jemanden gestoßen, auf den Ihre Beschreibung passen könnte.«

»Sie sagten, die Leute kämen manchmal nach Lexington; Vaughn also auch. Vielleicht ist er ihr dort aufgefallen.«

»Ich habe das überprüft. Er hatte seit Monaten Reisen zu den Universitäten gemacht, um sich das beste Angebot auszusuchen, hatte fleißig trainiert, studiert und auf der Farm gearbeitet. Ostern war er das letztemal in Lexington, und er ist dort nur im Kaufhaus Sears gewesen, um sich verschiedenes Handwerkszeug zu kaufen, sowie im Steuerberatungsbüro H&R Block, um seine Steuererklärung zu besprechen und abzugeben.«

»Warum haben Sie mich nicht vor drei Wochen angerufen?«

»Sie haben mir anscheinend nicht richtig zugehört. Der Fall ist abgeschlossen, und ich bin eigentlich gar nicht hier bei Ihnen, und die Untersuchung wird nicht fortgeführt. Aber ich habe Kopien der Untersuchungsberichte im Kofferraum meines Wagens, und wenn Sie sie wollen, gebe ich sie Ihnen gerne.«

»Ich arbeite nicht mehr an dem Fall. Warum … Einen Moment mal … Sie sagten, Vaughn sei um die Osterzeit in Lexington gewesen?«

»Ja.«

»Um seine jährliche Steuererklärung zu erledigen?«

»Ja, bei H&R Block im Sears-Gebäude.«

»Sears ... Zum Teufel ja, neben dem Allstate-Büro! Ashley Daniels arbeitet bei Allstate in einem Kaufhauskomplex. Es sind die *Steuern*. Der 15. April als fester Steuertermin! Es geht gar nicht um Ostern, es ist dieser Steuertermin! Es ist das Steuerberatungsbüro H&R Block!« Sonora stützte das Kinn auf die Faust. »Es wird interessant sein zu erfahren, wie viele von Selmas Opfern ihre Steuererklärung von der Firma H&R Block erledigen lassen.«

»Machen Sie sich nichts aus meinem verwirrten Gesichtsausdruck, Schätzchen, sagen Sie mir nur, ob ich Ihnen irgendwie geholfen habe.«

»Ja, Sie haben mir sehr geholfen. Vielen Dank, Deputy Smallwood. Und ich versichere Ihnen, ich habe Sie nicht gesehen, kein Wort mit Ihnen gesprochen. Und Sie dürfen jederzeit wieder mein Wohnzimmer aufräumen.«

Er schüttelte ihr herzlich die Hand. »Ihr Schaukelstuhl ist echt komfortabel, und ich bin total verknallt in diesen Hund.«

54 Das Büro war ihr vertraut und doch fremd – ihr Schreibtisch unnatürlich aufgeräumt, keine Nachrichten auf dem Anrufbeantworter. Es roch nach abgestandenem Kaffee, und Sonora hatte das Gefühl, erst gestern zum letztenmal hiergewesen zu sein, und dann wieder, daß es hundert Jahre her war.

Sie schlüpfte in Cricks Büro, ehe jemand anderer sie sehen konnte.

Er brütete mit finsterer Miene über einem Computerausdruck, aber als er sie erblickte, lächelte er sie an.

»Heimkehr aus dem Krieg«, sagte er und bot ihr einen Stuhl an. »Wie geht es Ihren Kindern?«

Sonora setzte sich. »Sie nehmen es so gelassen hin, daß es mich geradezu beunruhigt.«

»Kinder sind zäh. Machen Sie gesundheitlich Fortschritte nach dem Nervenzusammenbruch?«

Sie lachte und stellte im selben Moment fest, daß sie das schon lange nicht mehr gemacht hatte. »Es geht mir bestens, danke, Sir.«

»Ich sehe, daß Sie ein sauberes Hemd mit Krawatte tragen. Heißt das, daß Sie ganz gelöst wieder in die Arbeit einsteigen wollen?«

Sonora nickte.

»Sehr gut. Sie wissen, daß wir Sie nicht wieder aktiv im Daniels-Fall einsetzen können, aber wir können Sie in beratender Funktion gut gebrauchen. Oder aber Sie lassen die ganze

Sache sausen, und es wird Ihnen niemand auch nur den kleinsten Vorwurf machen.«

»Sie wissen, daß ich nicht aussteigen will. Hat man Fingerabdrücke oder irgendwas anderes auf den Fotos gefunden?«

Crick schüttelte den Kopf. »Wir haben Selmas Haus überwacht, aber es gibt keinerlei Anzeichen dafür, daß sie oder jemand anderer dort jemals wieder auftaucht. Wir versuchen, einen richterlichen Durchsuchungsbefehl für das Anwesen zu bekommen. Bis jetzt hat der Richter das abgelehnt.«

»Ich habe meine Kinder aus der Stadt schaffen müssen, mein Bruder ist einem Brandanschlag zum Opfer gefallen – und der Richter sagt trotzdem nein zu einem Durchsuchungsbefehl?«

Cricks Gesichtszüge blieben ausdruckslos.

»Was ist mit Molliters großartiger Zeugin?«

»Wir haben eine Tote in der Leichenhalle, bei der es ganz so aussieht, als ob es diese Zeugin wäre. Molliter ist heute beim Gericht. Er wird sie morgen identifizieren.«

»Ich könnte das übernehmen. Ich habe sie bei der Anhörung ja gesehen.«

»Das wäre hilfreich.«

Sie blickten einander an.

»Könnte eine Tasse Kaffee Ihre Nerven stärken, Sonora?«

»Sir?«

»Damit Sie endlich das loswerden, was Ihnen im Kopf rumspukt.«

Sonora atmete tief durch. »Sie erinnern sich an das Gespräch, das wir in Keaton Daniels' Badezimmer geführt haben?«

Crick senkte leicht die Augenlider, sagte aber nichts.

Sonora rutschte auf die Kante ihres Stuhls und schaute zu Boden. »Ich habe mit Keaton Daniels geschlafen, und ich habe seine Dusche benutzt. Das körperliche Beweismaterial, das man im Badezimmer sichergestellt hat – es kann von ihr stammen, aber auch von mir.«

»Verstehe.«

»Selma hat das Haus beobachtet. Sie wußte, daß ich die Nacht dort verbracht habe. Am Morgen hat sie angerufen und gesagt, sie werde uns das heimzahlen, uns beiden.«

Crick sah sie schweigend an.

»Deshalb ist sie in mein Haus eingedrungen. Und in seines.«

Er legte die Fingerspitzen aneinander, ganz langsam und sorgfältig. »Da ist es ganz natürlich, daß Sie beunruhigt waren.«

»Das bin ich immer noch.«

»Es ist ein Wunder, Sonora, daß Flash Ihre Kinder nicht zusammen mit Ihrem Bruder umgebracht hat.«

Sie biß die Zähne aufeinander. »Es vergeht keine Minute, daß ich nicht daran denke. Vielleicht hat sie doch so was wie ein Gewissen.«

Crick deutete mit seinem Zeigefinger auf sie. »Jetzt hören Sie mal gut zu. Dieser Typ von Mörder hat niemals, *niemals* ein Gewissen. Flash hat Ihre Kinder nicht getötet, weil es zu diesem Zeitpunkt nicht in ihre Pläne gepaßt hat. Vielleicht hat es nicht in ihre Phantasievorstellungen gepaßt, denn diese Morde sind nichts anderes als Auswüchse ihrer Phantasie. Deshalb tut sie, was sie tut – sie lebt diese Phantasien aus. Und sie setzt sich keine Grenzen für das, was sie tun will. Machen Sie keinen Fehler, Sonora. Wenn sie auch nur den leisesten Drang verspürt hätte, die Kinder zu töten, sie hätte es ohne das geringste Zögern, ohne alle Hemmungen getan.«

Sonora nickte und lehnte sich zurück. »Da ist noch mehr.«

»Ich will keine Details wissen, Sonora.«

»Ich hatte von einem Deputy Sheriff aus einer abgelegenen Ecke von Kentucky Besuch, und er hat mir eine interessante Geschichte erzählt.«

»Hat er ebenfalls mit Keaton geschlafen?«

»Bitte, Sir! Selma hat in dieser Gegend auch mal zugeschlagen. Zwei Brüder – beide sind in Bränden ums Leben gekommen, einer von ihnen in seinem Wagen. Ein paar Monate davor hat einer der Brüder seine Steuerangelegenheiten bei H&R Block erledigt.«

»So?«

»Ja. Bei H&R Block im Sears-Gebäude. Diese Büros liegen im ganzen Land normalerweise neben einem Allstate-Büro, zumindest war das früher so. Können Sie mir folgen?«

Crick runzelte die Stirn. »Nicht ganz.«

»Daniels' Frau Ashley ist Agentin bei der Allstate-Versicherungsgesellschaft. Ihr Büro liegt direkt neben einem von H&R Block, in dem zum jährlichen Steuertermin eine Menge Publikumsverkehr herrscht. Ich habe das überprüft. Die Morde sind alle im Herbst geschehen, aber vorangegangen sind monatelange Telefonanrufe und, wie ich annehme, ein intensives Auskundschaften der Opfer. Keaton sagt, bei ihm hätten die Anrufe im April begonnen. Auch bei Selby, diesem Mann in Atlanta, fing es im April an. *April*. Denken Sie doch mal an den 15. April. Jährlicher Steuertermin, H&R Block. Verstehen Sie jetzt?«

»Wollen Sie damit sagen, Flash sei als Steuerbeamtin oder so was tätig, arbeite für die Nationale Finanzverwaltung?«

»Nein, ich will damit sagen, daß sie als Steuerberaterin in Büros der Firma H&R Block arbeitet. Es ist nicht schwer, so einen Job zu machen, es ist Saisonarbeit, und die Firma schult ihre Leute selbst. Das paßt genau in ihr psychologisches Profil – eine periodische, relativ anspruchslose Beschäftigung. Wenn der Steuertermin vorbei ist, hat sie viel Zeit – und eine lange Liste möglicher Opfer mit Namen, Adressen sowie Angaben zum Einkommen und zu den steuerlichen Abzügen.«

»Ja.« Crick strich mit den Fingerspitzen über sein Kinn. »Das würde auch zu ihrer seltsamen Vorliebe für Zahlen passen. Was waren das noch – Dreien und Neunen?«

»Dreien sind böse, Einsen sind scheu.«

»Sie ist offensichtlich ein wenig anders als Ihre normale Kundschaft.«

Sonora sah ihn an und wartete, dann sagte sie: »Nun legen Sie endlich los, Crick, verdammt noch mal. Schreien Sie mich an, und lassen Sie uns die Sache hinter uns bringen.«

Er lehnte sich zurück und lächelte sie traurig an. »Normalerweise würde ich Sie zumindest woandershin versetzen. Aber ich sehe über Ihre schwerwiegende Pflichtverletzung hinweg. Ich denke, Sie hatten genug Kummer in der letzten Zeit.«

Sonora hielt den Blick auf den Boden gerichtet. »Sie scheinen nicht sonderlich überrascht zu sein. Ich schließe daraus, daß ich eine schlechte Lügnerin bin.«

»Nein, das war es nicht. Es war Flash, die mich überzeugt hat. Irgend etwas hat sie in Aufruhr versetzt und dazu gebracht, Sie zu beobachten und Ihren Bruder zu töten. Könnte sein, daß sie einfach nur den Cop-Feind in Ihnen sieht, könnte aber auch mehr sein. Ich habe jedenfalls gedacht, es müßte mehr dahinterstecken. Ihre Kinder kamen einer Katastrophe verdammt nahe. Wenn mir das schon Alpträume beschert, was muß das erst für Sie bedeuten.«

Sonora kaute an ihrem Fingernagel.

»Sehen Sie, Sonora, Ihre Kinder sind aus der Stadt, aber sie können ja nicht ewig wegbleiben. Wir müssen Flash wieder in Aufruhr versetzen, sie wütend machen. Wir müssen sie aus dem Gleichgewicht bringen, aus der Reserve locken.«

»Wollen Sie, daß ich noch mal mit Keaton schlafe?« Der Blick, den er ihr zuwarf, ließ sie bedauern, daß sie das gesagt hatte.

»Radioveranstaltung mit Anrufen der Zuhörer, erinnern Sie sich? Wir hatten uns schon entschlossen, Sam Ihren Platz einnehmen zu lassen, aber wie Sie wissen, wird es mit Ihnen verdammt viel besser funktionieren. Das Problem ist nur die Sache mit Ihrem Bruder: Das wird viel Aufmerksamkeit erregen.«

»Das ist genau das, was Sie wollen, oder nicht?«

»Könnte ja aber sein, daß *Sie* es nicht wollen.«

»Was ich will …« Sonora schob die Hände zwischen ihre Knie »… ist nur eines – ich will sie festnehmen.«

55 Sonora ging vorsichtig über den frisch gewischten Fliesenboden. Es war still im Leichenschauhaus, in den meisten Büros brannte kein Licht mehr. Irgendwo hörte sie eine Stimme, die Eversleys sein konnte.

»Ja, sicher, wieder mal so ein mysteriöser Diebstahl. Erst meine Hähnchen-Gutscheine, dann das. Oder wollen Sie etwa sagen, die Leichen würden das Zeug klauen?«

Sonora ging zum Kühlraum. Das Thermometer zeigte 12,7 Grad Celsius an. Durch das große Sichtfenster sah sie die Leiche von Sheree La Fontaine einsam und verlassen auf einer Bahre liegen, steif wie ein Stock, ein Handtuch um die Füße geknotet.

Marty stand plötzlich neben ihr und wartete geduldig, bis sie sich ihm zuwandte. »Ich sage es nicht gerne, Detective, aber wir hatten schon Leichen hier, die schauten gesünder aus als Sie.«

»Dann bin ich ja hier richtig, oder?«

Er nickte zu der Leiche hinüber. »Ist sie das?«

»Ja, das ist sie. Sheree La Fontaine, ein Straßenmädchen von der anderen Flußseite, stammt aus einem der Carolinas.«

»War sie nicht eine Verdächtige in diesem Daniels-Fall?«

»Nicht mehr. Ich nehme an, Todesursache sind die Stiche in ihrem Hals, richtig?«

»Wir werden Sie noch zum Pathologen machen.« Marty trug etwas in ein Formular auf seinem Klemmbrett ein. »Unterschreiben Sie hier.«

Sonora kritzelte ihre Unterschrift hin.

»Ich dachte, Molliter würde herkommen.«

»Er hat seinen freien Tag, mußte aber zum Gericht, und so kriegt er bereits anderthalb Tagessätze bezahlt; außerdem war ich gerade in der Nähe. Ich bin auf dem Weg zu einer Radiosendung, so einer Rufen-Sie-an-Sendung.«

Sonora lehnte sich in dem Sessel zurück, lockerte die Riemchen ihrer hochhackigen Schuhe und entschloß sich, sie, wenn sie wieder zu Hause war, wegzuwerfen. Sie schaute aus dem Fenster. Es war dunkel draußen. Vor der Abfahrt hatte sie noch mit den Kindern telefoniert. Sie stritten sich häufig und genossen den Strand.

Sie nahm einen Schluck Wasser und fragte sich, ob sie noch Zeit hatte, zur Toilette zu gehen.

Ein Mann in Jeans und einem olivgrünen Pullover saß vor einem Kontrollpult. Er lächelte ihr zu. Da er wußte, daß sie nervös war, hatte er alles versucht, das Unmögliche möglich zu machen und zu erreichen, daß sie ganz gelöst an die Sache heranging.

Er strich sich über den dichten schwarzen Schnurrbart auf der Oberlippe. »Vergessen Sie die zehn kleinen Worte nicht, die wir nicht sagen dürfen, wenn wir auf Sendung sind.«

»Na ja, Sie würden dann nur Ihre Sendelizenz verlieren, ich aber meinen Job.«

Er schien zufrieden mit ihr zu sein. »Dann also los. Wenn Sie den unwiderstehlichen Drang verspüren, heftig husten oder sich übergeben zu müssen oder sonst was, so heben sie nur den Zeigefinger, ich überspiele das dann irgendwie. Auf geht's, zwei, drei … und hier ist Ritchie Seevers, live auf Sendung, heute abend mit Specialist Sonora Blair von der Mordkommission Cincinnati als Gast. Specialist Blair ist – da liege ich doch richtig, oder? – die Leiterin der mit den Ermittlungen im Mordfall Mark Daniels beauftragten Sonderkommission.«

»Ich war das, ja, bin es aber nicht mehr.«

Seevers schlug sich an die Stirn. »Ach ja, natürlich! Für diejenigen unter Ihnen, liebe Zuhörer, die in einem Nachrichtenvakuum gelebt haben – der Bruder von Specialist Blair war das letzte Opfer der Flashpoint-Mörderin. Heute aber ist Specialist Blair hier, um uns über den Stand der Ermittlungen in dem wahrlich abscheulichen Mordfall Mark Daniels Rede und Antwort zu stehen. Wie Sie sich wahrscheinlich erinnern, ist Mark Daniels in seinem Wagen bei lebendigem Leib einem Brandanschlag zum Opfer gefallen. Sie wird uns Männern auch einige Sicherheitstips geben.« An dieser Stelle, bei dem Hinweis, daß Männer Sicherheitstips gegen eine Frau brauchten, lachte er. »Und wenn von Ihnen da draußen jemand Fragen an Specialist Blair hat, dann haben Sie keine Hemmungen, und rufen Sie uns an.«

Seevers machte eine Pause, und Sonora fragte sich, ob er jetzt einen Kommentar von ihr erwartete. Ihr fiel nichts Gescheites ein, das sie hätte sagen können.

Seevers lächelte und fuhr fort: »Detective Blair, haben Sie … Halt, ich stelle meine Fragen zurück, ich glaube, wir haben jemanden in der Leitung.«

»Hallo?«

Die Stimme einer Frau. Sonora spürte, wie ihr Herz schneller schlug.

»Ja, hallo, Sie sind auf Sendung mit Ritchie Seevers und Specialist Blair von der Mordkommission Cincinnati.«

»Oh, Ritchie, ich höre mir alle Ihre Sendungen an. Und heute möchte ich eine Frage stellen.«

»Wir sind ganz Ohr, aber sagen Sie uns doch bitte erst einmal Ihren Namen.«

»Rhonda Henderson.«

»Ich grüße Sie, Rhonda, danke für Ihren Anruf. Welche Frage haben Sie?«

»Meine Frage? Ich wollte nur wissen … hm … Sie sind also eine Frau, und Sie sind Polizistin. Tragen Sie eine Schußwaffe wie Ihre männlichen Kollegen?«

Sonora schlug die Beine übereinander und lehnte sich zurück.

»Alle Polizeibeamten sind verpflichtet, eine Schußwaffe zu tragen.«

»Wissen Sie denn, wie man damit umgeht? Haben Sie Spaß am Schießen?«

Sonora seufzte und merkte zu spät, daß das laute Ausstoßen von Atemluft in einer Live-Sendung des Rundfunks nicht angebracht war. Seevers spulte routiniert sein Programm ab, hieß einen weiteren Anrufer willkommen, diesmal einen Mann. Sonora verlagerte ihr Gewicht und versuchte die angespannten Muskeln im Kreuz zu lockern.

»Ma'am, Sie sind doch die Polizistin, deren Bruder beim Brand seines Saloons umgekommen ist, nicht wahr?«

»Ja, das stimmt.«

»Sie müssen sich scheußlich fühlen.«

Seevers warf ihr einen teilnahmsvollen Blick zu. »Danke für Ihren Anruf, Sir. Wir wissen Ihr Mitgefühl zu schätzen.«

»Werden Sie sie töten, wenn Sie sie erwischen?«

»Es ist meine Aufgabe, für die Einhaltung unserer Gesetze zu sorgen, nicht sie zu brechen«, antwortete Sonora.

»Aber wenn das mein Bruder gewesen und ich an Ihrer Stelle wäre, würde ich die Mörderin nicht lebend davonkommen lassen.«

»Mir geht es vor allem darum, sie aus dem Verkehr zu ziehen.«

»Und wie lange wird das noch dauern? Nachdem sie sozusagen einen von euch getötet hat, rechne ich damit, daß ihr jetzt mit besonderem Eifer an ihrer Verhaftung arbeitet.«

»Niemand versteht Ihre Frustration besser als ich, Sir, aber wir hatten vom ersten Tag an ein Team aus hochqualifizierten Polizeibeamten auf diese Frau angesetzt. Alle haben praktisch rund um die Uhr gearbeitet und werden das auch weiter tun, bis wir sie festnehmen.«

»Ja, aber …«

Sonora spürte, daß ihr Gesicht zu glühen begann. Sie versuchte sich zu konzentrieren, dachte, daß Stuarts Tod noch zu kurz zurücklag, daß sie nicht gut reagierte und die ganze Sache vermasselte. Seevers gab ihr ein Zeichen. Der nächste Anrufer.

»Ich möchte nur mal eins wissen – wo bleibt eigentlich Ihr Mitgefühl für diese arme Frau?« Es war eine ältere Anruferin, und sie klang zornig.

Sonora ließ sich mit offenem Mund gegen die Lehne des Sessels sinken. Wo ihr Mitgefühl für diese *arme* Frau blieb?

»Ich meine, warum besinnen Sie sich nicht auf die Realität? Sie wissen es und ich weiß es – nur *Männer* töten ohne Grund. Ich bin ganz sicher, dieses arme Mädchen ist hier das Opfer.«

Sonora beugte sich ganz dicht zum Mikrofon vor. »Ma'am, ich habe in der Notaufnahme bei einem zweiundzwanzigjährigen College-Studenten gesessen, den man kurz vorher aus einem brennenden Wagen gezogen hatte. Ich kann Ihnen versichern, *er* war das Opfer.«

»Das sagen Sie doch nur, weil es Ihr Bruder war.«

»Ich spreche jetzt nicht von meinem …«

Die Stimme der Frau sprang eine Oktave höher. »Sie wissen ja gar nicht, was diese Kerle dem armen Mädchen angetan haben. Wahrscheinlich haben sie ihr oftmals *Gewalt* angetan und …«

414

Sonora gab sich Mühe, ganz ruhig zu klingen. »Ma'am, ich muß Sie unterbrechen und klarstellen, daß diese Flashpoint-Mörderin ihre Opfer über lange Zeit beobachtet hat, daß sie …«

»Wissen Sie, Sie sind ganz sicher nicht objektiv in dieser Sache, meinen Sie nicht auch, Detective?« Die Stimme war jetzt leise, angespannt.

Sonora biß sich auf die Innenseite ihrer Wangen. Flash hatte dunkle Tiefen femininer Wut aufgerührt. Diese Frau war unbelehrbar. Sonora fragte sich, wie viele andere von ihrer Sorte es da draußen noch gab.

»Und ich meine, ganz egal, was *Sie* sagen, man kann dem ja wegen der Sache mit Ihrem Bruder und allem sowieso nicht trauen. In Wirklichkeit wissen Sie sehr *gut*, Miss, daß dieses Mädchen wahrscheinlich sein ganzes Leben lang schrecklich gequält worden ist, vielleicht vergewaltigt wurde. Wir haben ja keine Ahnung, welchem Horror sie ausgesetzt war.«

Von wem reden wir hier eigentlich, dachte Sonora, von mir oder von Flash? Sie biß die Zähne zusammen.

»Ich weiß nur eins, Ma'am, was auch immer sie erlebt hat, sie hat kein Recht, unschuldige Männer zu fesseln und in Brand zu stecken und zu töten. Und diese objektive Feststellung hat nichts damit zu tun, daß man diese Frau jagen muß wie einen Hund, der sie nun einmal ist, und die Mordkommission von Cincinnati *wird* das tun.«

Seevers unterbrach mit genau der richtigen Sanftheit in der Stimme, die jedoch durch den Schweiß auf seiner Stirn Lügen gestraft wurde. »Wir danken Ihnen, Ma'am, daß Sie uns Ihren Standpunkt mitgeteilt haben.«

Sonora lehnte sich wieder zurück. Sie hatte Stuarts Beerdigung durchgestanden, ohne eine Träne zu vergießen, hatte die Blicke und das Geflüster derer still ertragen, die sie beobachtet und auf ihren Zusammenbruch gewartet hatten. Seevers drückte ihr einen Stapel Papiertücher in die Hand.

»Wir haben gerade noch Zeit für einen weiteren …« Seevers sah sie fragend an. Sonora schluckte und nickte dann. »Ritchie Seevers mit …«

»Hallo, Freundin, ich bin's.«

Sonoras Kehle wurde schlagartig trocken. Sie sah Seevers an. Dieser machte große Augen, und Schweißperlen traten wieder auf seine Stirn. Jetzt hat er genau das, worauf er gewartet hat, dachte Sonora, und nun weiß er nicht, was er damit anfangen soll.

»Ich rufe nur an, um mich von Ihnen zu verabschieden«, sagte Selma.

Sonora runzelte die Stirn. »Warum verabschieden? Verlassen Sie unsere Gegend?«

Selma lachte. »Euereins läßt keine Chance aus, wie?«

»Warum gehen Sie weg?«

»Sie wissen, warum. Es ist schlecht gelaufen. Ich muß mich neu umschauen.«

Ein neues Opfer, dachte Sonora. Sie wird sich wieder jemandem an die Fersen heften.

»Was wollen Sie, Selma? Wonach wollen Sie sich umschauen?«

Langes Schweigen, und als sie dann die Worte sagte, kamen sie ganz langsam. »Nach einem Platz, an dem ich glücklich sein kann.«

»Glück kommt aus dem Inneren«, entgegnete Sonora und gab damit eine psychologische Weisheit seichter, schmalziger Pop-Sendungen von sich.

Stille. »Nicht bei mir«, sagte Selma schließlich so leise, als ob sie schläfrig wäre.

416

56 Crick fuhr sich mit den Fingern über den Nakken und sah Sonora fragend an. »Flash jagen wie einen Hund?«

Gruber räusperte sich. »Ich glaube, der genaue Wortlaut war ›sie jagen wie einen Hund, der sie nun einmal ist‹. Ich muß sagen, ich fand das gut.«

Crick schaute zur Seite. »Lieutenant Abalone fand das *nicht* gut.«

»Na ja, Flash ist schließlich ein Mensch, kein Hund«, sagte Molliter.

»Ich bin keiner«, entfuhr es Sonora.

Sam sah sie an. »Du bist kein Mensch?«

Sonora runzelte die Stirn, merkte, daß sie müde war und dummes Zeug daherredete. Sie hatte wieder dieses scheußliche Gefühl – eingeengte Brust, Herzflattern, im Wechsel Hitzeanfälle und Kälteschauer. »Sie klang so komisch, findet ihr nicht auch?«

»Du bist die Expertin«, entgegnete Sam, »sie hat mit dir gesprochen.«

»Es war echt seltsam. Wie … irgendwie traurig, gedämpft, fast pathetisch.« Sonora sah Crick an. »Haben Sie mit Dr. Fischer darüber gesprochen?«

»Ja, aber das brauchte ich im Grunde nicht. Flash tut Ihnen doch nicht etwa leid, oder?«

»Nein, natürlich nicht.«

»Gut. Diese so niedlich klingende Ich-armes-kleines-Ding-

Stimme wird uns vielleicht Schwierigkeiten machen, wenn wir ihren Arsch einer Jury präsentieren.«

»Das klingt eindeutig nach Crick, nicht nach Psychiater-Analyse.«

»Na ja, Fischer hat eine Menge über Stufen der Stimulation geredet, über unterdrückte Stadien der ...«

»Was soll das denn?«

»Lassen Sie mich ausreden. In Kurzfassung: Flash läßt nach. Sie muß sich immer wieder einen Ruck geben, um weiterzumachen.«

»Vielleicht will sie sich in ihr Haus zurückziehen«, sagte Molliter.

Sam schüttelte den Kopf. »Sie ist depressiv, nicht dumm.«

Crick hob die Schultern. »Wir überwachen das Haus seit dem Zeitpunkt, als uns bekannt war, daß sie dort wohnt. Und sie weiß natürlich, daß wir es überwachen, sie wird nicht dorthin zurückgehen.«

»Dann lassen Sie es uns doch durchsuchen«, sagte Sonora. »Tragen Sie dem Richter die Analyse von Dr. Fischer vor.«

Crick schüttelte den Kopf. »Sie werden nicht ...« begann er. Es klopfte, und Sanders streckte den Kopf durch den Türspalt. »Sir?«

Crick schob die Hand unter seinen Hemdkragen. »Warum zum Teufel drängen sich alle hier in diesem Raum zusammen? Nein, laufen Sie nicht weg, Sanders, kommen Sie rein.«

»Sie kann sich auf meinen Schoß setzen«, sagte Gruber.

»Wenn du nicht so viele Doughnuts essen würdest, könnte man deinen Schoß unter dem Bauch wenigstens sehen«, erwiderte Sanders bissig.

Sonora sah Grubers geschockten Gesichtsausdruck, schloß die Augen und lächelte vor sich hin.

»Ashley Daniels hat gerade angerufen«, sagte Sanders dann.

»Eine Frau, die sich als Police Specialist Sonora Blair ausgab, kam vor zehn Minuten in ihr Allstate-Büro.«

Sonora sprang auf. »Was?«

»Ich habe mir eine Beschreibung der Frau geben lassen. Sie war klein und blond, und Mrs. Daniels meinte, sie komme ihr bekannt vor, wußte aber sofort, daß es nicht Sonora war.«

Crick ließ seine Fingerknöchel knacken. »Haben Sie Ashley Daniels mal von Angesicht zu Angesicht gesehen, Sonora?«

»Ja, ganz kurz.«

»Das ist Flash«, sagte Sam.

Sanders nickte. »Die Frau forderte Ashley Daniels auf, zu einem Verhör mit ihr zu kommen. Aber als Mrs. Daniels verlangte, sie solle sich ausweisen …«

»Gut gemacht, Mädchen«, murmelte Gruber vor sich hin.

»Die Frau sagte, sie habe ihre Jacke mit dem Ausweis im Wagen liegenlassen. Dann versuchte sie Mrs. Daniels zu überreden, mit ihr zum Parkplatz zu gehen, aber die lehnte das ab. Daraufhin sagte die Frau, sie hole ihren Ausweis und komme gleich zurück. Aber sie tauchte nicht wieder auf.«

»Okay«, sagte Crick. »Sie wollte sich also die Frau von Keaton Daniels schnappen. Sie dreht langsam durch.«

»Wir müssen jetzt endlich Personenschutz für Keaton abstellen, Sir.«

»Ja, das werden wir tun müssen. Wir haben sie aus der Reserve gelockt. Ich will nicht seinen Tod auf mein Gewissen laden.«

Alle waren inzwischen auf den Beinen.

»Aber wieso kam sie Mrs. Daniels bekannt vor?« fragte Molliter. »Das hat Ashley Daniels doch gesagt, oder?«

Gruber hob die Hand. »Weil sie wahrscheinlich mehrere Monate lang etwa zehn Meter voneinander entfernt ihren Jobs nachgingen. Wir haben das überprüft. Selma Yorke hat im Steuerberatungsbüro der Firma H&R Block im Tri-County-

Einkaufszentrum im Sears-Gebäude gearbeitet. Alle ihre Kollegen sagen, sie habe schwarze Haare.«

»Das war wahrscheinlich dieselbe Perücke, die sie bei Mark Daniels' Beerdigung getragen hat«, meinte Sam.

Gruber sah Sonora an. »Wir haben darüber hinaus auch bestätigt gefunden, daß sie in einem Büro von H&R Block in Atlanta gearbeitet hat, und zwar am Lennox Square, ungefähr eine Meile von der Bank entfernt, in der James Selby Kassierer war. Er hat, wie wir definitiv feststellen konnten, seine Steuerangelegenheiten in diesem Büro erledigt.«

»Sie hat in beiden Fällen ihren echten Namen benutzt?« fragte Sonora.

»Die Mitarbeiter bekommen einen Bonus, wenn sie die Arbeit von Jahr zu Jahr fortsetzen.«

Crick schaute auf die Uhr. »Okay, Überwachung von Daniels. Richter Markham fährt in einer Stunde für eine Woche nach Hilton Head zum Golfspielen; er wird von Richterin Hillary Oldham vertreten. Oldham hat mal in einer Rechtsanwaltssozietät mit Lieutenant Abalones Bruder Samuel zusammengearbeitet, und sie mag Cops. Von ihr kriegen wir ganz bestimmt einen Durchsuchungsbefehl. Ich will unbedingt wissen, wie es in diesem Haus aussieht.«

»Darf ich mitkommen?« fragte Sonora.

»Sonora …«

»Bitte! Als Belohnung für meinen Radioauftritt.«

»Soll ich Sie dafür auch noch belohnen?«

57 Sie nahmen die Ausfahrt 1846 und kamen an einem Chili-Imbiß, einer Isadore's Pizzeria, Lagerhäusern sowie alten Schlachthöfen vorbei. Das Bürgerzentrum von Camp Washington hatte Gitter vor den Fenstern. Ein Schild an der Tür bezeichnete es als »sicheren Ort für Kinder«. Ein verblichenes Plakat an einem Telefonmast kündigte schreiend an: DIE ÄUSSERSTE HERAUSFORDERUNG – WETT-STREIT DER BÖSARTIGSTEN MÄNNER.

Von der Autobahnbrücke dröhnte das Motorengeräusch der Fahrzeuge. Es war ein grauer Tag, ein dünner Regenschleier durchzog die Luft. Sonora kurbelte das Wagenfenster runter und hörte das Kreischen abgebremster Räder auf Eisenbahn-schienen.

Sie schaute Sanders an, die hinten im Taurus saß. »Sam, auf dem Rückweg müssen wir mal anhalten. Sanders möchte Gruber ein Dutzend Doughnuts kaufen.«

Sanders kicherte, und Sonora grinste. Wir guten alten Mädchen müssen zusammenhalten. Sonora schaute aus dem Fenster auf eine Reklametafel, auf der ein brennender Personen-wagen zu sehen und die Frage zu lesen war: HABEN SIE SCHON MAL EINEN IHRER FREUNDE GERÖSTET? Und darunter stand: FREUNDE LASSEN IHRE FREUNDE NIE-MALS BETRUNKEN ANS STEUER.

Das Grinsen verging ihr.

Das Haus sah vernachlässigt und jetzt, am Ende des Tages, düster aus, fast versteckt hinter einer kahlen, verloren wirkenden Baumgruppe. Sam fuhr den Taurus auf einen schmalen Abstellplatz hinter einen verrosteten gelben Camaro. Eine große Frau in einer engen braunen Polyesterhose und einem schwarzen Sweatshirt beobachtete sie von ihrer Veranda aus. Ein Weihnachtsmann aus Plastik hing unter der Verandalampe. Sonora fragte sich, ob er vom letzten Jahr übriggeblieben oder die Frau sehr früh mit der Weihnachtsdekoration dran war.

Sam stieg steifbeinig aus dem Wagen. »Crick hat dafür gesorgt, daß die Leute, die das Haus beobachten, von unserem Kommen unterrichtet wurden, Sonora. Er wollte nicht, daß sie aufgeschreckt werden und dich verhaften.«

»Herzlichen Dank!«

Diesmal klopfte sie an die Haustür. Nichts rührte sich. Sam öffnete sie Tür mit dem Schlüssel, den sie sich vom Hausbesitzer hatten geben lassen. Sie schwang mit lautem Quietschen auf, schief in den Angeln hängend – verzogenes, altes, ungepflegtes Holz.

Sam gab Sanders ein Zeichen, sich zur Rückseite des Hauses zu begeben, zog seine Waffe und ging voraus in den Flur. Sonora folgte ihm dichtauf.

Das Wohnzimmer war klein und völlig verdreckt, sah aus wie der Welt größter Flohmarkt, wie hergerichtet für einen Garagen-Ramschverkauf, wie ein Keller in der finstersten Ecke der Hölle. Sonora atmete die abgestandene, stinkende Luft ein und dachte, daß Selma Yorke einen Meter von ihr entfernt stehen könnte und sie es nicht merken würde. Alte Kartons waren auf jeder freien Fläche aufgestapelt, die meisten mit Zeitschriften und vergilbten Zeitungen gefüllt. Wäschekörbe aus Plastik waren bis zum Rand mit alten Kleidern, abgetragenen Schuhen, Hüten, Handtaschen, Büchern und Modeschmuck vollgestopft – alles Sachen, die die Leute sonst auf dem Boden von Wandschränken oder hinten in Schubladen verstecken würden.

Sonora stöberte in einem Wäschekorb mit zerrissenem Plastikgewebe herum und stieß auf alte Babykleidung, einen hohen Schuh mit Hakenverschnürung und einen Faden mit aufgereihten orangefarbenen Perlen, wie ihn ein Kind in seinem Schmuckkästchen herumschleppen würde. Alles war mit einer dünnen Schmutzschicht überzogen.

Diese ganzen Sachen waren angeschafft und dann vergessen worden. Der Besitz allein schien zu genügen.

Die Küche war aufgeräumt und sauber. Die Geräte waren alt, das weiße Email an manchen Stellen angeschlagen und verrostet. Der Linoleumboden war hier und da aufgerissen und quietschte laut unter ihren Schritten. Auf der Küchentheke stand eine Menge Zeug herum. Sonora zählte allein fünf Brotkästen, die meisten alt, zerbeult und häßlich. Ein angeschlagener Teller, ein Becher und eine Gabel lagen in dem weißen, von Rostflecken übersäten Spülstein. Sonora faßte das Geschirr an – trocken. Sie fuhr mit dem Finger über den Boden des Spülsteins – ebenfalls trocken. Dann ging sie zum Kühlschrank, einem niedrigen, altmodischen Modell mit einem großen Metallgriff, und öffnete ihn. Da war nur eine Dose Hawaiian-Fruchtsaft drin. Die rechteckigen Öffnungen im Metalldeckel waren verrostet, und eingetrockneter Saft hatte in den Ecken eine rosa Kruste hinterlassen.

Die Regale waren mit weißen Kartons aus Styropor, zerknitterten McDonald's-Tüten und rot-weißen Kentucky-Brathähnchen-Schachteln vollgestopft. Eine weiße Plastiktüte enthielt mehrere eingetrocknete Hamburger in den blau-weißen Pappschachteln der Firma White Castle.

Die Frischhaltebox war leer, keine Früchte, kein Gemüse. Sonora schaute in die Tiefkühltruhe – Popsicle-Eis und

Limo-Pops, Fondantkringel, Dixie-Becher mit Eiscreme, einmal Vanille mit Fondantstreifen und einmal Vanille mit Erdbeerstreifen, Fruchteis-Pops. Pudding-Pops, Eiscremeschnitten von Sealtest, alles Dinge, die ein Kind sich aussuchen würde. Keine Breyers, keine Häagen-Dazs, kein Chunky-Monkey von Ben & Jerry's.

Der Hausarbeitsraum war eine Offenbarung. Leere Cola-Dosen waren ordentlich auf einem Regal aufgereiht, dazu drei unbenutzte Wäscheleinen, noch exakt aufgerollt und in der Mitte von klebrigen Folienstreifen zusammengehalten.

»Es ist wirklich Flash«, sagte Sam. Er ging zur Hintertür und winkte Sanders zu.

Sonora eilte die blanken Holzstufen der Treppe hinauf. Sie hatten sich verzogen, und es war unmöglich, lautlos nach oben zu kommen. Sie blieb in dem schmalen, dunklen Flur stehen, roch Staub, hörte das Ticken einer Uhr und dann Sam, der hinter ihr die Treppe hochkam.

»Das Badezimmer«, sagte Sam und deutete auf eine Tür.

Das Bad war klein und roch nach Moder. Die hüfthohe Holzverkleidung war von der Wand entfernt worden und hatte eine dunkle, schäbige Lücke zwischen dem mit braunen Flecken bedeckten Linoleumboden und der von Wasserflecken überzogenen Gipswand hinterlassen. Die Tür des Medizinschranks stand offen, die leeren Fächer waren von Rost und Schmutz orangerot gefärbt.

Selma Yorke hatte einige Kosmetiksachen zurückgelassen. Eine dicke rosafarbene, schwarz verschmierte Hülse mit Maybe-line-Wimperntusche, ein Lidstrich-Stift ohne Kappe und ein braunroter Lippenstift lagen neben dem Waschbecken, im trockenen Waschbecken waren Zahnpastaklümpchen. Sonora schaute in den Abfalleimer.

»Was gefunden?« Sam stand in der Tür und hob eine Braue.

Sonora sah ihn über die Schulter an. »Ich hasse es, wenn du das machst.«

»Hinter dir herschleichen?«

»Eine Augenbraue hochziehen.«

»Du haßt das nur, weil du es nicht kannst.«

Sonora kippte den Abfalleimer um – ein Klumpen rosafarbener Kaugummi, Einwickelpapier von einem Fondantkringel, verschmiert mit eingetrockneten Schokoladestreifen, und einige dünne blonde Haarbüschel.

»Sieht aus, als ob sie sich gerade mal wieder die Ponyfransen abgeschnitten hätte. Altes Verhaltensmuster.«

»Altes Verhaltensmuster und neuer Ärger.«

Auf einem benutzten Handtuch waren braune, orangefarbene und blaue Schmutzspuren. Sonora schnüffelte und roch Terpentin. Schwarze Stockflecken überzogen die Dichtungsmasse an den Seiten der Duschwanne.

Sam schnipste mit den Fingern. »Meinst du, wir finden Schamhaar im Abfluß?«

»Ja, ja, such nur, ich gönne dir den Spaß.«

Sie trennten sich. Sonora ging nach links zum Schlafzimmer und fand dort ein ungemachtes schmiedeeisernes Einzelbett vor, das an Gefängniskojen erinnerte. Das Laken war zum Fußende heruntergezogen und legte eine mit gelben Flecken bedeckte blau gestreifte Matratze frei. Das Kissen war flach, kleine Federn quollen aus einem Riß im Saum. Bettdecken waren nirgends zu sehen.

Der Gipsverputz der Wände war einmal dunkelgrün überstrichen worden, jetzt aber völlig verschmutzt. Der Teppich war dünn, grün und zeigte eine antike Skulptur.

Die Kommode war billig, die oberste Schublade leer. Die anderen drei Schubladen waren mit zusammengerollten Kleidungsstücken vollgestopft, so voll, daß sie sich nur mit Mühe aufziehen ließen. Alle möglichen Stücke drängten sich über die Kanten – Jeans, Unterwäsche, Nylon-Shorts.

Sonora ging zum Wandschrank. Die Metalltüren waren fest verschlossen.

Sie zog an einem wackligen Plastikknopf. Die Tür klemmte, quietschte, gab dann nach, und eine donnernde Lawine stürzte auf ihre Füße.

Puppen – alte, neue, moderne, antike Puppen, Barbies, Chatty Cathys, Thumbelinas aus Porzellan, aus Plastik, mit glasierten Gesichtern. Außerdem waren da einzelne Arme, Beine, Köpfe, winzige Kleider, Schuhe, marmorne und bemalte Augen, weit geöffnet, ins Leere starrend.

Sonora hörte Schritte und dann, wie Sam ihren Namen rief. Sie wühlte in der Lawine herum. Nichts Interessantes. Nur Puppen und Puppenteile.

»Sonora?« Sam stand mit der Waffe in der Hand in der Tür. »Alles okay? Ich habe dich schreien gehört.«

»Ich habe nicht geschrien.«

»Hier sieht's aus wie in Annies Zimmer.« Er zeigte mit dem Daumen zum Flur. »Du solltest dir mal das andere Schlafzimmer ansehen.«

Es war das bessere der beiden Schlafzimmer, und es nahm die ganze Rückseite des Hauses ein. Ursprünglich waren es zwei Räume gewesen, aber man hatte die Trennwand herausgeschlagen.

Das Zimmer hatte zwei Fenster zur Rückfront; die zerlumpten Vorhänge waren zur Seite gezogen, um Licht durch die verdreckten Fensterscheiben hereinzulassen.

In der linken Ecke lag Werkzeug – ein Hammer, Nägel, eine tragbare Black&Decker-Tischsäge, daneben Holzabfälle. Eine stabile Staffelei nahm die Mitte des Raums ein, und auf einem Holzregal lagen Farbtuben, Pinsel und Terpentindosen. Stapel von Leinwänden waren gegen die Wand gelehnt und in den Wandschrank geschoben.

Sonora sah sich das unvollendete, längst trockene Bild auf der Staffelei an.

Die Farben spiegelten Zorn wider. Schmutzige Rot-, Orange- und Brauntöne. Die Farben waren dick aufgetragen, und Gegenstände verschiedener Art – Knöpfe, Schuhriemen und Kleiderfetzen waren auf die Leinwand geklebt. Ein unpassender Stofflappen in eisigem Blau auf der linken Seite stand in einem seltsamen Gegensatz zum Rest des Bildes.

»Schau dir das an, Sam! Schau dir dieses Zeug an.«

Er drehte gerade die Leinwände an der Wand um. »Ach du meine Güte, Sonora, ist das ein unheimliches Scheißzeug!«

»Jetzt wissen wir, warum sie den Opfern die Kleider weggenommen hat.«

»Schau dir das da drüben mal an.«

Holzkästen, die meisten im Format sechzig mal sechzig Zentimeter, waren auf einer Fläche von etwa vier mal drei Metern zu einem riesigen, bizarren Puppenhaus zusammengefügt.

Jeder einzelne Kasten war ein Stilleben für sich, und alle Puppen waren männlich, angezogen mit grob zusammengenähten, aus Jeans, Baumwollhemden und Khakisachen von Männern herausgeschnittenen Kleidungsstücken. Einige der Puppen saßen an Schreibtischen, andere spielten Basketball. Die erste stand hinter einem unbeholfen zusammengebastelten Schalter in der plumpen Nachbildung der Halle einer Bank.

James Selby, dachte Sonora.

Sie streckte die Hand aus, berührte die braunäugige Puppe jedoch nicht, die mit leerem Blick hinter dem Schalter hervorstarrte.

In dem Puppenhaus gab es eine Lücke. Der zweitletzte Kasten

fehlte. War das Mark Daniels gewesen? Der letzte Kasten war leer, das Holz noch roh und frisch ausgesägt. Sonora fragte sich, wer dafür vorgesehen war. Stuart? Keaton? Eine Schuhschachtel stand auf dem Fensterbrett über dem leeren Kasten. Sonora schaute hinein.

Ein winziges Teeservice aus Porzellan – genau richtig für die Finger eines sehr kleinen Mädchens. Es war zu zerbrechlich für ein Baby, wäre für dieses Alter kein praktisches Geschenk gewesen. Es war mit blauen Vergißmeinnicht bemalt, und es bestand aus einer kleinen Kanne mit Deckel, sechs runden Kuchentellern und vier Tassen mit Untertellern. Als Heather es vergangene Weihnachten unter dem Weihnachtsbaum gefunden hatte, hatte sie alle anderen Geschenke in einem Berg aus buntem Geschenkpapier und Bändern liegengelassen, ihre kleinen Ponys in einer Linie aufgestellt und sich in ihre kindliche Phantasie verloren, in eine Welt, in der Ponys aus Teetassen tranken, Bänder in den Schwänzen trugen und mit einem kleinen Mädchen im Nachthemd Konversation machten.

Sonora klammerte sich mit den Händen am Fensterbrett fest und ließ sich dann auf den Boden sinken. Im Geist sah sie Selma Yorke über den Rasen ihres Hauses schleichen, des Hauses, in dem Tim und Heather schliefen und spielten und in der Badewanne planschten, sah Selmas gierige Finger an Heathers kleinem Teeservice und fragte sich, ob eine der Barbies in dem Wandschrank voller Puppen nebenan nicht vielleicht von ihrer vergeßlichen Tochter draußen vor dem Haus liegengelassen und von dieser Frau mitgenommen worden war, die unschuldige Männer an Lenkräder ihrer Autos fesselte und bei lebendigem Leib verbrannte.

»Sonora? Bist du plötzlich müde geworden?« Sam ging neben ihr in die Hocke und sah besorgt aus.

»Es ist nicht so, daß ich nicht schon gewußt hätte, daß sie mein Haus dauernd im Visier hatte, ich muß mich jetzt nur mal einen Moment hinsetzen.«

»Du sitzt ja schon längst, Mädchen.«

58 Sam und Sonora waren im Wagen auf dem Parkplatz eines Taco-Bell-Schnellrestaurants. Der Motor tuckerte leise vor sich hin.

Sam tätschelte ihre Schulter. »Ist dir kalt, Sonora? Willst du meine Jacke haben?«

Sie fror tatsächlich, schüttelte aber den Kopf und schaute zu, wie die Regentropfen die Windschutzscheibe hinunterliefen. »Es ist irgendwie tröstlicher, wenn man annimmt, Leute wie Selma hätten keine Gefühle. Doch sie haben welche.«

»Ich weiß. Aber, Sonora …« er tippte auf ihr Knie » … viele Kinder werden mißbraucht, doch nur ganz wenige von ihnen entwickeln sich zu Mördern. Wenn du dabei wärst, wenn sie tut, was sie tut, ihr Gesicht sehen könntest, wenn sie tötet, dann hättest du keinerlei Sympathie mehr für sie.«

»Ja, sicher.« Sie drückte seine Hand. Sam ignorierte es und manövrierte den Wagen vor das Drive-in-Fenster.

»Komm, Mädchen, iß was, dann geht's dir besser.«

»Nimm für mich Reis.« Sonora kramte das Handy aus ihrer Handtasche.

»Was hast du vor?«

»Ich will nur hören, ob Nachrichten für mich vorliegen.«

»Warum gönnst du dir nicht wenigstens mal zehn Sekunden Ruhe und ißt was?«

Sonora saß mit dem Telefon in der Hand da, tippte die Nummern ein und horchte. Sam nahm eine aus dem Fenster hingehaltene Plastiktasche mit Essen entgegen.

Sonora schaute Sam an. »Shelby Hargreaves.«

Er parkte den Wagen neben einem für Schwerbehinderte reservierten Platz. »Die Frau aus dem Antiquitätenladen?«

Sonora nickte. »Sie bittet um Rückruf. Leih mir mal deinen Stift, damit ich die Nummer notieren kann.«

»Hier.« Sam gab ihr zusätzlich auch ein Tetrapack-Cola.

Sie zog den Strohhalm aus der Hülle und drückte ihn durch den Plastikverschluß. Cola quoll über den Rand und tropfte auf ihre Hose. Sie nahm einen Schluck und quetschte dann die Papptüte zwischen sich und die Tür.

»Du wirst wieder was verschütten und dich naß machen«, sagte Sam.

Sonora drückte das Handy ans Ohr. »Mrs. Hargreaves, hier ist Specialist Blair, Mordkommission Cincinnati.«

»Schön, daß Sie zurückrufen, Detective Blair.«

Sonora sah zu, wie Sam in einen Bohnen-Burrito biß. Er bevorzugte die milde Art, ohne Salsa.

»Es geht um die Puppe, über die wir gesprochen haben – die deutsche Porzellan-Bubenpuppe, die diese Frau sich angeschaut, aber nicht gekauft hat, erinnern Sie sich? Sie ist verschwunden, muß gestohlen worden sein.«

Sonora fuhr sich mit der Hand über die Stirn. »Sind Sie sicher?«

»Sie war gestern abend noch da, aber als ich heute nachmittag ins Geschäft kam, war sie weg. Ich habe überall nach ihr gesucht, und es erinnert sich auch niemand, sie verkauft zu haben. Außerdem existiert kein Kassenbon dafür.«

Sonora spürte, wie heiße und kalte Wellen ihren Körper durchfluteten. »Gut, daß Sie uns angerufen haben, Mrs. Hargreaves.«

»Ich wollte nur …«

»Danke. Sie haben uns sehr geholfen.«

Sonora brach das Gespräch ab. Sam sah sie fragend an. Bohnenpaste klebte in seinem Mundwinkel. Sie gab ihm ein Papiertaschentuch. »Selma hat die andere Puppe aus dem Antiquitätenladen gestohlen. Sie steuert auf den nächsten Mord zu. Sie will Keaton.«

»Sie hat die andere Puppe geklaut?«

»*Jemand* hat sie geklaut, und wir wissen beide, wer es gewesen ist.«

»Okay, bleib ganz ruhig, Mädchen, Daniels wird ja bewacht. Wir sollten allerdings schleunigst die Blue-Ash-Leute anrufen und verständigen.«

»Ich rufe in der Schule an.«

Sonora, die sich lang und breit identifizieren mußte, fragte nach Keaton.

»Tut mir leid, Mr. Daniels ist im Unterricht. Ich teile ihm aber später gerne mit, was Sie ihm sagen wollen.«

»Das ist ein dringender Notfall. Holen Sie ihn bitte ans Telefon.«

»Okay, warten Sie einen Moment.«

Sonora rieb sich mit der Faust über das linke Knie und nahm einen Schluck Cola. Sam biß erneut von seinem Burrito ab und kaute langsam.

Die Stimme meldete sich wieder und klang atemlos. »Tut mir leid, er reagiert nicht auf die Rufanlage. Eine Lehrerin hat vorübergehend seine Klasse übernommen, und sie sagt, er sei gleich wieder da. Ich werde ihm dann ausrichten, daß er Sie anrufen soll.«

»Ich bleibe lieber dran, bis er kommt.«

»Aber … ich nehme an, er ist für kleine Jungs.«

»So Gott will«, murmelte Sonora vor sich hin.

»Wie bitte?«

»Entschuldigen Sie. Ich muß Sie bitten, ihm eine Nachricht

zu übermitteln, sobald er rauskommt. Nein, warten Sie, lassen Sie mich mit Ihrem Direktor sprechen.«

»Er ist zum Zentralbüro gefahren.«

»Okay. Sie kennen Mr. Daniels' Situation?«

»Sie ist uns allen hier bekannt.«

»Gut. Dann werden Sie verstehen, daß es sehr wichtig für ihn ist, daß er diese Nachricht erhält. Sagen Sie ihm, er darf die Schule unter keinen Umständen verlassen, nicht, bis er wieder von mir hört, persönlich oder telefonisch. Mein Name ist Blair. Detective Sonora Blair.«

»Detective Blair. Verstanden. Ich werde es ihm persönlich sagen.«

»Ja, tun Sie mir bitte den Gefallen. Warten Sie vor der Toilette auf ihn, und sehen Sie zu, daß er die Nachricht erhält, sobald er rauskommt.«

Mit dünner, aufgeregter Stimme versprach die Frau, es zu tun. Sonora beendete das Gespräch und kaute an der Unterlippe.

»Ich habe ein verdammt schlechtes Gefühl, Sam.«

»Es ist alles in Ordnung mit ihm, nur keine Panik. Er wird ja überwacht.«

»Ich möchte zur Schule fahren.«

»Du weißt, daß Crick dich aus dem Weg haben will.«

»Sam, überleg doch mal, diese Leute von der Blue-Ash-Schulpolizei. Es ist ihr Territorium, sie überwachen ihn der Schule, richtig? Unsere Leute übernehmen ihn erst, wenn er sich auf den Heimweg macht. Ich möchte hinfahren. Ich möchte ihn sehen, ich möchte ihn warnen. Ich habe …«

»Ein verdammt schlechtes Gefühl, ich weiß.« Sam knüllte die Verpackung seines Burrito zusammen und warf sie auf den Rücksitz. »Okay, wir fahren hin. Unterwegs solltest du endlich deinen Reis essen.«

59 Auf dem Parkplatz von Keatons Schule herrschte ein wildes Durcheinander aus Bussen und Wagen von Eltern, die ihre Kinder in diesem Regen nach dem Unterricht abholen wollten. Zwei Streifenwagen der Blue-Ash-Schulpolizei mit rotierenden Blaulicht blockierten die kreisförmige Zufahrt vor dem Eingang.

»Um Gottes willen, Mädchen, hör auf, auf dem Riemen deiner Handtasche rumzukauen!«

»*Irgendwas ist passiert*, Sam.«

»Jetzt warte wenigstens, bis ich den Wagen zum Stehen gebracht habe.«

Sie sprang aus dem Auto. Der asphaltierte Weg war voller Pfützen. Kleine Kinder mit Schultaschen auf dem Rücken und Blechdosen für Pausenbrote in den Händen drängten sich unter dem Vordach zusammen. Sonora zwang sich wieder, langsam zu gehen.

Eine uniformierte Polizistin stand vor dem Eingang. Es war Officer Brady. Sie erkannte Sonora und winkte sie durch.

»Sie sind im Büro.«

Sonora nickte, ohne stehenzubleiben, ging um die Ecke und ins Büro.

»Das ist *sie*!«

Sonora hörte, daß eine Waffe aus dem Halfter gerissen wurde und hob schnell die Hände. »He, ich bin ein *Cop*!« Eines hatte sie auf jeden Fall erreicht – die Aufmerksamkeit aller Anwesenden war auf sie gerichtet. In dem Büro waren ein paar

Uniformierte, zwei Männer in Zivil und mehrere Frauen in Kostümen.

Sam kam hinter ihr angelaufen, seinen Ausweis schwenkend.

»Verdammt gute Möglichkeit, erschossen zu werden, Sonora.«

»Laß mich in Ruhe.«

»Oder von einem Auto überfahren zu werden. Wieso springst du wie eine Irre aus dem Wagen? Du …«

Sonora spürte, daß jemand ihre Schulter berührte. Der Mann war klein und rundlich, hatte einen dünnen Kranz weißer Haare, und sein rotes Gesicht war wahrscheinlich auf erhöhten Blutdruck zurückzuführen.

»Entschuldigen Sie, wenn ich Ihre Auseinandersetzung unterbreche. Ich bin Detective Burton, Blue-Ash-Polizei.« Er blickte Sam an. »Was sind Sie – Partner, verheiratet oder was?«

»Die Meinungsverschiedenheiten könnten auf beides schließen lassen, aber wir sind Partner«, antwortete Sam. »Ist Daniels okay?«

Burton öffnete den obersten Knopf seines Hemdes und lockerte seine Krawatte. »Daniels ist verschwunden.«

Sonora ließ sich gegen Sam sinken. »Ich hab's geahnt! Ich habe dir gesagt, ich hatte …«

»Ein schlechtes Gefühl, ich weiß.«

Burton deutete auf ein schwarzes Plastiksofa. »Jetzt setzen Sie sich erst mal, dann wollen wir versuchen, der Sache auf den Grund zu gehen.«

Er wandte sich einer Frau auf einem Schreibtischstuhl zu und sprach sie höflich und betont langsam an: »Mrs. Sowder, Sie haben keinen Grund, sich schuldig zu fühlen. Niemand macht Ihnen einen Vorwurf.«

Die Lehrerin, die sehr blaß war und verbittert aussah, nickte.

»Er hat Ihnen also gesagt, er bleibe nur kurze Zeit weg, komme gleich wieder zurück. Ist das richtig?«

»Ja, das ist richtig.«

Sonora stand vom Sofa auf. »Entschuldigen Sie, Mrs. Sowder, ich bin Specialist Blair. Hatten Sie den Eindruck …«

Burton hob die Hand. »Detective, ich …«

»Hören Sie, Burton, es ist mir klar, daß Sie hier zuständig sind, okay? Ich weiß, ich dränge mich dazwischen, aber es ist *mein* Mordfall, und während wir beide uns hier streiten, geht die Mörderin auf Keaton Daniels los. Lassen Sie mich nur eine Minute mit ihr sprechen, *bitte*.«

Das Wort »bitte« blieb ihr fast im Hals stecken, bewirkte aber den Durchbruch. Burton gab ihr mit einem Handzeichen zu verstehen weiterzumachen.

»Er hat sich nicht im Büro abgemeldet, Mrs. Sowder, das stimmt doch? Hatten Sie den Eindruck, daß er sich davonschleichen wollte?«

Die Lehrerin rieb sich über die Augen. »Das hätte mich nicht überrascht. Er schien sehr aufgeregt zu sein. Und er hat mich auch … er hat mich um meinen Wagen gebeten.«

»Ihren Wagen?«

»Er sagte, seiner sei kaputt, ob er meinen benutzen dürfe. Er sei in zwanzig Minuten wieder zurück.«

»Aber er sagte nicht, wo er hinfahren wollte?«

»Nein, doch er hat … er hat mich regelrecht bedrängt. Er war außer sich.«

Sonora runzelte die Stirn. »Und er konnte sich darauf verlassen, daß Sie, wenn er in zwanzig Minuten nicht zurück war, die Kinder nicht allein lassen würden.«

»Natürlich hätte ich das nicht getan.«

»Er wußte also, daß die Kinder in Sicherheit waren.«

»Ja. Ich habe schon das ganze Jahr in seiner Klasse unterrichtet. Wir arbeiten bestens zusammen. Wir sind Freunde.«

»Und er hat dann Ihren Wagen genommen?«

»Ja.«

»Hat aber nicht gesagt, wohin er fährt oder warum er weg muß?«

»Ich glaube, es hatte was mit seiner Frau zu tun.«

»Mit seiner Frau? Warum?«

»Er hatte eine Nachricht von ihr bekommen, und so rief er sie vom Sekretariat aus zurück. Als er dann von dort rauskam, sprach er mich an und sagte, er müsse kurz mal weg, ob ich auf die Kinder aufpassen könne.«

Sonora schaute in Keaton Daniels' Leihwagen. Der Regen durchnäßte ihr Haar und ihre Schultern und tropfte von Sams Nasenspitze.

»Drei Dinge wissen wir«, sagte Sam. »Erstens, er nahm nicht seinen Wagen und meldet sich auch nicht offiziell ab, was bedeutet, daß er sich heimlich davonmachen wollte. Zweitens, er hat die Schule mitten während der Unterrichtszeit verlassen und niemandem außer dieser Mrs. Sowder etwas davon gesagt. Drittens ... Was war noch mal drittens?«

»Seine Frau.«

»Richtig, seine Frau hat angerufen und um Rückruf gebeten. Oder eine Frau, die behauptete, seine Frau zu sein.«

»Es war seine Frau. Die Sekretärin hat ihre Stimme erkannt.«

»Okay. Komm, Mädchen, laß uns aus dem Regen gehn.«

Sonora lehnte sich gegen Keatons Wagen und biß sich in den Handknöchel. »Laß mich noch einen Moment nachdenken, Sam.«

»Genau das ist das Problem, Sonora. Du kannst nicht nachdenken, du bist viel zu aufgeregt.«

»Meinst du, diese Bemerkung sei hilfreich?«

Sie sahen sich an. Sams Krawatte klebte an seinem Hemd, Sonoras Haar hing in nassen, welligen Strähnen herunter.

»Mein Gott, Sam, Flash wird ihn töten. Er ist vielleicht schon tot.«

Regen platschte auf den Asphalt, und ein ständiger Fahrzeugstrom schob sich über die kreisförmige Zufahrt. Der Kinderschwarm löste sich langsam auf.

»Komm, wir versuchen es mal beim Allstate-Büro«, sagte Sam.

Burton überließ ihnen mit der Geste eines Gentlemans das Telefon. Sonora holte die Geschäftskarte, die Ashley Daniels ihr damals am ersten Tag gegeben hatte, aus der Jackentasche. Sie spielte nervös mit der Telefonschnur. Nach dem dritten Klingeln wurde abgehoben.

»Allstate, Beatrice Jurgins.«

Sonora wies sich aus und fragte nach Ashley Daniels.

»Tut mir leid, sie ist nicht im Büro. Kann ich Ihnen helfen oder ihr etwas ausrichten?«

»Hören Sie, das ist ein Notfall. Ich habe Grund zu der Annahme, daß Mrs. Daniels in Gefahr ist, und ich muß sie sofort sprechen.«

Die Stimme am anderen Ende wurde eine Oktave höher. »Sie ist aber nicht da.«

»Wo ist sie, wissen Sie das?«

»Sie hat eine Verabredung. Jemand rief an, und sie bat mich, im Büro für sie einzuspringen. Eine heiße Spur, sagte sie. Bestimmt geht es um eine Lebensversicherung, dachte ich.«

»Wann war das?«

»Sie hat den Anruf heute morgen bekommen und sagte, sie müsse einen Klienten während dessen Mittagspause treffen.«

»Hat sie Ihnen einen Namen genannt?«

»Nein, aber ... Warten Sie einen Moment. Vielleicht hat sie was in ihren Terminkalender eingetragen.«

Sonora wartete und schaute dabei Sam an. Sein Haar war naß und stand an einer Seite ab. Sie strich es glatt.

»Hallo, sind Sie noch da?«

»Ja«, sagte Sonora.

»Ich habe auf ihrem Schreibtisch nachgeschaut. Sie hat den Kalender leider mitgenommen.«

Sonoras Magen verkrampfte sich und schmerzte.

»*Aber* ...« jetzt klang die Stimme triumphierend »... sie hat ›Ecton Park‹ auf einen Notizblock gekritzelt, und ich wette, daß sie dort hingefahren ist.«

»Ecton Park? Seltsamer Ort, um einen Klienten zu treffen, meinen Sie nicht auch?«

»Nicht, wenn man eine Lebensversicherung abschließen kann. Und sie hat gesagt, sie treffe den Klienten zum Mittagessen.«

»Eine Frau oder einen Mann?«

»Es muß eine Frau gewesen sein, denn sie hat die getürkte Brille aufgesetzt. Das macht sie nur, wenn sie es mit einer Frau zu tun hat, denn Ashley sieht toll aus und möchte das dann ein bißchen runterspielen.«

»Ist es denn normal, daß sie sich mit Klienten an abgelegenen Orten trifft?«

»Ashley ist vorsichtig. Wenn sie jemanden nicht kennt, versucht sie immer, sich mit ihm im Büro zu verabreden. Aber zur Zeit läuft der Allstate-Herbstwettbewerb für Lebensversicherungen, und Ashley liegt gut im Rennen. Könnte eine Reise nach Hawaii für sie dabei rausspringen.«

Sonora seufzte. »Wann wollte sie denn zurück sein?«

Nach längerem Schweigen sagte sie: »Sie müßte längst wieder da sein.«

»Sie war also nicht vorsichtig genug. Danke, Mrs. Jurgins.«

Sam wischte sich mit einem Taschentuch über das Gesicht. »Hast du Ecton Park gesagt? Das ist in Mount Adams, ganz in der Nähe, wo Keaton wohnt.«

»Ja, und es ist einsam dort und dicht bewaldet. Genau nach Flashs Geschmack. Ich denke, Selma hat Ashley als Geisel genommen, und Keaton ist unterwegs, das Leben seiner Frau zu retten.«

Sam nickte. »Ich rufe Crick an.«

»Das kannst du vom Wagen aus machen. Laß uns losfahren.«

»*Ich* fahre.«

60 »Es ist ein verdammt großer Park«, sagte Sam.
»Sie wird beim Wasser sein.«

»Ja, aber da haben wir mindestens fünf verschiedene Plätze zur Auswahl.«

»Was für einen Wagen fährt diese Lehrerin?«

»Sowder? Einen Toyota Corolla.«

»Wenn wir diesen Wagen finden, dann finden wir auch Keaton.«

Sam fuhr an einem Gewächshaus und einem Wasserturm mit rostigen Pfeilern vorbei. Neben einem menschenleeren Aussichtspavillon kam ein Teich mit flachem grünlichem Wasser in Sicht. Der Regen kräuselte die Oberfläche.

»Was ist das?« fragte Sonora. »Eine Eisbahn?«

»Nein, ein Springbrunnen. Das Wasser ist schon für den Winter abgestellt.«

Der Taurus glitt darauf zu, bog um eine enge Kurve und stieß auf einen einsam am Ende des Teiches stehenden Wagen – einen Datsun Z in Metallicschwarz.

Sam sah Sonora an. »Weißt du, was für einen Wagen Ashley Daniels fährt?«

»Einen schwarzen Datsun Z.«

»Ist jemand drin?«

Sonora blinzelte durch ihr regennasses Seitenfenster. »Schwer zu sagen, die Fenster des Autos sind beschlagen. Ich geh mal hin.«

Ihre Jacke klebte an ihrem Körper wie eine zweite Haut, und

sie zitterte vor Kälte. Sie versuchte durch die Fenster hinein-
zuschauen und klopfte gegen das Glas. Dann zog sie am Griff
der hinteren Tür – sie war nicht abgeschlossen.

Sonora hielt die Pistole schußbereit, ging in die Hocke und
riß die Tür auf.

Doch niemand war im Wagen, und nichts als das Platschen
des Regens war zu hören. Versicherungsprospekte und eine
Aktentasche lagen auf der Rückbank, auf dem Beifahrersitz
war eine rote Handtasche, und auf der Mittelkonsole, unter-
halb des eingebauten Autotelefons, stand ein großer Pappbe-
cher von Rally's in einer Vertiefung. Ein dunkler Fleck zog
sich über eine Seite der Sitzpolsterung.

Sonora riß die Fahrertür auf.

Das Lenkrad war mit dunkelbraunen Flecken verschmiert,
und eine Blutlache hatte sich um das Gaspedal ausgebreitet.
Eine hochhackige schwarze Sandalette für den linken Fuß lag
auf der Konsole über dem Armaturenbrett.

Sonora hörte Schritte und schaute auf, direkt in Sams Gesicht.
Kleine Regenbäche liefen ihm die Wangen hinunter. Sie atmete tief durch.

»Das sieht nicht gut aus.«

Sam runzelte die Stirn. »Ich habe gerade mit Crick gesprochen. Ein Fahrer eines Streifenwagens der Parkaufsicht hat
eine Extrarunde gedreht und vor ein paar Minuten das Auto
der Lehrerin oben an der Straße gefunden, an einem Aussichtspunkt in der Nähe des Haupteingangs.«

»War jemand drin?« Sonora stieß die Tür des Datsun zu und
lief zusammen mit Sam zum Taurus zurück.

»Der Mann war sich nicht sicher, meinte aber, es sei niemand
im Wagen. Crick hat ihm gesagt, er soll wie üblich weiter seine
Runden drehen.«

Sam setzte den Taurus rückwärts aus der Ringstraße um den

Springbrunnen und fuhr zügig den Hügel hinauf. Crick war schon vor ihnen da und schaute in den leeren Toyota.

Sonora legte die Hand auf den Türgriff.

»*Warte*, bis ich anhalte, Sonora!«

Crick drehte sich um, als er ihre Schritte hörte.

»Nichts«, sagte er.

»Haben Sie schon in den Kofferraum geschaut?« fragte Sonora.

Crick schüttelte den Kopf. »Noch nicht. Ein Stemmeisen liegt hinten in meinem Wagen.«

»Ich hole es«, sagte Sam.

Sonora lief zum Rand des Parkplatzes und sah zum Fluß hinunter. Es war schwer, in dem Sprühregen etwas zu erkennen, und sie schirmte ihre Augen mit der Hand vor dem Regen ab. Eine Betontreppe führte von hier zu einem anderen Parkplatz, auf dem mehrere Wagen sowie eine Kinderschaukel und ein weiterer Springbrunnen, ebenfalls abgestellt, zu erkennen waren. Sie rannte zur anderen Seite des Parkplatzes, aber von dort war die Sicht auf den Fluß, der grau und im Regen schäumend da unten seine Bahn zog, nicht so gut.

Die Treppe ging am Rand einer Klippe steil nach unten. Eine Frau und ein Mann kamen ganz kurz in Sicht und verschwanden dann wieder.

»Da sind sie!« rief Sonora.

Sam und Crick rannten zu ihr. »Wo?«

Sie war sich nicht sicher, wer die Frage gestellt hatte, vielleicht beide gleichzeitig. »Auf der Treppe da unten.«

»Als ich herkam, habe ich mich auch gleich umgesehen, aber da war niemand«, sagte Crick.

»Sie sind vor einer Sekunde ganz kurz aufgetaucht.«

»Sind Sie sicher?«

»Zum Teufel ja, ich bin sicher.«

Sam wollte zur Treppe laufen, aber Crick hielt ihn am Arm fest.

»Wenn Sie ihnen jetzt zu nahe kommen, wird sie erst Daniels und dann Sie erschießen.«

»Ich werde sie vorher erwischen.«

»Wir müssen versuchen, Daniels' Leben zu retten. Ich schlage vor, wie fahren runter und verfolgen sie dann zu Fuß.«

Sonora schaute über den Rand der Klippe und kniff die Augen zusammen. Da war so eine Art Pfad. Die Leute hielten sich selten an Treppen, sondern versuchten stets, eine Abkürzung zu finden.

Sie zeigte darauf. »Ich gehe da runter.«

»Sonora …«

»Nur, um sie im Auge zu behalten. Wenn wir alle im Wagen runterfahren, verlieren wir den Sichtkontakt, und sie könnten überallhin verschwinden. Sie sind schon fast unten. Ich werde ihnen nicht zu nahe kommen, Crick, ich will sie nur nicht aus den Augen verlieren.«

»Okay.«

»Ich gehe mit ihr«, sagte Sam.

Sonora lief zu dem Pfad, Sam hinter ihr her. Je mehr sie sich ihm näherten, um so steiler sah er aus.

»Scheiße, Sonora, das schaffen wir nie im Leben!«

Sonora hielt sich an einem Baumstumpf fest und begann den Abstieg. Ihre Knie schmerzten unter der Anstrengung, den steilen Abhang hinunterzuklettern. Die Erde war im Regen matschig und schmierig geworden. Ihre Füße sanken in dem braunschwarzen Morast tief ein.

Schon nach wenigen Metern blieben ihre Füße im Schlamm stecken und rutschten dann unter ihr weg. Sie landete auf den Knien im Matsch. Sam zog sie am Arm hoch, zeigte nach unten und flüsterte trotz der weiten Entfernung und des lauten Platschens des Regens: »Da sind sie. Siehst du sie?«

Zwei durchnäßte Gestalten liefen auf einen Aussichtspunkt am Fluß zu.

»Weiter, Sonora!«

Als sie sich wieder in Bewegung gesetzt hatten, gab es keine Möglichkeit mehr abzubremsen. Am Fuß der Klippe hatte sich Regenwasser zu einer großen Pfütze gestaut, und Sam und Sonora wateten hindurch. Sam schaute zu dem Parkplatz hinüber.

»Kannst du Crick irgendwo entdecken?« fragte er.

»Nein, und Keaton ist auch verschwunden.«

»Sie müssen über das Schutzgitter geklettert sein.«

»Okay, Sam, du gehst links rum, und ich laufe in dieser Richtung hinter ihnen her.«

Sam schaute sich noch einmal nach Crick um und nickte.

Sonora kletterte über das Geländer und anschließend den Hügel hinauf auf das Gebüsch zu. Auf der linken Seite sah sie den Kentucky River sowie das Barleycorn's Floating Restaurant. Wenn sie weit genug in die andere Richtung ging, würde sie auf die Trümmer von Stuarts Sundown Saloon stoßen.

Sie lief jetzt durch hüfthohes Gras und Unkraut. Ihre Schuhe waren schwer von Matsch und Dreck. Der Regen wurde noch stärker, ihre Kleider tropften vor Nässe. Der Pfad führte nun zum Fluß hinunter, und sie taumelte weiter, halb laufend, halb gehend. Als sie um eine Kurve kam, sah sie die beiden, kaum zehn Meter von ihr entfernt.

Sonora blieb überrascht stehen und hielt den Atem an. Sie verspürte ein Prickeln, und ihre Handflächen waren plötzlich schweißnaß. Ein fast absurdes Bild, das sich ihr da bot – die kleine blonde Frau neben dem großen, breitschultrigen Mann.

445

Vor ihrem geistigen Auge zuckte das Bild des blutbefleckten Schuhs in Ashley Daniels' Wagen auf, das Bild der blutgetränkten Sitzpolsterung.

Sie hob die Waffe und zielte mit größter Sorgfalt. Keaton war noch zu dicht bei Flash, aber er ging schräg vor ihr. Sonora wartete, bis er aus der Schußlinie war – und drückte ab.

Selma Yorke zuckte zusammen und fuhr herum. Ihr blondes Haar war dunkel vor Nässe. Kein Treffer. Nicht einmal ein Streifschuß.

»Polizei!« schrie Sonora. »Selma Yorke, Sie sind verhaftet. Gehen Sie zur Seite, Mr. Daniels. Und Sie, Selma, lassen die Waffe fallen, sofort!«

»Sonora, sie hat Ashley irgendwo hier im Gebüsch versteckt. Sie ist verwundet, aber noch am Leben.« Keaton hielt eine Damenjacke hoch, sonnengelb zwischen großen Blutflecken. Selma blickte in Sonoras Richtung. »Sie haben mich also gefunden.«

Als Sonora sie zum erstenmal gesehen hatte, damals auf dem Friedhof, war es für sie geradezu enttäuschend gewesen, wie langweilig-normal Selma ausschaute. Heute dagegen wirkte sie selbst mit dem kurzen, am Kopf klebenden nassen Haar auf seltsame Art hübsch – rosa Wangen und ein energisches, zielstrebiges Glitzern in den Augen. Ihre Blicke trafen sich für einen kurzen Moment, dann sah Selma blitzschnell von Sonora weg zur Seite. Sonora hatte das in zwei ähnlichen Situationen bereits erlebt – diese Unfähigkeit, dem Blick eines anderen standzuhalten. In beiden Fällen waren es Menschen gewesen, die sich am Rand eines Zusammenbruchs befanden.

»Werfen Sie die Waffe weg, Selma.«

»Euereins hätte mir in den Rücken schießen können. Warum haben Sie es nicht getan?«

»Ich habe es versucht, aber ich bin ein schlechter Schütze, das ist alles.«

Selma lachte auf, ohne das Gesicht zu verziehen, aber Sonora erkannte das Aufflackern der inneren Qual in ihren Augen.

»Kommen Sie, Selma, werfen Sie die Waffe weg, und dann können wir irgendwo hingehen, wo es warm und trocken ist, und uns unterhalten.«

Selma schüttelte den Kopf. »Hier geht es nicht um *uns*, Detective. Hier geht es um *mich*, um mich und um *ihn*.« Sie drückte den Lauf ihrer Waffe an Keatons Schläfe.

Der wahrgewordene Alptraum. Sonora biß die Zähne zusammen. »Geben Sie auf, Selma…. Das sollten Sie nicht tun.«

»Ich *muß* es tun.«

»Nein, das müssen Sie nicht.«

»Ich will es aber.«

Sonora nahm noch genauer ihr Ziel ins Visier. »Aus dem Weg, Keaton!«

»Keine Bewegung!« befahl ihm Selma.

Keaton sah Sonora an. »Hören Sie, wenn es auch nur die geringste Chance gibt …«

»Ashley ist tot, Keaton. Ihr Wagen ist voller Blut.«

»Wissen Sie *genau*, daß sie tot ist?«

»Ich habe ihre Leiche gefunden. Und jetzt *aus dem Weg*. Machen Sie schon!«

»Liebste Freundin, euereins schwindelt da aber gewaltig.«

Keaton sah Sonora erneut an, und sie erkannte an seinem Gesichtsausdruck, wem er glaubte.

»Keaton, sie macht Ihnen was vor!«

Er schüttelte den Kopf. »Ich *muß* sie sehen! Ich will Ashley sehen!«

Selma schaute Sonora an. »Und Sie wollen das auch, oder?«

O Gott, Mom, Schau, was ich angerichtet habe! Sonora wußte, daß sie sich nicht weigern konnte.

»Also los, Detective. Sie zuerst, dann er, dann ich. Und Sie lassen jetzt ihre Waffe fallen, oder ich erschieße ihn gleich hier.« Sie preßte den Lauf ihrer Pistole unter Keatons Kinn, und Sonora erinnerte sich, daß sie ihn auf diese Stelle geküßt hatte und wie sich seine Arme angefühlt hatten, als er sie an sich gezogen hatte.

Sie kniff die Augen zusammen, ließ die Waffe fallen und fragte sich, wo zum Teufel Sam blieb.

Selma machte ihr mit dem Kopf ein Zeichen. »Da lang. Zum Fluß.«

Sonora drehte ihr den Rücken zu und marschierte los.

Sie wartete auf den Schuß, ein weiteres Spielchen, das Selma mit ihr treiben wurde, aber sie hörte nichts als die Schritte und den keuchenden Atem der beiden dicht hinter sich. Bis dahin hatte sie ihre ganze Energie auf Selmas Verfolgung konzentriert, darauf, die Mörderin zu fassen. Jetzt aber mußte sie dankbar sein, wenn es ihr gelang, Keaton lebend aus dieser Situation herauszubringen.

Der Pfad führte bergab, und Sonora bemerkte die Blutspur – einen rostroten Fleck auf dem Blatt eines jungen Baums. Sie stellte sich vor, wie Ashley Daniels den Pfad hinuntergetaumelt war, und dachte an den blutverschmierten Schuh im Wagen und an den Marsch durch den Regen, zu dem Selma sie gezwungen hatte. Sie fragte sich, ob es auch nur die geringste Chance gab, daß Keatons Frau noch lebte.

Die Dreckklumpen am Aufschlag ihrer Jeans zwangen sie, langsam zu gehen. Sie roch den Fluß und den Regen, und sie wußte, daß sie, wenn sie überlebte, nie mehr auf die schlammigen Fluten des Kentucky würde schauen können, ohne sich an diese Situation zu erinnern. Aus dem Augenwinkel sah sie

die Spur, einen langen, schmierigen Streifen, wo jemand aus-
gerutscht und hingefallen war, und sie sah auch Ashley Daniels' zweite völlig verdreckte schwarze Sandalette am Rand des
Pfades liegen. Sonora drehte sich zu Selma um.

»Wo ist sie?«

Selma strich sich eine Haarsträhne aus der Stirn. »Gehen Sie
weiter, dann werde ich es Ihnen zeigen.«

»Das glaube ich Ihnen nicht.« Sonora deutete auf den Schuh.
Sie hörte Keatons tiefes Einatmen und sah ihn auf den Rand
des Pfades zuschwanken.

»*Nein!*« Selma richtete die Waffe auf ihn.

Einen Schuß aus dieser Nähe wird er nicht überleben, war
Sonoras einziger Gedanke.

»Weitergehen!« befahl Selma.

Sonora gehorchte, lief am Rand des Pfades entlang weiter und
warf einen Blick über die Schulter zurück. Keaton war bleich
wie der Tod. Regenbäche rannen über sein Gesicht. Sie hatte
Angst, ihm den Rücken zuzukehren, hatte Angst, er würde
getötet, wenn sie sich zu weit von ihm fortbewegte.

Selma schwenkte die Waffe auf Sonora. »Da runter.«

Es wird weitere Blutspuren geben, wenn der ununterbrochen
trommelnde Regen sie nicht weggewaschen hat, dachte Sonora. Es ging jetzt steil abwärts, und sie hielt sich an den Ästen
der am Rand stehenden Bäume fest. Als sie einmal den Kopf
drehte, sah sie, daß Selma und Keaton sie beobachteten.

Ein gelber Fleck fesselte ihre Aufmerksamkeit, ein sonnen-
gelber Streifen hinter einem umgestürzten Baum. Sonora
rutschte den Hang hinab zu der Stelle.

Die Füße entsetzten sie am meisten, die zerfetzten Strümpfe,
das aufgeschürfte Fleisch. Sie sah Ashley Daniels vor sich, wie
sie blutend und voller Angst durch den Wald in den Tod
getaumelt war.

An ihren Fingernägeln sah man, daß sie nicht gekämpft hatte. Das weiße Seidenhemd war völlig durchweicht, darunter zeichneten sich die Konturen des spitzenbesetzten Büstenhalters ab, das rosa Fleisch kaum verhüllend. Das Hemd war voller Blutflecke, als ob sie Blut getrunken und sich damit bekleckert hätte.

Auf sie war nur einmal in Höhe des Magens geschossen worden. Sonora starrte auf die schwarz klaffende Wunde und fragte sich, wie es möglich war, daß Ashley noch so lange gelebt hatte und so weit gelaufen war. Auf dem mit Blättern bedeckten Boden waren deutlich Schleifspuren zu sehen. Ashley war wahrscheinlich auf dem Pfad zusammengebrochen, hatte ihren Schuh verloren, und Selma hatte sie ein paar Meter in den Wald gezogen – nicht weit – und hinter dem umgestürzten Baum versteckt.

Und jetzt führte Selma sie direkt an der Leiche vorbei. Wohin? Zum Fluß, kein Zweifel.

Sonora machte mechanisch die antrainierten Handgriffe, faßte nach der kalten, nassen Hand, legte die Finger an die Seite des Halses, vermied dabei, in die weit aufgerissenen Augen zu sehen, und ignorierte die seltsam mißmutige Miene, die den Eindruck vermittelte, als ob sich Ashley Daniels eher belästigt gefühlt als in schrecklicher Angst und Qual befanden hätte.

Sonora schaute zurück zu Keaton und Selma. Sie hätte jetzt fliehen können. Sie wußte das, und Selma wußte es auch. Ja, sie hätte Selma vielleicht sogar überwältigen können – es mußte inzwischen in der Umgebung vor Cops nur so wimmeln. Aber dann würde Keaton nicht überleben.

Sonora kletterte den Hang wieder hinauf und sah, daß Keaton sie mit angstvollem Blick anschaute. Sie wandte den Kopf rasch zur Seite und fragte: »Was jetzt?«

»Zum Fluß!« befahl Selma. Sie machte eine Bewegung mit der Waffe. »Los, weiter!«

Sam muß ganz in der Nähe sein, dachte Sonora, und auch Crick und Verstärkung und Streifenpolizisten. Zeit gewinnen, das war jetzt am wichtigsten.

»Okay, zum Fluß.«

»Einen Moment mal.«

Sonora und Selma schauten Keaton an, als ob sie vergessen hätten, daß er noch da war.

»Haben Sie … Was haben …«

Sonora berührte ihn am Arm. Selma zuckte zusammen und machte einen Schritt auf sie zu.

Sonora sagte mit leiser und ruhiger Stimme: »Ashley war nicht dort, Keaton. Sie ist wahrscheinlich am Fluß.«

»Sie liegt da unten«, entgegnete Selma ganz kalt, und in ihrer Stimme war ein gefährlicher Unterton.

Sonora schluckte, ihr Mund war so trocken, daß sie am liebsten die Zunge rausgestreckt und ein paar Regentropfen aufgefangen hätte. Keaton schüttelte den Kopf, in seine Augen trat ein ausdrucksloser Blick, der Sonora die Hand nach ihm ausstrecken ließ. Er drehte sich mit einer schnellen, geradezu anmutigen Bewegung zur Seite – und packte Selma am Hals. Sonora wollte ihn zurückreißen, da sah sie, daß sich die Überraschung auf Selmas Gesicht in eine wutverzerrte Maske verwandelte, und wußte, daß es zu spät war. Der Schuß dröhnte auf, ohrenbetäubend, so nahe, daß Sonora die Wucht des Geschoßeinschlags förmlich zu spüren meinte.

Ein unwirklicher Moment der Stille trat ein, und die drei standen beisammen wie ein Freundes-Trio, Keaton und Sonora Schulter an Schulter, Selma klein und zerbrechlich, mit der Waffe in der Hand, vor ihnen. Eine Strähne kurzer, nasser Fransen hing wie ein Stachel in ihre Stirn.

Keaton sackte nicht zusammen, stöhnte nicht auf, schien nicht einmal den roten Fleck zu bemerken, der sich auf seiner Brust ausbreitete. Er hielt weiter Selmas Hals umklammert.

Sonora spürte mehr, als sie es tatsächlich sah, daß Selma die Waffe wieder anhob. Im gleichen Moment warf sie sich gegen Keaton, und er ließ Selmas Hals los und stürzte zu Boden. Sonora landete auf seiner Brust und wartete auf die Kugel, die jetzt kommen mußte.

Aber sie kam nicht. Sonora spürte, wie Keatons Blut warm durch sein und ihr Hemd drang, und sie spürte auch das schnelle Schlagen seines Herzens.

»Gehn Sie weg von ihm!«

Sonora drehte den Kopf zur Seite. Selma stand über ihr, die Beine gespreizt, die Unterlippe unter kleinen weißen Zähnen vergraben.

»Gehn Sie mir aus dem Weg, Freundin. Die Kugel kann ebensogut durch Sie hindurch in ihn fahren, das macht für mich keinen Unterschied.«

»Ich dachte, *er* mache für Sie einen Unterschied, Selma, *er* sei in Ihren Augen anders als die anderen.«

»Euereins hat falsch gedacht. Unsereins auch. Ich muß eben weiter Ausschau halten, das ist alles. Und jetzt gebe ich Ihnen noch genau dreißig Sekunden, mir aus dem Weg zu gehen.«

Sonora klammerte sich fest an Keaton, der sich kräftig und warm und feucht unter ihrer Brust anfühlte. »Nein.«

»Euereins glaubt wohl nicht, daß unsereins abdrückt, wie?«

»Doch, das glaube ich.«

Selma sah sie an. »Also, was nun?«

»Sie sind hiermit verhaftet. Sie haben das Recht zu schweigen …«

Alle hatten gesagt, Selma würde niemals lächeln, aber jetzt tat sie es; es kam und verging jedoch so schnell, daß Sonora sich nicht sicher war, ob sie es wirklich gesehen hatte. Und genauso schnell hatte Selma sich umgedreht und lief davon, lief im Regen auf den Fluß zu.

Sonora wälzte sich von Keaton und drückte eine Hand fest auf das Einschußloch in seiner Brust. Die Blutung hatte aufgehört, das Gewicht ihres Körpers auf seinem hatte sie zum Stillstand gebracht. Sein Gesicht war kreidebleich, die Lippen purpurrot.

Er öffnete die Augen. »Warum hast du mich weggestoßen? Ich hätte … ich hätte sie erledigt.«

»Keaton …«

»Faß mich nicht an!« Er hob den Kopf, und seine Augen waren voller Wut. »Hat sie leiden müssen? Meine Frau?«

»Nein«, sagte Sonora.

»Du erzählst mir nichts als Lügen, Sonora.«

Sie ließ ihn liegen und rannte weg. Später, als die Alpträume kamen, sah sie ihn da liegen, sah seine Brust sich bei jedem schmerzhaften Atemzug langsam heben, nur ein paar Meter von Ashleys Leiche entfernt.

Sonora rannte den Pfad entlang auf den Fluß zu, und die Frage, warum Selma sie nicht erschossen hatte, als sie die Chance dazu gehabt hatte, kreiste durch ihren Kopf.

Regen platschte auf ihr Haar, und die nasse Jacke klebte an ihrem Körper. Ihr Atem ging keuchend. Im Laufen riß sie die Jacke herunter.

Sie hörte den Schuß in dem Moment, als der Fluß in Sicht kam, sah Wasser um Sam und Selma aufwirbeln, während sie um ihr Gleichgewicht rangen. Sam kippte nach hinten und riß Selma mit sich. Braune Wassertropfen spritzten auf, als Sonora in vollem Lauf in den Fluß rannte.

Selma kam als erste wieder hoch. Sie machte den Eindruck eines sehr kleinen, nassen, wütenden und zugleich verängstigten Mädchens. Sonora schlang die Arme um Selmas Schultern und war überrascht, wie überaus schmal und zerbrechlich sie sich anfühlte.

»Sam!«

Er tauchte in dem Moment wieder auf, als Sonora seinen Namen rief, lebendig, kraftvoll, unverletzt.

»Gott sei Dank!« murmelte Sonora vor sich hin.

Selma schrie, und Sonora verstärkte ihren Griff, aber Selma wand und drehte sich und entschlüpfte ihr. Sonora warf sich nach vorn, wollte nach ihr greifen, verfehlte sie und tauchte unter. Doch sie kam sofort wieder hoch, hustete und rieb sich die Augen.

»Ich hab sie!« rief Sam und zog Selma aus dem Fluß, eine Hand in ihren Nacken, die andere in ihr Haar gekrallt.

61 Der Basketballkorb war nicht im Haushaltsplan vorgesehen gewesen, hatte sich aber als gute Investition erwiesen. Sonora erzielte einen Korb nach dem anderen. Sie wurde langsam echt gut darin. Immer, wenn Selma ihr nicht aus dem Kopf ging, spielte sie Basketball. Und sie spielte oft. Manchmal, spät in der Nacht, wenn sie nicht schlafen konnte, fragte sie sich, was geschehen würde, wenn sie und Selma zu einer Person verschmelzen würden. Und welche Seite würde dann dominieren, die gute oder die böse? Hatte sie, Sonora, genug Gutes in sich, um das Böse in Selma ausgleichen zu können? Gab es auch Gutes in Selma – konnte es das geben? Wie würde eine gute Selma sein?

Sonora dachte an ihren Bruder, an die noch rauchenden, verkohlten Überreste seines kleinen Apartments neben dem Saloon.

Nein, da war nichts Gutes in Selma Yorke.

Und dennoch, warum hatte Selma sie an jenem Tag im Regen nicht getötet? Sie getötet und dann vielleicht entfliehen können?

Die Tür öffnete sich, und Tim und Heather kamen heraus auf die Veranda. Sie sahen einander an, flüsterten sich etwas zu, gingen zum Ende der Einfahrt und blieben dort stehen, dick eingepackt in Anoraks und Handschuhen.

Sonora wünschte, sie könnte alle Gedanken in ihrem Kopf auslöschen. Seit Selmas Festnahme hatte sie nachts kaum einmal länger als zwei Stunden geschlafen. Sie lag Stunde um

Stunde mit weit geöffneten Augen in ihrem Bett. Einzig beim Autofahren fühlte sie sich schläfrig. Und das war, aus welcher Sicht auch immer man es betrachtete, weiß Gott nicht die richtige Zeit zum Einschlafen.

»Mommy?« Heather schaute zu Sonora herüber. Ihre Augen hinter der kleinen Goldrandbrille waren sehr ernst. »Komm jetzt rein, Mommy. Es ist kalt.«

»Ich spiele, wie ihr seht.« Sonora ließ den Ball auf dem Asphalt aufspringen.

Tim und Heather wechselten Blicke und flüsterten sich wieder etwas zu.

»Mom, willst du dir nicht *Witness* anschauen?«

»Nein, danke.«

»Möchtest du ein bißchen Schokolade?«

»Eßt ihr beide sie allein auf.«

Tim runzelte die Stirn. »Dürfen wir Basketball mit dir spielen, Mom?«

»Habt ihr keine Hausaufgaben zu machen? Algebra, Tim?«

»Wir haben unsere Hausaufgaben gemacht, wir haben unsere Betten gemacht, und wir haben unsere Zimmer aufgeräumt.«

Sonora fing den Ball auf und sah ihre Kinder an. Hausaufgaben gemacht, Betten gemacht, Zimmer aufgeräumt – das erregte ihre Aufmerksamkeit. Sie boten ihr Schokolade an und wiesen sie auf ihre Lieblingssendung im Fernsehen hin. Und da war auch so was wie ein Vorwurf in ihren Stimmen.

Sie hatte die Kinder seit viel zu vielen Tagen weder bewußt angeschaut noch sich um sie gekümmert. Es gab Zeiten, in denen es so sein mußte. Moms hatten nun mal im realen Leben mit den realen Anforderungen ihrer Jobs zu kämpfen, und es gab nun mal Zeiten, in denen man seine Aufmerksamkeit auf berufliche Dinge konzentrieren und den Kindern sagen mußte: Habt ein bißchen Geduld, laßt mich erst mal

diesen Killer fangen, und dann werdet ihr eure neue Schul-
kleidung kriegen, eure neuen Schuhe, dann machen wir mal
einen ganzen Tag einen Einkaufsbummel, und an einem weiteren Tag tun wir nur das, was euch Spaß macht, gehn ins
Kino, alles, was ihr wollt.

Aber da gab es Grenzen. Und während sie die beiden da so
nebeneinander stehen sah, den Atem in Nebelwölkchen aus-
stoßend, wurde ihr bewußt, was für Babys sie im Grunde noch
waren. Und wie viel sie von ihnen erwartete. Wahrscheinlich
zu viel.

Es war höchste Zeit, daß sie zum Normalzustand zurückfand
und sich wieder um ihre Kinder kümmerte – und nicht umgekehrt ihre Kinder um sie.

Sie wollte ihnen sagen, wie sehr sie sie liebte, wollte ihnen
sagen, wie stolz sie auf beide war, aber ehe sie es aussprechen
konnte, hatte Tim ihr den Ball weggeschnappt.

»Mom, es sieht jammervoll aus, wie du dich anstellst. Wenn
du einen Korbwurf versuchst, mußt du es *so* machen.«

Der Ball glitt durchs Netz, und Heather fing ihn auf und warf
ihn in die Luft, doch in die falsche Richtung, und so kullerte
er die Einfahrt hinunter auf die Straße. Sonora hörte den
Motor eines Wagens und lief hinter dem Ball her zum
Straßenrand.

Der Wagen hielt an, und der Fahrer winkte Sonora vorbei.
Sie rannte über die Straße und schnappte sich den Ball. Der
Fahrer des Wagens wartete und gab ihr auf dem Rückweg
wieder ein Zeichen, vor ihm vorbeizugehen. Ein sehr ge-
duldiger Mensch, dachte sie und sah sich den Mann genauer
an.

Keaton. Er stellte den Wagen am Straßenrand ab und stieg
aus.

Die Kinder beobachteten sie mit ärgerlichen Gesichtern von

der Einfahrt aus. Endlich hatten sie einmal für einen Moment Sonoras Aufmerksamkeit auf sich gelenkt, und jetzt war es schon wieder vorbei damit.

Mach's kurz, dachte Sonora. Sie tippte den Ball schnell hintereinander auf dem Gehweg aufspringen. »Schön, dich wieder auf den Beinen zu sehen.«

»Du bist nicht zu mir gekommen, hast mich nicht im Krankenhaus besucht«, sagte Keaton.

Er hatte viel an Gewicht verloren. In seinen Augen stand ein gehetzter Blick, und er weckte in Sonora die Angst, daß die Zeit vielleicht doch nicht alle Wunden heilte, daß Narben sich möglicherweise niemals ganz schlossen. Sie hatte das Bedürfnis, ihn zu berühren, mit dem Handrücken über seine frisch rasierten Wangen zu streichen.

»Faß mich nicht an«, hatte er gesagt. »Du erzählst mir nichts als Lügen.«

Sonora ließ den Ball langsam und stetig weiter auf dem Boden aufspringen. Sie hatte jeden Tag im Krankenhaus angerufen, bis er über den Berg war, aber sie sah keinen Grund, ihm das jetzt zu erzählen.

»Komm laß uns einen kleinen Spaziergang machen«, sagte er schließlich.

Sonora warf ihrem Sohn den Basketball zu. »Spiele ein bißchen mit Heather, ich bin gleich zurück.«

Heather machte ihr traurig-enttäuschtes Gesicht, und Sonora zögerte, lief dann zu ihr, drückte sie an sich und flüsterte ihr Versprechungen ins Ohr – daß sie ein ganz tolles Abendessen kochen und ein großes Feuer im Kamin anmachen würde. Aber erst die Aussicht auf ein Victoria's Secret-Schaumbad zauberte ein Lächeln um den Mund.

Sonora richtete sich wieder auf, strich ein paar Haarsträhnen aus Heathers Stirn und sah Keaton geduldig auf dem Gehweg stehen. Sie bemerkte einen attraktiven Grauschimmer im Haar an seinen Schläfen.

Er wartete, bis sie bei ihm war, dann gingen sie los. »Ich konnte nicht bei Ashleys Beerdigung sein. Warst du da?«

»Ja«, antwortete Sonora und versuchte, nicht daran zu denken.

»Das freut mich. Und was wird nun mit ihr geschehen?«

Beide wußten, wen er meinte.

»Sie wird auf Unzurechnungsfähigkeit plädieren, und ich nehme an, sie wird damit durchkommen. Dann wird man sie in eine geschlossene Anstalt für psychisch gestörte Kriminelle stecken, und sie wird in regelmäßigen Abständen Anträge auf Entlassung stellen, die, so hoffe ich, nie durchkommen. Aber sie muß nicht mit der Todesstrafe rechnen.«

Er legte eine Hand auf ihren Arm. »Ich möchte dir danken, daß du mir an diesem schrecklichen Tag das Leben gerettet hast, und dir sagen, daß du eine verdammt gute Polizistin bist.«

Er beugte sich zu ihr herunter und küßte sie auf die Schläfe.

Sie gingen zurück zum Haus und den Kindern, die ihnen mit großen Augen wachsam entgegensahen.

Keaton nahm Tim den Ball aus der Hand und dribbelte ihn Heather zu.

Sie schüttelte den Kopf. »Ich hab' noch nie einen Korb geschafft. Ich bin noch zu klein.«

Keaton hob sie in die Luft, dicht an den Korb. »Du brauchst nur ein bißchen Höhenunterstützung.«

Heather warf den Ball, und er fiel von oben auf den Ring und taumelte auf ihm entlang. Sonora hielt den Atem an. Der Ball rutschte durch das Netz.

»Getroffen!« rief Heather und riß die Arme hoch.

62 Sam stellte eine Tasse Kaffee vor Sonora auf den Schreibtisch. Sie dankte ihm, schaute aber nicht auf, damit beschäftigt, ihre Lippen nachzuziehen.

»Warum machst du nicht endlich Schluß, Mädchen?«

Sonora sah ihn an.

Er rieb sich den Nacken. »Ich meine es ernst, Sonora. Wir haben sie bis zum letzten ausgequetscht. Wir haben Akten angelegt, die jede nur denkbare Möglichkeit abdecken, unsere Falldarstellung ist lupenrein. Wir haben mehr Beweise, als … Jetzt hör doch endlich mal auf, in den Spiegel zu gucken, und sprich mit mir!«

»Sam, wir haben das doch alles schon x-mal durchgekaut.«

»Aber du mußt nicht immer diejenige sein, die mit ihr redet, Sonora.«

»Sie will aber, daß ich mit ihr rede.«

»Wen juckt das? Oder meinst du immer noch, du würdest ihr was schulden?«

»Ich schulde ihr *tatsächlich* was.«

»Sonora …« Er griff nach ihrem Spiegel, aber nicht, um ihn ihr wegzunehmen, sondern um ihn vors Gesicht zu halten. »Schau, Mädchen. Schau doch mal in deine Augen. Siehst du die Schatten *unter* deinen Augen? Ich habe inzwischen mit Crick gesprochen, und er meinte, du brauchst es nur zu sagen, wenn du für eine Weile aufhören willst.«

Sonora blickte in den Spiegel und erinnerte sich an ihre erste Woche bei der Mordkommission.

Man hatte sie zu einer Kneipentour zu Ehren eines gewissen Detective Burton Cortina eingeladen, der sich zum Dezernat Betrug und Fälschungen hatte versetzen lassen. Er war stets nett zu ihr gewesen, hatte sich um sie gekümmert und ihr, die sie noch neu und unsicher war, das Gefühl des Willkommenseins vermittelt.

Sie hatten sich an diesem Abend freundlich und ungezwungen unterhalten, zwei fast noch Fremde, die zuviel getrunken hatten und sich dem angenehmen Wissen überlassen konnten, daß sich ihre Wege in nächster Zeit wohl kaum kreuzen würden. Sie hatten sich gegenseitig eingestanden, daß eine Verwendung in der Mordkommission ihr größter Ehrgeiz gewesen war, und sie hatten mit ihrem Bier darauf angestoßen.

Sonora hatte Mitleid mit Cortina empfunden.

»Sie als Neuling denken sicher, ich muß verrückt sein, daß ich aufgebe, nicht wahr?«

Sonora hatte nur mit den Schultern gezuckt.

»Ich weiß, wie Sie sich fühlen, weiß es wahrscheinlich besser als Sie selbst.« Er hatte in den Spiegel hinter der Bar geschaut und dann sie mit dem leeren Blick in den Augen angesehen, den sie auch schon bei anderen Cops, älteren Cops, bemerkt hatte. »Alles, was ich Ihnen sagen kann, daß man eines Tages die Schnauze voll hat.«

Diese Worte waren bei ihr hängengeblieben, schwebten über ihrem Kopf wie eine Bedrohung.

»Ich bin okay, Sam.«

»Wirklich? Und was macht dein Magengeschwür?«

»Ist weg.«

»Weg? Ehrlich?«

»Ehrlich.« Sonora hauchte auf den Spiegel, und ein Dunstschleier legte sich über ihr Spiegelbild. Es stimmte, seit diesem Tag am Fluß war der Zorn verflogen, der sie wer weiß wie lange beherrscht hatte, und zurückgeblieben war eine auf sich selbst konzentrierte, stabile Gefühlslage. Sie haßte sie nicht mehr – weder ihren toten Mann noch Chas, noch ihren Vater, noch Selma. Das Magengeschwür hatte sich seither nicht mehr gemeldet.

Sonora schaute auf die Uhr. Es war fast Zeit. Sie rief zu Hause an, um zu hören, was die Kinder machten. Zwischen den langen Sitzungen mit Selma Yorke taten ihr die Stimmen ihrer Kinder gut.

Sie zankten sich um das letzte Heidelbeertörtchen. Sonora sagte, sie sollten es sich teilen – ein wahrlich radikaler Vorschlag –, und legte dann auf. Sie schaute wieder auf die Uhr, nahm ihr Notizbuch und ging.

Gruber wünschte ihr mit in die Höhe gestrecktem Daumen Erfolg, als sie ihm im Flur begegnete. Sie warf einen Blick in den Vernehmungsraum. Selma war bereits da und saß neben Mr. van Hoose, ihrem Anwalt. Van Hoose brachte es meistens fertig, mit einem Pokergesicht den Gesprächen zuzuhören, war aber am Ende der Sitzungen doch meistens sehr blaß und mitgenommen. Sonora sah noch vor Ablauf des Jahres die Notwendigkeit einer intensiven psychotherapeutischen Behandlung auf ihn zukommen.

Sie beobachtete Selma, wie sie es immer tat, und fragte sich, ob Dr. Fischer recht hatte und sie wirklich zugänglicher wurde, eine fast unheimliche Metamorphose durchmachte. Und sie wunderte sich nachträglich über die manchmal gequält wirkende Selma bei den Telefonanrufen und fragte sich immer wieder, warum eine Frau, die es fertigbrachte, jemanden mit Benzin zu übergießen und in Brand zu stecken, sie nicht erschossen hatte, als sich ihr die Chance dazu bot.

Sonora stieß die Tür auf, was den Anwalt erschreckt zusammenfahren ließ, nicht aber Selma, die mit den Händen auf dem Tisch ruhig dasaß. Sie hatte wieder einmal ihre Fransen abgeschnitten, was bedeutete, daß es um ihren Gemütszustand nicht besonders gut bestellt war. Ihre braunen Augen waren blutunterlaufen, die Hände zitterten jedoch nicht. Sie trug die schwere Gefängniskleidung aus Jeansstoff und wirkte kleiner denn je.

»Hallo, Selma«, sagte Sonora und nickte dann dem Anwalt zu, der sie mit »hallo« begrüßte. Sie legte eine neue Kassette in den Recorder und setzte sich Selma gegenüber an den Tisch, mit einem Bleistift gegen die Tischkante klopfend.

»Möchten Sie eine Cola oder sonst was, Selma?«

»Nein.«

Sonora machte eine Notiz im Vernehmungsprotokoll. Sie hatte es sich angewöhnt, alles, auch Kleinigkeiten, festzuhalten – Beginn der Vernehmung, Ende der Vernehmung, Angebot von Erfrischungen und Zigaretten, Unterbrechungen für Gänge zur Toilette. Gummi-Penisse wurden in Cincinnati nicht an weibliche Untersuchungsgefangene ausgegeben.

»Lassen Sie uns heute über Ihren Bruder sprechen«, sagte Selma.

Sonora schob sich mit dem Stuhl vom Tisch weg. »Nein. Wir wollen noch mal über das Feuer sprechen, in dem Ihre Eltern umgekommen sind.«

Selma runzelte die Stirn. »Darüber haben wir schon genug geredet.«

»Haben Sie es getan, Selma? Haben Sie das Feuer gelegt?«

Jemand klopfte an die Tür. Gruber.

»Entschuldigung. Da ist ein Anruf für den Anwalt. Scheint dringend zu sein.«

Sonora sah über die Schulter zu van Hoose.

Er stand auf. »Bin sofort zurück«, sagte er und schien froh zu sein, daß er wegkam.

Sonora drückte die Tür hinter ihm ins Schloß, schaltete den Recorder aus und sah Selma an. War das Böse in ihr auf Vererbung zurückzuführen? Gab es nicht doch irgend etwas Gutes in dieser Frau, etwas, das es wert war, gerettet zu werden? Sonora hatte lange Gespräche mit Molliter über diese Fragen geführt, aber sie hatten keine zufriedenstellenden Antworten gefunden.

Sonora setzte sich wieder hin und beugte sich über den Tisch. »Unter uns, Selma – haben Sie das Feuer damals gelegt?«

»Ich habe was für Sie.« Selma griff in ihre Hosentasche, und Sonoras Herz setzte für eine Sekunde aus. Selma schob ihr eine Kassette über den Tisch zu.

Sonora nahm sie in die Hand und las die Aufschrift – »Walgesänge«.

Sonora schluckte. »So haben Ihre Eltern damals in der Nacht geklungen, als sie starben, nicht wahr?«

Selma schaute zu Boden. »So haben sie alle geklungen. Auch Stuart.«

Sonora spürte die Welle der beklemmenden Atemlosigkeit in sich aufsteigen, die sie stets überflutete, wenn sie an ihren Bruder dachte.

»Warum haben Sie mich an diesem Tag im Park nicht getötet?«

Selma hob den Blick und sah Sonora an. Diesmal gab es keine Frage, keinen Zweifel – Selma Yorke lächelte, verzog die Lippen, auf eine Weise, die zugleich rätselhaft und unheimlich wirkte.

Und Sonora fragte sich, wer wem überlegen war.